D0525659

WEEK-END EN ENFER

Né à New York en 1947, James Patterson publie son premier roman en 1976. La même année, il obtient l'Edgar Award du roman policier. Il est aujourd'hui l'auteur de très nombreux best-sellers traduits dans le monde entier. Plusieurs de ses thrillers ont été adaptés à l'écran, dont *Zoo*, la série événement de TF1.

Paru dans Le Livre de Poche :

Bikini
Bons baisers du tueur
Crise d'otages
Dans le pire des cas
Dernière escale
Garde rapprochée
Les Griffes du mensonge
Lune de miel
La Maison au bord du lac
Moi, Michael Bennett
Œil pour œil
On t'aura prévenue
Private Los Angeles
Promesse de sang
Tapis rouge
Tirs croisés
Une nuit de trop
Une ombre sur la ville
Zoo

Les enquêtes d'Alex Cross :

Des nouvelles de Mary
En votre honneur
Grand méchant Loup
La Lame du boucher
Le Masque de l'araignée
Moi, Alex Cross
La Piste du Tigre
Sur le pont du Loup

Les enquêtes du Women's Murder Club :

2e chance
Terreur au 3e degré
4 fers au feu
Le 5e Ange de la mort
La 6e Cible
Le 7e Ciel
La 8e Confession
Le 9e Jugement
10e anniversaire
La 11e et Dernière Heure
12 coups pour rien

JAMES PATTERSON
ET DAVID ELLIS

Week-end en enfer

TRADUIT DE L'ANGLAIS (ÉTATS-UNIS) PAR SEBASTIAN DANCHIN

L'ARCHIPEL

Titre original :

GUILTY WIVES

Publié par Little, Brown and Company, New York, 2012.

© James Patterson, 2012.
© L'Archipel, 2014, pour la traduction française.
ISBN : 978-2-253-08593-5 – 1re publication LGF

PROLOGUE

Juillet 2011

1

Ils prétendent tous que je mourrai ici. Dans ce pays qui m'est étranger, dans cette prison humide et malsaine au fond de laquelle je croupis, dans cet antre où l'on parle des langues qui me sont inconnues. À force de l'entendre, je vais finir par le croire.

Beaucoup ici veulent ma mort. Par esprit de vengeance pour certains, par souci d'affirmer leur autorité pour d'autres. Me tuer, tuer l'une de mes amies, serait un moyen sûr d'accéder à la gloire. On nous a baptisées les Maîtresses de Monte-Carlo. Un surnom amplifié par l'écho que lui ont donné les médias du monde entier. Un surnom plus imaginatif que les précédents : la Bande des Quatre, les Beautés bernoises, les *Desperate Housewives*. Un surnom moins terrible, pourtant, que celui qui s'affichait à la une du *Monde* au lendemain de notre condamnation : Mamans « les tueuses ».

Alors je me prends à espérer. Un miracle. La découverte de nouveaux indices. Les aveux du véritable meurtrier. Quelqu'un capable de me prêter une oreille compatissante. J'attends de me réveiller un jour en m'apercevant qu'il s'agissait d'un cauchemar. Depuis trois cent quatre-vingt-dix-huit jours, j'ouvre les yeux chaque matin en priant le Ciel de me laisser rentrer chez moi. À Georgetown, où j'ai enseigné un temps la littérature américaine à des lycéens apathiques.

En attendant, je reste sur le qui-vive. Je me tiens sur mes gardes au détour des couloirs. Je dors en position assise. J'évite de sombrer dans une routine qui me rendrait vulnérable. S'ils tentent de me tuer, je vendrai chèrement ma peau.

*

Ce matin-là, j'entame ma journée comme toutes les autres, en rejoignant l'aile G par un couloir étroit. Je m'arrête devant la porte vitrée sur laquelle s'étale l'inscription infirmerie, veillant scrupuleusement à ne pas dépasser la ligne, tracée au sol à l'aide de bande adhésive rouge à demi décollée, que nul n'est autorisé à franchir sans y être invité.

— Bonjour.

La surveillante que je viens de saluer s'appelle Cécile. Elle monte la garde devant la porte électrique.

Cécile, sans nom de famille. Le personnel de la prison n'est pas autorisé à révéler son identité aux détenues. Cécile n'est peut-être même pas son vrai prénom. Derrière ces murs règne l'anonymat le plus absolu, afin d'éviter que les gardiennes ne soient prises pour cible un jour par celles qu'elles ont maltraitées.

— Salut, Abbie.

Cécile fait toujours un effort pour me parler en anglais, et je lui en suis reconnaissante.

Un grésillement retentit dans le couloir et la porte s'ouvre.

L'infirmerie, immense, ressemblerait à un gymnase si elle n'était pas aussi basse de plafond. Un espace ouvert dans lequel s'alignent une vingtaine de lits. À l'entrée, une salle d'attente grillagée où sont parquées les détenues malades. Un peu plus loin, tout aussi protégée, la pharmacie où sont enfermés les médicaments et autres fournitures médicales. Au-delà se trouve une chambre blindée, qui peut accueillir jusqu'à cinq malades. Une pièce réservée aux patients contagieux, aux malades en soins intensifs, aux détenues les plus dangereuses.

J'ai toujours aimé l'infirmerie. Elle apporte une touche de vie et de lumière à l'univers angoissant dans lequel je me débats. Et puis j'aime aider les autres. Un moyen efficace de me rappeler que j'appartiens encore au genre humain, que mon existence a un sens. Une zone franche dans laquelle je ne suis pas constamment obligée de me tenir sur mes gardes.

Le reste me plaît nettement moins. À commencer par l'odeur, un cocktail putride de sueur, d'urine et de désinfectant qui me prend à la gorge dès que je franchis le seuil. Inutile de se mentir : on ne se rend pas à l'infirmerie par plaisir, et je veille soigneusement à ne pas gâcher inutilement le mien.

L'endroit ressemble à une ruche à mon arrivée. Les lits sont tous occupés, l'unique médecin du lieu, les deux infirmières et les quatre détenues chargées de les aider courent d'une malade à l'autre. On traverse une épidémie de grippe. Ici, il suffit qu'une seule détenue ait un virus pour que tout le bloc l'attrape. La direction tente bien d'isoler les malades, mais ce type de mesure n'est pas efficace en prison où la promiscuité est de règle. L'établissement pour femmes dans lequel je suis enfermée est surpeuplé. Les cellules, conçues pour quatre, accueillent couramment sept détenues. Faute de lit, trois d'entre elles dorment par terre sur des matelas. En tout, nous sommes près de deux mille dans un établissement conçu pour accueillir mille deux cents personnes. Tassées comme des sardines, on nous recommande de mettre la main sur la bouche quand on tousse.

Winnie, à l'autre bout de la salle, bande le pied d'une Arabe. Winnie est aide-soignante, comme moi. Le directeur nous ayant interdit de communiquer, nous sommes enfermées dans des blocs différents et nous n'avons pas les mêmes horaires à l'infirmerie.

Ma gorge se noue, comme chaque fois que je l'aperçois. Winnie est ma meilleure amie depuis que je suis arrivée à Berne avec mon mari, qui travaille pour l'ambassade des États-Unis. Voisines pendant cinq ans, nous avons appris à endurer ensemble les horaires impossibles de nos conjoints respectifs. Nous n'avons pas de secret l'une pour l'autre.

Du moins l'ai-je cru pendant longtemps. Aujourd'hui, j'ai fini par lui pardonner.

— Eh, me glisse-t-elle avec son accent anglais craquant en m'effleurant la main. J'ai su ce qui t'était arrivé. Ça va ?

— Un vrai conte de fées. Et toi ?

Winnie n'est pas d'humeur à plaisanter. C'est une femme splendide. Grande et belle, avec des yeux vifs, des pommettes parfaitement dessinées, des cheveux très fins d'un noir d'encre. Sa beauté me ferait presque oublier qu'elle a les traits tirés, les épaules légèrement voûtées, et le moral en berne. Plus d'un an s'est écoulé depuis les meurtres. Notre condamnation est intervenue trois mois plus tôt et Winnie commence à perdre les pédales. Les autres filles évoquent souvent cet instant charnière où l'on perd espoir. Elles appellent ça le renoncement. Personnellement, j'ai réussi à y échapper jusque-là. Pourvu que ça dure.

— Ce soir, c'est cinéma, murmure Winnie. Je te garderai un siège. Bisous.

— Bisous aussi. Essaye de te reposer.

Nos doigts se quittent. Elle termine son service, je prends le mien.

*

Une heure et demie s'est écoulée quand la porte de l'infirmerie s'ouvre bruyamment dans mon dos. J'aide l'une des infirmières à soigner une détenue victime d'une plaie au thorax, quand résonne le mot « Urgence ! ».

Ce genre d'incident n'a rien d'exceptionnel dans une prison où l'on compte en moyenne une tentative de suicide par semaine. La violence et la maladie ne font que croître à mesure qu'augmente la surpopulation carcérale.

Cela ne m'empêche pas de me retourner, de voir plusieurs surveillantes pousser une civière sur laquelle est allongée une détenue.

— Mon Dieu ! Non !

Je lâche le morceau de gaze que je tiens entre les mains et me précipite instinctivement. Je sais déjà à qui appartiennent les cheveux noirs qui s'échappent du brancard. J'ai surpris le regard inquiet que m'a lancé l'infirmière. Ici, tout le monde nous connaît.

— Winnie…

2

— Non, pitié !

Je me rue vers le brancard en zigzaguant entre les patientes, telle une boule de flipper. Deux surveillantes qui ont remarqué mon manège s'avancent, prêtes à m'intercepter, tandis que le médecin et les infirmières s'activent fiévreusement autour de Winnie.

— Laissez-moi la voir ! Je veux… S'il vous plaît !

C'est tout juste si j'aperçois, entre les deux gardiennes qui m'ont maîtrisée, le dos de l'une des infirmières et le corps inerte de ma meilleure amie. Le médecin donne des ordres d'une voix saccadée, trop vite pour que je puisse comprendre. Une infirmière se précipite dans la pharmacie.

— Que s'est-il passé ?

Dans ma panique, j'ai posé la question en anglais, et personne ne me répond.

Je tente d'échapper aux gardiennes. Je veux voir Winnie, et je veux qu'elle me voie. L'une des matonnes me bloque brutalement le passage avec l'avant-bras et je m'écroule lourdement. Ma tête heurte violemment le carrelage. Les gardiennes en profitent pour m'immobiliser.

— *Please*. S'il vous plaît… Winnie…

Maintenue à terre par les deux surveillantes, le cou tendu, je vois le médecin, un type d'âge moyen avec de longs cheveux gris, se redresser et secouer la tête. Il laisse retomber son stéthoscope et se tourne vers l'infirmière partie chercher des médicaments.

— Ce ne sera pas nécessaire, Marianne.

Je laisse échapper un cri.

— Non !

Le regard du médecin s'arrête sur l'horloge murale.

— Vous noterez l'heure du décès… il est 14 h 40.

— Vous… vous… vous l'avez tuée !

Avalée par un trou noir, je n'ai pas le temps d'en dire davantage.

3

Je suis plongée dans l'obscurité, alors que la pièce baigne dans la lumière. Je suis gelée, en dépit de la moiteur qui colle ma chemise contre ma peau, de mon front humide de transpiration. Le goût de sang qui m'emplit la bouche, mes côtes qui me lancent et mes poignets sciés par les menottes qui m'enchaînent au mur, tout cela est malheureusement bien réel. J'ai vaguement la notion d'avoir résisté, tout en hésitant à sortir de mon évanouissement. Des bribes de souvenirs remontent à la surface. Les coups de pied, les coups de poing. Le bras inconnu que j'ai mordu. Mais plus rien n'a d'importance. Plus rien ne compte à présent.

À l'instar de Winnie, je suis tentée par l'horreur du renoncement. Toute résistance est désormais inutile, et même néfaste. Le renoncement me tend une main que j'hésite pourtant à saisir.

Plusieurs heures se sont écoulées depuis la mort de ma meilleure amie. Une dizaine, probablement.

La porte de la cellule s'ouvre et je reconnais Boulez, le directeur. Cheveux noirs soigneusement lissés en arrière, cravate parfaitement nouée, costume trois-pièces impeccable. Un vrai politicard. Aux États-Unis,

Boulez serait un élu local porté par l'ambition d'accéder un jour au Congrès. En France, c'est un haut fonctionnaire pénitentiaire qui vise un poste au ministère de la Justice.

— Inutile de perdre notre temps en civilités, déclare-t-il.

Comment lui donner tort, alors que ses subordonnés viennent tout juste d'assassiner ma meilleure amie avant de me passer à tabac et de m'enchaîner ?

J'embrasse d'un regard circulaire la minuscule cellule. Elle est à peine plus grande que le dressing dont nous disposions aux États-Unis. Des traces de moisissure maculent les murs et le plafond. Les taches sombres qui marbrent le sol de ciment font penser aux traces d'huile de moteur que l'on trouve dans les garages. À ceci près qu'elles ont été laissées là par des êtres humains, et non par des voitures.

On m'a enfermée au mitard, la prison à l'intérieur de la prison.

Boulez s'est forcé à venir me trouver. Il a bien trop peur de salir ses ongles manucurés. Il est venu dans un but bien précis et ne restera pas une seconde de trop.

— Dites-moi quel médicament vous avez utilisé. Il nous suffira de dresser l'inventaire de la pharmacie pour savoir quel produit a disparu, mais votre confession nous fera gagner du temps à tous les deux.

En dépit d'un fort accent, il s'exprime dans un anglais parfait, comme la plupart des Français éduqués.

Je tousse. Du sang éclabousse mon pantalon marron.

— Je ne vous poserai pas la question deux fois, me prévient-il.

— Tant mieux, ça m'évitera de continuer à vous ignorer.

Ses yeux papillotent.

— Elle s'est suicidée ? demande-t-il avec une grimace. Vous aviez toutes les deux accès au stock de médicaments. Soit elle s'est tuée, soit vous l'avez empoisonnée. Alors, Abbie ?

Il ne cache pas sa délectation. Nous savons l'un comme l'autre qu'aucune des deux hypothèses n'est la bonne. Il me demande de choisir la version officielle. Je me dois de réagir.

— Jamais Winnie ne se serait suicidée. Je vous *interdis* de prétendre le contraire.

Il relève la tête.

— Dans ce cas, nous sommes en présence d'un meurtre.

Il veut m'inciter à sortir de mes gonds. Sadique comme il l'est, ce type mériterait de rester à son poste à vie.

— Vous lui en vouliez de la situation dans laquelle vous vous trouviez, ajoute-t-il.

Je tousse de plus belle, en crachant à nouveau du sang. Je m'essuie le menton sur l'épaule, à défaut de pouvoir me servir de mes mains entravées.

— Je ne suis pas près d'oublier ce qui s'est passé aujourd'hui. Le responsable finira par payer.

— J'ai une meilleure idée, rétorque Boulez.

Il s'enhardit jusqu'à m'approcher, rassuré de me voir menottée. Il s'arrête à distance prudente, au cas où il me viendrait à l'idée de lui lancer une ruade.

— Avouez le double meurtre, et je dirai que votre amie Winnie s'est suicidée.

Il fallait s'y attendre. J'ai refusé de reconnaître les meurtres lors du procès. Boulez voudrait s'attribuer le mérite de mes aveux afin de satisfaire les instincts carnassiers de la presse et de briller aux yeux de sa hiérarchie.

— Et si je refuse ?

— Avec deux meurtres à votre actif, un troisième ne changerait rien. On ne peut guère vous condamner au-delà de la perpétuité, mais il existe d'autres moyens de vous punir, Abbie.

Il regagne la porte de la cellule.

— Je vous donne quarante-cinq jours pour y réfléchir.

— Vous voulez sans doute dire trente, Boulez.

Une loi française, récemment votée, limite l'usage du mitard à trente jours consécutifs. Cela dit, tout le monde ici contourne allègrement la loi.

— J'ai dit quarante-cinq jours ? Allons bon.

Il m'adresse un petit sourire en coin, puis il frappe du poing contre le battant qui s'écarte avec un grésillement électrique.

— Vous n'aurez pas le dernier mot, Boulez. Un jour, je sortirai d'ici.

Il plisse les paupières, puis son sourire s'élargit.

— J'en doute, chère madame. Vous êtes la meurtrière la plus célèbre de toute l'histoire de France. Vous ne quitterez jamais cet endroit.

Sur ces mots, il s'éclipse. La lumière de la cellule, contrôlée de l'extérieur, s'éteint, et je me retrouve dans le noir. Trente jours de ce régime m'attendent. Voire quarante-cinq.

Peut-être même le reste de mon existence.

Tout ça à cause de deux soirées à Monaco.

ACTE I

Treize mois plus tôt

Juin 2010

1

Moins d'une heure après le décollage à Berne, le jet se posait comme une fleur sur le tarmac de l'aéroport de Nice. Peut-être était-ce l'effet du champagne, mais je voyais tout en rose. Toutes autant que nous étions, pour des raisons différentes, nous éprouvions le besoin de voir la vie en rose. De nous vautrer dans le luxe. En un mot, les quatre jours de rêve qui nous attendaient étaient les bienvenus.

J'ai vidé ma flûte de champagne.

— Ça y est ! Je me sens officiellement en vacances !

— Il était temps, ma belle ! a répliqué Winnie en me serrant le bras à travers l'allée centrale.

Serena, assise en face de moi dans la cabine exiguë, a levé son verre en rejetant en arrière ses mèches blondes.

— *Bonjour, Monaco*. Ne m'en demandez pas plus, c'est tout ce que je sais dire en français.

— Tu oublies chardonnay et merlot.

— *Touché*, m'a répondu Serena.

J'ai embrassé mes amies du regard, consciente de ma chance. Serena Schofield, une championne de ski à l'allure sculpturale, avait terminé cinquième dans la descente aux JO de Lillehammer. Bryah Gordon, née à Johannesburg au plus fort de l'apartheid, était, à trente et un ans, notre benjamine ; très belle fille dotée d'une peau couleur café magnifique et d'un casque afro, c'était aussi la plus brillante du groupe, et notre encyclopédie de référence. Winnie Brookes, enfin, une Anglaise exotique que nous surnommions la Diva du fait de son port de tête digne d'un mannequin, et que sa beauté semblait le plus souvent laisser indifférente.

J'allais m'oublier : Abbie Elliot, pour vous servir. Allez savoir ce que ces femmes exceptionnelles me trouvaient. Chaque fois que je regrettais les États-Unis depuis mon installation en Suisse, il me suffisait de les regarder pour prendre la mesure de mon bonheur.

— J'ai décidé de parler comme les Monty Python pendant tout le séjour, ai-je déclaré en me tournant vers Winnie : C'est un morceau de chance, n'est-il pas ?

— Dans ce cas, je me mets à l'heure américaine, a-t-elle rétorqué. Je propose d'ailleurs d'envahir Monaco, après l'Irak et l'Afghanistan.

Nous sommes descendues du jet privé – merci Serena – sous un soleil caressant de fin d'après-midi. Le 4 x 4 qui nous attendait au pied de la passerelle nous a conduites dans le secteur de l'aéroport réservé aux vols privés, où nous attendaient déjà nos bagages.

— Tu as prévu une voiture, Serena ? s'est inquiétée Winnie.

— Une voiturrre ? Tu as perrrdu le sens commun, ma chérrrie, a réagi Serena en roulant les R à la manière de Zsa Zsa Gábor.

Elle a ponctué sa phrase d'un clin d'œil. Aucune de nous n'est pauvre, mais nous n'arrivons pas à la cheville de Serena, côté compte en banque. On ne s'en douterait jamais, à la lumière de sa gentillesse et de son caractère nature. Ce week-end, pourtant, Serena avait décidé de mener particulièrement grand train.

Nous l'avons suivie jusqu'à l'héliport où nous attendait un superbe appareil gris argent.

— Serena ! s'est exclamée Bryah sur un ton qui laissait percer sa gêne.

Elle ne sortait pas souvent. Son mari, Colton, était du style dirigiste, pour rester polie. Peu importe. En un mot comme en cent, Bryah n'avait jamais participé à un week-end entre filles.

— Pourquoi prendre la route quand on peut prendre les airs ? a répliqué Serena en montant dans l'hélicoptère.

Je n'en revenais pas, et j'avais tort. Le fric n'avait aucune importance aux yeux de Serena, qui entendait passer avec nous quatre jours d'exception.

— Ils n'avaient pas d'hélico plus gros que celui-là ? lui ai-je demandé.

Nos ceintures bouclées, l'appareil a décollé brutalement, au grand déplaisir de mon estomac. Quelques secondes plus tard, nous volions en direction de Monaco, et plus rien ne comptait face aux côtes rocheuses de la Côte d'Azur, à l'immensité bleue de la Méditerranée parsemée de yachts et de voiliers ralliant le port à l'approche de la nuit, au soleil qui se rapprochait de l'horizon dans un ciel turquoise et rose.

— Vous saviez que Monaco est le deuxième plus petit pays du monde ? nous a expliqué Bryah.

— Génial, a répondu Winnie en retenant un sourire.

Nos regards se sont croisés.

J'ai tapoté la jambe de Bryah.

— Allez, ma chérie. On est là pour s'amuser. Profites-en.

Sept minutes plus tard, l'hélico se posait sur une aire d'atterrissage en bord de plage. Nous avons retiré nos ceintures en attendant que le pilote nous ouvre la porte de la cabine.

— Attendez, a dit Serena en tirant de son sac trois enveloppes bien remplies qu'elle nous a tendues.

J'ai découvert une épaisse liasse d'euros en ouvrant la mienne.

— Qu'est-ce que c'est ? s'est enquise Winnie.

— Vous avez chacune cinquante mille euros, nous a expliqué Serena. Allez au casino, faites du shopping, ce que vous voulez, tant que vous me promettez de les dépenser.

J'ai ouvert de grands yeux.

— J'ai le droit de m'acheter une voiture ? Ou alors une petite île ?

— Pourquoi pas une star de cinéma ? a suggéré Winnie. Tu crois que je pourrais louer Brad Pitt pour le week-end ?

Je me devais de réagir.

— *Brad Pitt ?* Mais enfin, Win ! Il est trop vieux pour toi. Choisis plutôt un gamin. Zac Efron, par exemple.

— Tu seras mieux lotie avec un sportif, m'a corrigée Serena. David Beckham ou Rafael Nadal.

— Nadal, peut-être, a concédé Win.

Bryah avait assisté à notre échange en silence. Elle a posé les yeux sur son enveloppe, regardé Serena, et un sourire ironique a éclairé ses traits.

— J'imagine qu'on peut provoquer pas mal de dégâts avec une somme pareille.

Nous nous sommes regardées. Puis, sous l'effet conjugué du champagne, de l'excitation, du relâchement et de l'impatience, nous avons éclaté de rire. De l'autre côté de la vitre nous attendait Monaco, théâtre des plaisirs du gotha de la planète. Loin de nos contraintes de mères et d'épouses dans notre cité d'adoption suisse, cette parenthèse de quatre jours représentait l'évasion. Le moyen de vivre une autre vie.

Je me suis tournée vers Bryah.

— Je vois que tu as tout compris.

2

Quelques minutes plus tard, nous nous arrêtions devant l'entrée de l'hôtel Métropole. Avec le crépuscule, on aurait pu croire qu'une main invisible baissait progressivement la lumière. L'air était d'une épaisseur douce et tiède. Des portiers en jaquette grise, chapeau sur la tête, se sont précipités sur nos bagages. Ils nous ont accueillies chaleureusement en allemand, trompés par la blondeur de Serena, avant de rectifier le tir en anglais.

L'endroit était fabuleux. Nous avons commencé par franchir une arche en granit tapissée de lierre, il ne manquait plus que les trompettes pour annoncer notre arrivée. Des bougies, enfermées dans des photophores, bordaient l'allée de pierre parsemée de plantes japonaises en pot, à l'ombre de conifères élancés d'une espèce inconnue. L'hôtel lui-même dressait sa silhouette majestueuse dans les dernières lueurs du jour. En un coup de baguette magique, je me suis retrouvée avec une flûte de champagne que j'ai portée à mes lèvres en marchant, le nez agréablement chatouillé par les bulles. L'un des portiers nous a expliqué que l'établissement avait récemment été refait, glissant au passage le nom d'un certain Jacques Garcia dont je n'avais jamais entendu parler. J'ai hoché la tête d'un air entendu.

— J'adore son travail.

Winnie marchait d'un pas nonchalant à la tête du groupe, une mélodie aux lèvres, en balançant des bras. Moulée dans une robe bain de soleil verte, elle suscitait l'admiration des bagagistes.

— J'adore ça ! m'a glissé Serena en me serrant contre elle.

Nous en avons profité pour trinquer.

L'immense hall transpirait l'argent, depuis le sol en damier jusqu'à la verrière, en passant par les lustres à abat-jour suspendus au-dessus de nos têtes. Sans parler de la clientèle, un mélange d'hommes en smoking ou en costume hors de prix, de femmes en robe du soir avec le rang de perles obligatoire.

— Je crois que je pourrais facilement m'habituer à tout ce luxe, ai-je soupiré.

— Schofield, s'est présentée Serena à l'employé de la réception.

— Simon ? lui a demandé ce dernier après avoir pianoté sur son clavier.

Notre réaction a été unanime.

— Simon ?!!

Le mari de Serena. Un type aussi riche qu'ennuyeux. Gentil, je suppose, bien que je n'aie jamais compris ce qu'ils pouvaient avoir en commun, tous les deux.

Le problème n'était pas là, de toute façon. Nous avions décidé de nous échapper le temps d'un week-end. Quatre jours, rien que pour nous. Une parenthèse sans maris, même si les attentes des unes et des autres n'étaient probablement pas les mêmes.

— Rabat-joie, a chantonné Winnie.

Serena a éclaté de rire.

— Son assistante se sera chargée de la réservation. Elle a dû donner le nom de Simon, par habitude.

— Je suis impatiente de voir la chambre, a déclaré Bryah.

— Tu la verras plus tard, l'a arrêtée Serena en battant des mains. Commençons par aller au casino, je me sens en veine.

— Plus tard ?!!

Cette fois encore, la réaction a été unanime. Serena nous avait tellement rebattu les oreilles avec cette suite, il était hors de question de remettre à plus tard.

*

— Wouah !

C'est tout ce qui m'est venu en découvrant la suite présidentielle en duplex, baptisée le Carré d'or. Un nom digne d'un parfum de luxe. Ce n'était pas une suite, mais un palace. Des roses dans tous les coins, champagne et macarons à gogo, des tableaux, et une vue sur la moitié de la Principauté. Je crois l'avoir déjà précisé, je pourrais aisément m'habituer à un tel luxe.

Je n'ai pas grandi dans un milieu aisé, pas plus que je ne suis riche. Jeffrey et moi vivons de façon tout à fait confortable, mais nous n'avons ni villa d'été ni jet privé. Je ne m'en plains nullement, mais cet état de fait me différencie des autres. Winnie est issue d'une famille londonienne fortunée. Quant à Bryah et

Serena, elles ont épousé des maris argentés. Je ne doute pas qu'elles avaient déjà vu des duplex comparables à celui-ci. Peut-être pas, après tout, à en juger par la façon dont elles exploraient les lieux.

Je n'avais personnellement jamais connu une telle opulence. Le parquet du salon, assez vaste pour qu'un hélicoptère y atterrisse, était parcouru de motifs brun et or. Les fenêtres s'ouvraient du sol au plafond sur une immense terrasse surplombant les eaux de la Méditerranée. Avant de m'y aventurer, il me restait à jeter un œil à la salle de bains, habillée de marbre et de grès. Elle était équipée d'une ravissante baignoire couleur ivoire et d'une douche capable d'accueillir une famille entière.

— Finalement, je crois que ça conviendra, ai-je plaisanté.

Les chambres n'étaient pas en reste. La première, située sur le devant, faisait le double de la mienne à Berne. Les murs étaient tapissés d'un papier peint à fleurs vert pastel. Une porte s'ouvrait sur un dressing. J'ai demandé au bagagiste d'y déposer mon sac et celui de Winnie avec qui j'avais décidé de partager ce mini-royaume, laissant la seconde chambre à Serena et à Bryah.

Winnie m'attendait sur la terrasse, d'où elle admirait le casino et la mer, étincelante sous un ciel rosacé. Une légère brise balayait ses longs cheveux noirs.

Je me suis approchée.

— Cette terrasse est deux fois plus grande que mon premier appartement à Georgetown.

— Je sais, ma belle. C'est merveilleux.

Winnie s'est retournée en écartant les bras, à la façon d'un mannequin.

— Monte-Carlo, nous voici !

Serena a passé une tête.

— Habillez-vous, les filles. On part jouer au casino.

3

Avec son architecture baroque, la façade du casino ressemble à celle d'un palais royal. Un temple de l'argent. Nous avons montré nos passeports à l'entrée après avoir traversé l'océan des voitures de luxe garées devant l'entrée. Bryah nous a expliqué au passage que le lieu était interdit aux citoyens monégasques.

L'atrium, une succession de colonnes de marbre et de sculptures enfermées dans un univers de dorures, s'élevait jusqu'au premier étage. L'endroit tenait davantage de l'opéra que du casino, une confusion qui s'expliquait sans doute par le fait que son architecte était le même que celui de l'Opéra Garnier à Paris, à en croire Bryah. Il était plus que temps de la pousser à boire.

Le temps d'acquitter le prix d'entrée, nous nous sommes retrouvées dans une salle de jeux au plafond mouluré couvert de fresques, dans une débauche de tableaux et de statues. Costume et cravate de rigueur pour les hommes, robe de soirée pour les femmes. Serena, Winnie et moi avions choisi des robes de cocktail noires, sans bretelles pour mes deux compagnes, tandis que Bryah optait pour une tenue dorée moins déshabillée.

Bryah avait toujours tendance à se couvrir davantage que nous, et je croyais connaître les raisons de ce choix.

Quoi qu'il en soit, nous faisions désormais partie de l'élite de Monte-Carlo, c'est-à-dire de celle de la planète : un savant mélange de stars de cinéma, de sportifs de haut niveau, de financiers et de capitaines d'industrie prêts à dépenser des sommes astronomiques dans le seul but de s'amuser.

— Roulette, a décrété Serena. On ne peut pas venir à Monte-Carlo sans jouer à la roulette.

Son choix me convenait, car je m'étais systématiquement intéressée à la roulette les rares fois où j'avais joué dans ma vie.

La roulette européenne compte trente-sept cases numérotées de 0 à 36, pour moitié rouges et pour moitié noires. Le parieur doit deviner sur quelle case s'arrêtera la bille. Il place sa mise sur la table, avec la liberté de parier sur des nombres individuels, des blocs de deux ou quatre nombres, par tiers (1 à 12, 13 à 24, 25 à 36) ou moitié (1 à 18, 19 à 36), les nombres pairs ou impairs, le rouge ou le noir. Les gains, proportionnels au risque encouru, sont forcément plus importants lorsque le joueur a misé sur un nombre individuel, c'est-à-dire avec une chance sur trente-sept de gagner, que lorsqu'il a opté pour la couleur, avec une chance sur deux d'avoir raison.

Serena s'est assise en posant devant elle cinquante mille euros, ce qui a immédiatement attiré l'attention des badauds massés derrière les autres joueurs. Ceux-ci – un Indien en smoking, un Italien corpulent avec une barbe et une queue de cheval, ainsi qu'une jeune Américaine – ont dévisagé la nouvelle arrivante en essayant de la cataloguer. Une actrice, peut-être ? Une riche héritière ?

— C'est une trafiquante de drogue internationale, ai-je glissé à la femme qui accompagnait le gros Italien, une blonde platinée au corps sinueux.

Serena a reçu du croupier cinquante jetons jaunes, d'une valeur individuelle de mille euros. Elle en a posé cinq sur le chiffre 5, sa place lors de la descente aux JO d'hiver.

Une mise directe, forcément dangereuse. L'Indien a misé sur les rouges, l'Italien sur la colonne 1 à 18, l'Américaine sur un carré en plaçant son jeton à l'intersection des cases 31, 32, 34 et 35.

Le croupier a lancé la roulette dans le sens des aiguilles d'une montre en s'écriant « Les jeux sont faits », puis il a déposé la bille à contresens du mouvement de la roulette. La bille a rebondi à plusieurs reprises avant de s'arrêter sur la case 19.

— 19, rouge !

L'Indien a doublé sa mise tandis que le croupier encaissait celles des autres joueurs. En l'espace de quelques secondes, Serena venait de perdre cinq mille euros. L'équivalent d'un trimestre d'internat dans l'école privée de Nouvelle-Angleterre où j'ai inscrit mes enfants.

— Tu ferais mieux de miser sur une colonne, ou bien une couleur, ou alors pair ou impair, ai-je conseillé à Serena.

— Pas drôle, a-t-elle répliqué en posant cinq autres jetons jaunes sur le 5.

— Tu as moins de trois pour cent de chance de gagner, l'a avertie Bryah.

— Laissez-la jouer ! nous a interrompues Winnie. L'Angleterre est derrière toi, Serena !

— Les jeux sont faits.

Les Cosmopolitan que nous avions commandés sont arrivés. La vodka me convenait mieux que le champagne. Les bulles me montent facilement à la tête.

— 11, noir, a annoncé le croupier.

Bonne nouvelle pour tout le monde, à l'exception de Serena.

J'ai tenté de l'avertir.

— Tu ne peux pas continuer à miser éternellement cinq mille sur le même numéro.

— Tu as raison, a-t-elle répondu avec un clin d'œil en posant cette fois dix jetons sur le 5.

— Les jeux sont faits.

Serena a levé son verre dans ma direction.

— 22, noir.

Serena a posé cinq nouveaux jetons sur le numéro 5.

— Les jeux sont faits.

La bille a dansé de case en case avant de s'immobiliser sur le numéro 6.

— 6, noir.

— Je me rapproche, a remarqué Serena.

Belle consolation, après avoir perdu vingt-cinq mille euros en l'espace de dix minutes.

À son tour, l'Italien a posé deux jetons sur le 5 en lui adressant un sourire. Il a aussitôt limité les risques en misant cinq jetons sur les rouges.

— Les jeux sont faits, a fait le croupier en répétant son manège.

— 34, rouge.

Les gens commençaient à s'attrouper autour de nous, attirés par cette Américaine blonde qui jetait l'argent par les fenêtres en misant sur le numéro 5 à coups de cinq mille euros.

Sa réserve rapidement épuisée, Serena a tendu une nouvelle liasse de cinquante mille euros au croupier. Des murmures se sont élevés dans notre dos, dont je doute qu'ils étaient flatteurs.

Du Serena tout crachée. La reine de la compétition, toujours prête à affronter les autres, à relever n'importe quel défi. Je savais ce qu'elle recherchait, son amour du risque constituait l'ingrédient de base du week-end qui nous attendait.

Je me tenais derrière elle. Winnie discutait avec un grand gaillard de type espagnol. Bryah, son deuxième Cosmopolitan de la soirée à la main, avait définitivement oublié ses savants calculs de pourcentage pour soutenir bruyamment Serena.

J'ai posé une main sur l'épaule de cette dernière.

— Autant t'en tenir au 5.

Après tout, c'était son argent. De quel droit lui aurais-je prodigué des conseils ?

— Va pour le 5, a répondu Serena en me tapotant gentiment la main.

Elle était aux anges.

— 17, noir.

— 24, noir.

— 7, rouge.

Les gens ont commencé à applaudir chaque fois qu'elle déposait une nouvelle mise. J'aurais été bien incapable de dire s'ils entendaient l'encourager ou souligner le ridicule de son entêtement. D'une façon ou d'une autre, elle s'était trouvé un auditoire.

— Tu dois penser que je suis folle, m'a-t-elle dit en se retournant.

J'ai déposé un baiser sur sa joue.

— Je pense que tu es formidable.

— Je t'adore, ma chérie.

Elle n'avait plus devant elle que dix jetons. Ses derniers dix mille euros. Elle a déposé la moitié sur le 5.

— 14, rouge.

Un soupir de déception a parcouru la foule. Je m'étais donc trompée. Ils admiraient sa force de caractère, à défaut de comprendre sa stratégie. À notre image tout au long de ce week-end, ils vivaient par procuration en observant cette femme accumuler les risques.

Plus que cinq jetons.

— Tu crois que je devrais changer de nombre ? m'a-t-elle demandé.

— Tu as confiance dans le 5 ?

— J'ai confiance en nous.

Je me suis penchée vers elle.

— Alors parie sur nous. Nous quatre.

— Madame ? s'est inquiété le croupier.

Serena m'a adressé un sourire, puis elle a poussé ses ultimes jetons.

Sur le numéro 4.

Les gens ont réagi derrière moi. Que fabrique-t-elle ? Pourquoi changer maintenant ?

La roulette a entamé sa ronde.

— Les jeux sont faits.

La bille a dansé une dernière fois sous nos yeux, avant de s'immobiliser.

Un rugissement s'est élevé de la foule.

— 4, noir, a prononcé le croupier.

4

Le lendemain, affligée d'un sérieux mal de crâne, j'éprouvais le besoin de me remettre. La plus belle plage et la meilleure piscine sont celles de l'hôtel Monte-Carlo Beach. Je le savais, pas besoin des lumières de Bryah pour une fois. D'ailleurs, elle non plus n'était pas au mieux de sa forme ce matin-là, à croire qu'elle avait encore moins l'habitude des soirées arrosées que moi. On avait bien envisagé d'aller faire du shopping, de passer devant le palais princier ou de visiter la tombe de la princesse Grace, mais nous devions d'abord nous remettre.

Nous étions toutes en piteux état, mais contentes de l'être. Il était presque 11 heures lorsque nous avons fini par nous traîner jusqu'au Beach Club. Un soleil féroce brillait dans un ciel sans nuages au-dessus d'une Méditerranée d'un bleu profond. La belle vie, en quelque sorte.

La piscine du Métropole est agréable, mais celle du Monte-Carlo Beach était *le* lieu à la mode, à en croire nos informations. L'endroit était plein à craquer, au point que nous avons éprouvé les plus grandes difficultés à rassembler quatre chaises longues dans un coin. La piscine, gigantesque, ne manquait pas de nageurs, mais la plupart des gens se contentaient de se mouiller les jambes, assis sur le rebord. On se serait crues dans un bar pour célibataires.

— Alors les filles ? Sur les rotules ? Rien de tel qu'un bon bain pour se remettre les idées en place.

Winnie a retiré son paréo, révélant un bikini noir. Une bonne vingtaine de types se sont fait un torticolis en tournant la tête dans sa direction. Serena, d'une beauté moins spectaculaire que celle de Winnie, est plus élancée ; elle a surtout gardé sa silhouette féline de championne. Elle portait un bikini doré, et tous les projecteurs se sont tournés vers nous.

Bryah a préféré rester habillée, comme à son habitude.

— Je n'ai pas vraiment besoin de bronzer, a-t-elle plaisanté.

Nous n'en avons jamais parlé. Après une foulure au bras, une épaule démise, plusieurs doigts fracturés, des bleus à l'avant-bras, à la cuisse et dans le dos, nous avons cessé de croire à de simples coïncidences, ou à sa maladresse. Ce n'était pas systématique, ce qui signifie en clair que son mari ne la battait pas constamment. Colton était une sale petite brute. En outre, il ne frappait jamais Bryah au visage. Il s'en prenait exclusivement à des parties du corps qu'elle pouvait dissimuler aux regards. Cette preuve de prudence le rendait encore plus détestable à mes yeux.

J'aurais voulu en parler avec Bryah, mais les deux autres m'avaient convaincue de me taire. Bryah savait qu'on l'aimait, qu'on ferait n'importe quoi pour elle.

Le jour où elle serait prête à en discuter, elle n'hésiterait pas.

— Alors ? nous a interrogées Winnie en triturant la boucle de son haut de bikini. On se met au diapason des coutumes locales ?

La plupart des femmes étaient seins nus, mais très peu pour moi. Le bikini rouge que j'avais enfilé sous mon paréo était suffisamment osé.

— À la monégasque, a réagi Serena, toujours dopée par sa prouesse de la veille au casino.

Ce n'était pas tant l'argent qu'elle avait gagné que la gratification de son instinct de sportive. Ses derniers cinq mille euros lui en avaient rapporté cent soixante-quinze mille, de sorte qu'elle terminait la soirée avec soixante-quinze mille de plus qu'à son arrivée.

Elle a ouvert le bal en retirant son haut de bikini. Winnie l'a rapidement imitée. Elles se sont enduites d'huile solaire, en insistant sur les zones les plus blanches, avant d'aller tremper leurs orteils dans l'eau de la piscine.

Je me suis tournée vers Bryah.

— Je les déteste.

Un serveur s'est matérialisé à côté de moi, comme par magie. J'ai commandé des bouteilles d'eau, des cocktails au champagne et des assiettes de fruits frais pour tout le monde.

Bryah, des lunettes de soleil dernier cri sur le nez, s'est étirée avec gourmandise sur sa chaise longue. Elle avait décidé de se détendre. De leur côté, Serena et Winnie ne se débrouillaient pas trop mal, entourées d'une nuée de mâles qui s'étaient rués dans leur direction en les voyant s'approcher de la piscine. Serena et Winnie sont les flirteuses de la bande.

Il leur arrivait de dépasser le stade du flirt. Serena trompait Simon. Leur couple avait fini par s'user, ils ne faisaient plus l'amour depuis des années. Simon la traitait bien. J'entends par là qu'il l'entretenait, mais ce n'était pas l'essentiel aux yeux de Serena. Accro à l'adrénaline, elle ne pouvait pas passer son temps à sauter en parachute ou pratiquer la Formule 1. Serena avait besoin de passion dans sa vie amoureuse, ce qui l'avait poussée à aller voir ailleurs par deux fois au cours des cinq dernières années. Elle avait chaque fois éprouvé des remords. Elle soupçonnait même Simon d'être au courant. D'après moi, elle avait *envie* qu'il soit au courant, car elle voulait qu'il se batte pour la garder. Elle avait envie qu'il la veuille.

Désormais, sa vie se limitait apparemment à Katie Mei, la petite fille adoptée en Chine après les deux fausses couches proches du terme qui lui avaient ôté toute envie de retomber enceinte. Katie représentait tout pour elle.

Quant à Winnie, elle avait épousé James Bond. Christien avait appartenu aux services secrets britanniques pendant des années avant d'accepter un poste de bureaucrate à l'ambassade britannique de Berne. Christien était aussi mystérieux que bel homme. Exactement ce qu'il fallait à Winnie. Ils formaient tous les deux un couple à tomber par terre, avec deux enfants à tomber par terre. Pourtant, quelque chose clochait chez eux. Je n'aurais pas su dire précisément quoi. Winnie n'était pas du genre à se plaindre. Je le sentais à la façon dont elle parlait de Christien, à son manque d'enthousiasme. Winnie se dévouait corps et âme à ses enfants tout en s'impliquant dans des associations caritatives. En particulier, elle se battait au nom des enfants atteints d'autisme en hommage à Winston, son frère qui souffrait de cette maladie. (Oui, vous avez bien lu : Winnie et Winston. Leurs parents ne manquaient pas d'humour, arguant du fait qu'ils se trouvaient dans une situation gagnant-gagnant grâce à leurs deux gamins. *Win-Win.*)

— À l'heure qu'il est, toutes les femmes de la piscine doivent haïr Win et Serena, a gloussé Bryah.

Sans doute avait-elle raison. Les deux filles se trouvaient au centre de toutes les attentions. L'endroit ne manquait pourtant pas de belles créatures. La plupart étaient plus apprêtées que celles du casino la veille, et une bonne moitié d'entre elles étaient passées une fois au moins sous le scalpel d'un chirurgien esthétique.

La commande est arrivée et j'ai goûté mon cocktail au champagne. Pourquoi pas ? J'étais en vacances, non ? Je l'avoue, Jeffrey ne me manquait pas. Quant à mes enfants, ils me manquaient, mais ils m'auraient tout autant manqué à Berne. Richie et Elena étaient tous les deux internes dans l'école privée du Connecticut qu'avait fréquentée leur père lorsqu'il était enfant. J'avais tenté de m'y opposer, mais Jeffrey avait eu le dernier mot. Comme toujours ou presque, ce que j'avais du mal à admettre. Il est déjà difficile d'accepter l'idée que vos enfants se trouvent dans le Connecticut quand vous vivez à Georgetown (Lakeville est à six heures de voiture, quatre-vingt-dix minutes en avion) ; je vous laisse imaginer ce qu'il en est quand vous habitez en Suisse. J'avais fini par accepter la situation, à défaut de pouvoir demander à Jeffrey de renoncer à son poste à l'ambassade, ou bien aux enfants de quitter du jour au lendemain une école dans laquelle ils étaient heureux.

Assez gambergé. Je suis en vacances.

J'ai vidé mon champagne avant de m'attaquer à celui de Winnie, qui avait en main une flûte offerte par l'un de ses soupirants.

— On y va ? m'a proposé Bryah. Chiche !

Je lui ai répondu par un sourire. Je me demande bien ce que j'attendais. D'ailleurs, pourquoi aurais-je attendu ? À cause de Jeffrey ? À l'heure qu'il était, il se trouvait probablement dans les bras de sa maîtresse.

— Chiche !

5

Tout le monde ne faisait pas preuve d'autant d'insouciance à l'hôtel Monte-Carlo Beach. Les quatre hommes équipés de jumelles qui surveillaient les abords de la piscine depuis un balcon éprouvaient des sentiments pour le moins mitigés.

— Vous comprenez, maintenant ? s'agaça Colton en s'adressant à ses trois compagnons. Quand je vous disais qu'elles n'étaient pas venues là uniquement pour la bronzette.

— Au moins Bryah n'a pas retiré son haut de bikini, remarqua Christien qui ne pouvait en dire autant de Winnie.

— C'est pour ça que tu nous as appelés en nous demandant de venir de toute urgence ? s'étonna Simon.

Colton se tourna vers lui.

— Mais enfin, regarde-les ! Toutes ! Ta Serena comme les autres. À les voir, on ne dirait pas qu'elles sont mariées.

— Colt, je t'en prie…

— J'aurais voulu que tu les voies hier soir au casino. Une bande de bimbos en goguette. On ne voyait qu'elles. Elles n'avaient pas honte, je peux te le garantir.

— Colton a raison, on ne peut pas rester les bras croisés, intervint Jeffrey. C'est inacceptable.

Grand et mince, sans un cheveu de travers, il n'avait plus rien du prof de relations internationales de Georgetown qu'il était à l'époque de sa rencontre avec Abbie. Une vraie caricature de haut diplomate américain.

— Regardez-moi ça !

Le visage de Colton avait viré au rouge brique. Les autres avaient toujours estimé qu'il formait avec Bryah un couple mal assorti. Un petit gros caractériel de quarante-huit ans marié à une jeune Black exotique. Une intellectuelle mariée à un individu colérique et primaire.

— En attendant, comment comptes-tu réagir ? l'interrogea Simon.

— Il est hors de question de les laisser s'en tirer à si bon compte.

Colton souleva le pan de sa chemise beige, dévoilant la crosse du pistolet coincé dans sa ceinture.

— Dieu du Ciel, Colt ! s'écria Christien de sa voix de baryton.

Il recula d'un pas, imité par Jeffrey, muet de saisissement.

— Tu es complètement fou ! s'écria Simon.

Un bel homme de quarante-quatre ans, aux cheveux prématurément gris, qui reconnaissait volontiers passer trop de temps à l'enrichissement d'un portefeuille suffisamment garni pour assurer le confort de plusieurs générations. L'arrivée de Katie Mei, sa fille adoptive, l'avait aidé à se recentrer sur l'essentiel.

— On perd notre temps, poursuivit-il en regardant sa montre. Mon jet part dans une heure. Je dois impérativement être à Zurich ce soir. Vous n'avez qu'à en profiter.

Christien, préoccupé par le pistolet de Colton, ne répondit rien.

— Alors ? Vous m'accompagnez ? insista Simon.

Jeffrey, le diplomate guindé, porta les jumelles à ses yeux. Abbie, au milieu de la piscine, riait en écoutant un jeune homme. Un type plus musclé et séduisant que lui. Il baissa les jumelles et regarda successivement Colton et Simon.

— Je voudrais d'abord écouter la proposition de Colton, suggéra-t-il.

6

Nous avons quitté le Monte-Carlo Beach et regagné l'hôtel. De retour dans notre chambre, Winnie et moi avons discuté comme des collégiennes des beaux garçons croisés à la piscine tout en nous maquillant et nous épilant les sourcils, entre deux gorgées de champagne. Winnie, victime d'une de ses crises d'allergie, a épuisé une boîte de mouchoirs en papier. Personnellement, j'étais très en forme, si l'on oublie l'eau de piscine restée coincée au fond d'une de mes oreilles, dont une montagne de cotons-tiges n'était pas venue à bout. La vie est dure, non ?

Nous avons ensuite dîné au Yoshi, le restaurant japonais de l'hôtel, imaginé par Joël Rebuchon. Un endroit feutré, à dimension humaine (la salle accueille un maximum de quarante convives), à la luxueuse décoration japonaise ultracontemporaine, savant mélange de bois et de couleurs douces. Au fond du restaurant, le plafond s'ouvrait sur un étage d'où pendait un lustre en spirale géant de trois mètres de hauteur.

Serena et Winnie se sont glissées sur une banquette en soie orange foncé le long du mur. Bryah et moi avons préféré deux confortables chaises jaunes en face d'elles. Nous avions chacune devant nous un set de table en plastique noir, un verre à eau orné de motifs sombres, et une assiette en verre. Une lumière douce s'échappait du photophore vert posé au centre de la table. Avant d'avoir eu le temps de crier *banzaï*, nous dégustions le champagne Bruno Paillard maison.

Tout simplement rassasiées de soleil et gentiment grisées, nous prenions notre pied. Tout en savourant des sashimis de saumon avec le premier flacon de saké, nous avons évité les sujets de conversation galvaudés du type réchauffement climatique, prolifération nucléaire et pays émergents d'Amérique latine, pour mieux nous intéresser aux mimiques de nos conjoints respectifs pendant l'amour. Pour vous résumer : Simon ressemble à un écureuil en train de retenir son souffle, Colton à un phoque en train d'accoucher, et Christien grince des dents comme s'il était constipé. Quant à M. Jeffrey, il a toujours fait preuve de la plus grande retenue. Les paupières serrées, on dirait qu'il essaye de retrouver les paroles d'une chanson oubliée.

— Pour vous, c'était quand la dernière fois ? nous a demandé Bryah.

Elle a gagné le concours, puisqu'elle avait eu des rapports avec Colton la semaine précédente. Winnie n'avait pas fait l'amour depuis plusieurs semaines, moi depuis des mois, Serena des années.

J'avais toutefois besoin d'une précision.

— Attendez. Vous voulez savoir quand Jeffrey a fait l'amour pour la dernière fois, ou bien la dernière fois avec moi ?

Ma plaisanterie est tombée à plat. J'étais la première étonnée de m'être lancée sur un terrain aussi glauque.

Si Winnie était au courant que Jeffrey avait une maîtresse, je m'étais contentée de simples allusions en présence des autres.

— Je ne crois pas que Simon me trompe, a repris Serena.

Sa froideur m'a fait grimacer intérieurement. Elle a entamé la nouvelle carafe du saké recommandé par le sommelier.

— Si ça ne s'achète pas, ça ne l'intéresse pas.

— Honnêtement, est intervenue Winnie, je suis perplexe au sujet de Christien. Je ne pense pas qu'il me trompe, mais on ne sait jamais *rien* avec lui. Je vous ai raconté qu'il avait été malade la semaine dernière ? Eh bien je l'ai su parce que je l'ai entendu vomir aux toilettes. J'ai pris sa température, j'ai cru que le thermomètre allait exploser. Cinq minutes plus tôt, je lui demandais encore s'il avait envie de m'accompagner pour un jogging et il me répondait « Pourquoi pas ? » avec son air de ne pas y toucher. La minute d'après, il vomissait tripes et boyaux. C'est un mystère à lui tout seul. J'ai parfois envie de lui rappeler qu'il a mis au placard son costume de 007 il y a huit ans.

Les *edamame* (de jeunes fèves de soja bouillies et salées) étaient croquantes et fraîches, la salade de poulpe et les pommes de terre bouillies assaisonnées à la perfection. On nous a servi des tempuras de crevettes, des beignets de légumes et de la morue charbonnière enroulée dans une feuille de bananier. Nous avons complété le tout par de la soupe au tofu avant de passer au dessert. J'ai personnellement préféré les œufs neige au citron vert, mes petites camarades ont surtout adoré le sorbet au lychee. Un peu de diversité ne fait pas de mal.

À force de boire du saké, nous frôlions dangereusement l'ivresse. Ou, devrais-je dire, nous frôlions dangereusement l'état où l'on est trop ivre pour s'en apercevoir.

— Si vous saviez à quel point Colton se sent peu sûr de lui, a repris Bryah. En dépit de tout le reste, et je sais très bien ce que vous pensez toutes de lui, c'est son seul vrai problème. Le manque d'assurance.

— Si je pouvais lui frotter les oreilles, je ne m'en priverais pas, a rétorqué Winnie que l'alcool désinhibait.

— Hmm ! Il est délicieux, s'est exclamée Bryah pour toute réponse en goûtant le nouveau saké.

— Je t'en prie, ma chérie. Il est là pour qu'on le boive, lui a conseillé Serena avec l'un des clins d'œil dont elle a le secret.

Bryah était la plus frêle de nous toutes. Je doute qu'elle pèse cinquante kilos en sortant de la douche. Quant à moi, j'ai un gabarit plus proche du sien que de celui de nos deux grandes gigues de copines, mais ça ne nous empêchait pas de leur tenir la dragée haute, question saké, avec Bryah.

— Laissez-moi vous donner un exemple. On était au restaurant il y a quelques semaines et Colton discutait avec le serveur. Un jeune étudiant en psycho, dont j'ai cru comprendre qu'il préparait une thèse sur les rapports entre psychothérapie et christianisme. Colton lui a glissé en passant que Jung était le fondateur de la psychothérapie. Le jeune type n'a rien dit, mais Colton s'est aperçu par la suite que sa langue avait fourché, qu'il voulait parler de Freud. Il avait tellement peur de passer pour un idiot aux yeux du serveur qu'il s'est arrangé pour connaître ses horaires. Nous avons dû y retourner dîner afin qu'il puisse reprendre sa discussion avec le type et corriger son erreur au passage.

— Je suis d'accord avec toi, c'est du manque de confiance en soi, a approuvé Serena.

— J'aimerais vous poser une question, a poursuivi Bryah qui sortait de plus en plus de sa coquille à mesure que les heures passaient. Que celles qui sont encore amoureuses de leur mari lèvent la main. Soyez honnêtes.

J'ai regardé les autres. Nos huit mains restaient collées sur la table.

J'ai levé le bras.

— Abbie, c'est vrai ? s'est étonnée Serena.

— Non, je voudrais poser une autre question. Comment se fait-il qu'on passe notre week-end de liberté à discuter de nos conjoints ?

— Tu as raison. Oublions-les, a réagi Winnie. Promis ?

Nous avons scellé notre pacte en superposant nos mains au centre de la table. Que les maris aillent se faire foutre. Nous étions ensemble. Et la nuit était encore jeune, comme le veut l'expression.

7

L'homme les observait du trottoir opposé, en face de l'hôtel Métropole et du restaurant Yoshi. Quatre jolies femmes en train de rire, de s'embrasser, de tituber. Quatre ravissantes emmerdeuses.

Elles avaient passé l'après-midi au bord de la piscine, puis regagné leur hôtel, le temps de prendre une douche et de se préparer. Elles avaient commencé par des cocktails sur la terrasse, avant de descendre dîner chez Yoshi vers 21 heures. À les voir, leur journée n'était pas encore achevée.

Il écrasa sa cigarette, la première depuis plus de dix ans. Il avait des excuses, étant donné les circonstances. À sa place, n'importe qui se serait senti nerveux, même s'il s'enorgueillissait de ne jamais perdre son sang-froid face à l'orage.

Il était nerveux, c'est vrai, mais de façon positive. Une nervosité porteuse d'énergie, à la fois dangereuse et explosive, qui l'emplissait d'un sentiment de toute-puissance. Il se sentait léger, prêt à tout. Un détail, surtout, le confortait dans sa démarche : la décision ne lui appartenait pas. C'était elle qui l'avait prise. Elles *quatre*, en réalité.

Il se contentait de réagir, de jouer les redresseurs de torts, de réparer une injustice. Ce n'était nullement de sa faute.

Un autre détail le rassurait : il avait la possibilité de tout arrêter à n'importe quel moment. D'arrêter la mission. Pour l'heure, il se contentait de réfléchir, de fourbir son plan. Rien ne l'empêchait de changer d'avis par la suite.

Son cœur battait fort dans sa poitrine. Il serra les mâchoires et les poings de rage. Il ne changerait pas d'avis. C'était inacceptable. Il avait porté bien des chapeaux dans sa vie. On l'avait affublé de toutes sortes de noms d'oiseaux.

— Mais jamais personne ne m'a pris pour un imbécile, marmonna-t-il.

8

— De nos jours, paraître son âge est très galvaudé !

Je m'étais exprimée d'une voix forte, oubliant que j'avais quarante et un ans, deux enfants et un mari épousé dix-sept ans plus tôt. Pourtant, personne ne pouvait m'entendre. La basse qui s'échappait des haut-parleurs imitait les pulsations d'un cœur géant en faisant trembler la piste de danse sur laquelle nous étions deux cents à tourner, gesticuler, crier sans raison apparente, poussés par l'envie de nous amuser. Les rayons laser tournoyaient à travers l'espace, dessinant des tranches crues dans l'obscurité. Sous l'effet stroboscopique des néons accrochés aux murs, nous avions l'impression de nous mouvoir au ralenti alors que nous dansions sur le rythme infernal imprimé par le DJ dont la cabine nous surplombait.

Nous nous débattions dans une moiteur poisseuse, au milieu d'une foule compacte. Je ne pouvais m'empêcher de repenser à un concert des Who, tout en ayant conscience que l'avouer à ceux qui m'entouraient, dont la plupart n'avaient pas encore atteint la trentaine, m'aurait fait passer pour une antiquité. Le lieu, immense, s'étalait tout autour de la piste de danse, ce qui n'empêchait pas des dizaines de clients de rester agglutinés autour du bar où on leur offrait le privilège de débourser trente euros en échange d'une bouteille d'eau minérale ou d'un Coca light. Ceux qui voulaient que s'y glissent quelques gouttes d'alcool avaient intérêt à s'acoquiner avec leur banquier.

Je parle pour moi, en tout cas, car les autres étaient essentiellement des membres de la jet-set : des émirs, des people, des barons de la finance. Ou bien leurs rejetons, portés par leur jeunesse insouciante. J'en arrivais à regretter ma propre jeunesse insouciante, au point de la revivre ce soir-là.

Quelqu'un m'a agrippé le bras. Winnie.

— Je vais au bar ! a-t-elle hurlé.

Je lui ai demandé de répéter, à cause du boum boum de la musique. Ou peut-être celui de mon cœur.

— Si tu es obligée de vendre un organe pour régler la note, choisis un rein. On en a deux.

— D'accord, a-t-elle rétorqué, ce qui signifiait en clair : Je n'ai pas compris un traître mot de ce que tu m'as dit.

J'ai hésité un instant à la suivre avant de me raviser. Je m'amusais trop bien. On dansait dos à dos avec Serena, collées l'une à l'autre par la transpiration. J'ai levé les yeux. La salle était à ciel ouvert, on distinguait des poussières d'étoiles entre les tuyaux et les câbles.

Quelle nuit magnifique ! Tu es en plein rêve, ma fille.

Trois tubes plus tard, j'avais achevé de brûler les calories accumulées au Yoshi. Serena elle-même, tout ancienne championne olympique qu'elle était, avait besoin d'un break. Quant à Bryah, elle avait disparu.

Nous avons regagné nos sièges en dansant, un demi-cercle de cuir rouge à l'intérieur duquel se lovaient de minuscules tables à cocktail éclairées par des bougies. Winnie était assise à côté d'un inconnu fortuné, vêtu d'un costume chic. Ce n'était pas un Apollon – chevelure abondante et barbe soigneusement entretenue – mais sa façon de se tenir et son assurance lui confiaient un charme indéniable. Il avait nonchalamment passé un bras sur le dossier de la banquette, et accessoirement autour de Winnie.

— Qui sont ces beaux gosses ? m'a glissé Serena dans ce qu'elle croyait être un murmure, alors qu'elle me criait dans l'oreille.

Un autre type, costume et chemise blanche ouverte, papotait avec Bryah tout en sirotant un verre d'un liquide transparent qui aurait pu être n'importe quoi. Il était plus jeune et râblé que le compagnon de Winnie. Un sportif, peut-être.

— Hé ! s'est écriée Bryah en me tirant par la main. Je te présente Luc. Mes amies Abbie et Serena.

— *Enchanté*, a dit le type en français d'une voix grave en nous gratifiant des deux bises françaises habituelles.

— Luc est champion automobile, nous a expliqué Bryah. Il est venu concourir au Grand Prix de Monaco.

— Vraiment ? a réagi Serena, curieuse.

Mon regard s'est arrêté sur un personnage en chemise de soie beige et pantalon noir qui discutait avec une femme, un peu plus loin. Nos yeux se sont croisés, et il a poliment mis un terme à sa conversation. L'instant suivant, il me tendait la main. Il avait le teint basané, le poil très noir, une barbe de quelques jours et une chevelure drue mal domestiquée.

Le temps de le détailler, et mon cerveau a enfin établi le lien. Je l'avais pourtant vu dans plusieurs dizaines de films.

— Damon Kodiak…

— *Enchanté*.

Lui aussi m'a fait la bise. Son eau de toilette avait un fort goût de nature.

J'ai senti une onde me parcourir, et pas à cause des fréquences basses qui s'échappaient de la sono. Enchanté, tu parles…

— Vous êtes ravissante. Si vous m'autorisez à vous le dire.

J'étais en plein rêve. L'obscurité traversée par une multitude d'éclairs fluo. La bouteille de Cristal à mille dollars sur la table. L'alcool qui anesthésiait une partie de mon être tout en en réveillant une autre. Les compliments d'un acteur hollywoodien de premier rang doté d'un torse puissant, d'une voix de basse, et de deux yeux bleus qui me transperçaient.

— Je vous y autorise, ai-je répondu.

Et comment !

9

Je ne savais plus si le temps s'était arrêté, ou bien s'il s'était emballé. Cela n'avait plus aucune importance. Aux deux bouteilles de champagne ont succédé deux autres. Les lumières étourdissantes paraissaient naturelles, mon pouls battait au rythme des battements sourds de la musique.

Le visage de Damon se trouvait dans la pénombre, mais je le distinguais comme en plein jour. Sa mâchoire carrée et râpeuse, son regard chaleureux, sa tignasse ébouriffée. À un moment, sa main s'est installée sur mon genou, et j'ai trouvé le geste tout naturel. Lui aussi.

— J'adore cette chanson ! s'est exclamée Winnie.

Des paroles en français, une voix féminine, rauque et sensuelle, posée sur un beat électronique. De quatre, nous étions passés à huit. Winnie et son Français friqué, un certain Devo. Serena et le champion de Formule 1, Luc. Bryah et un musicien marocain d'une grande élégance, François.

Je devrais dire neuf, en comptant un Américain que Damon semblait connaître. Un gros type en chemise de soie, une collection de bagues aux doigts, et un drôle de chapeau sur la tête. Il avait une dégaine bizarre et ne semblait s'intéresser qu'à son verre, ce qui ne gênait personne.

— Vous voulez danser ? m'a proposé Damon.

À la façon dont il haussait les sourcils, j'ai compris qu'il n'en avait aucune envie.

— Je suis bien ici, lui ai-je répondu, heureuse du petit cocon qui s'était formé autour de nous.

— C'est vrai ?

Sa main musclée remonta insensiblement le long de ma jambe.

Je me suis penchée vers lui.

— Je peux être franche avec vous ?

— Bien sûr.

— Je n'ai pas aimé *Charme à quatre*. J'ai préféré le trois. Et *Charme à cinq* m'a beaucoup amusée, mais le quatre ? Quatre types qui s'évadent de prison en emportant le fric du méchant directeur ? N'importe quoi…

Damon a hoché la tête.

— Ils voulaient absolument le tourner. Pas moi.

— Qui ça, ils ?

— Mes producteurs. J'avais un contrat de dix films avec eux. En règle générale, c'est à moi que revient la décision, mais il arrive que…

— Il arrive qu'on vous oblige à tourner un navet.

Un sourire amusé a illuminé son visage.

— À mon tour d'être franc, Abbie. La plupart des femmes n'oseraient jamais m'avouer qu'elles ont détesté l'un de mes films.

— Je ne suis pas comme la plupart des femmes.

— Non.

Il a trempé les lèvres dans sa flûte de champagne.

— Non, vous êtes différente.

Des filles deux fois plus jeunes que moi en robes pailletées sinueuses nous observaient de loin. L'une d'elles a hélé l'acteur. Il s'est retourné et leur a répondu par un grand sourire, provoquant des réactions hystériques, avant de reporter son attention sur moi.

— C'est dur d'avoir des admiratrices ?

Il a pris le temps de réfléchir avant de me répondre.

— Uniquement quand je m'intéresse à autre chose. Ou à *quelqu'un* d'autre.

Bryah a éclaté d'un grand rire, en réaction à ce que venait de lui dire François, le musicien. Winnie caressait la barbe de Devo, son Français, en trouvant visiblement la sensation très amusante. Ils commençaient à prendre des libertés l'un avec l'autre. Quant à Serena, elle était collée à son as du volant, on les aurait crus prêts à s'embrasser.

Je me suis rendu compte que je ne valais guère mieux.

— Sur quoi travaillez-vous en ce moment, Damon ?

Il a haussé les sourcils.

— En ce moment, je travaille sur vous et je serais curieux de savoir comment je me débrouille.

Il sentait délicieusement bon et j'étais sur le point de me noyer dans ses yeux. Enfant, j'adorais l'adjectif *rêveuse*, et je comprenais enfin pourquoi. Être rêveuse, c'est s'autoriser à vivre une autre existence que la sienne.

— Confiez-moi un secret que vous n'avez jamais révélé à personne.

J'avais posé la question parce que je trouvais l'idée excitante. Une question intime, qui ne portait pas à conséquence.

Il s'est longuement plongé dans ses pensées.

— Il y a un truc dont je n'ai jamais parlé, a-t-il fini par répondre, le regard pétillant. Un truc que je fais chaque fois que sort l'un de mes films.

— Je vous écoute.

Il a posé sa bouche contre mon oreille. Sa barbe de deux jours a caressé ma joue. L'instant suivant, il me confiait un secret qu'il n'avait jamais dévoilé à quiconque. À l'entendre en tout cas. J'avais envie de le croire. À ce stade, j'étais prête à tout croire de lui.

— C'est très mignon, ai-je déclaré quand il s'est tu.

— Mignon, a-t-il répété. Mignon.

— Ce que je voulais dire, c'est que ça montre à quel point votre métier vous tient à cœur.

— Un coup d'œil à l'intérieur de mon âme ? C'est à peu près ça ?

— C'est à peu près ça.

— Je vais vous confier un autre secret.

Il s'est à nouveau penché contre moi. Un long frisson m'a parcouru l'échine.

— J'ai envie de vous toucher, Abbie. J'ai envie de vous caresser partout. Ce soir. Juste une nuit.

Ma réponse est sortie toute seule.

— Où ça ?

Je ne réfléchissais même plus. Il n'y avait plus rien de rationnel chez moi. Je rendais les armes.

— Dites-moi où vous aimeriez me caresser.

Son visage collé contre le mien, il m'a répondu dans un souffle en me chatouillant l'oreille de ses lèvres. Et il m'a précisé où.

10

Quelqu'un a proposé de retourner au casino, je ne sais plus qui. Le gros Américain, peut-être. L'idée a fait son chemin et nous nous sommes tous retrouvés dans une limousine. Damon, assis en face de moi, ne me quittait pas des yeux. On aurait pu croire que nous étions seuls. Son regard a croisé le mien, puis il m'a lentement caressée des yeux de la tête aux pieds.

Quelqu'un a sorti une plaisanterie et j'ai ri comme jamais, sans même comprendre en quoi elle était drôle. Chaque sensation était exacerbée : les bons mots étaient plus amusants, le champagne meilleur, chaque instant plus délicieux que le précédent.

— Vous avez déjà été au Grand Casino ?

La question émanait du Français friqué, Devo. J'étais certaine qu'il portait un postiche, ce qui me faisait hurler de rire.

— Serena y a même gagné ses galons de star, a répondu Bryah, collée à son musicien marocain.

J'ai tourné la tête en direction de Serena. Luc et elle étaient très occupés à se renifler.

Le trajet se terminait déjà, et nous avons fait une entrée remarquée en descendant de la limousine. Damon m'a pris la main et je me suis sentie traversée par un courant électrique. Nous avions à peine fait trois pas dans l'atrium que les gens se ruaient sur lui. Tout allait très vite, le décor tourbillonnait autour de nous, et puis nous nous sommes retrouvés dans une salle privée, différente de celle de la veille, mais avec les mêmes fresques baroques, le même luxe, la roulette qui tournait au milieu des applaudissements. J'ai le souvenir d'avoir pris place à la table de jeu, une pile d'argent devant moi, et d'avoir poussé tous mes jetons sur le 4, comme Serena.

Je le désirais à en avoir mal. Je voulais lui passer mes doigts dans les cheveux, caresser son torse, sentir sa main glisser le long de ma jambe, mais il n'était pas là. Bryah a repris sa place. Je ne m'étais même pas aperçue qu'elle s'était éloignée. Elle pouffait de rire sans pouvoir s'arrêter en nous racontant que la cuvette des toilettes se nettoyait toute seule dès qu'on avait fini ses affaires. J'ai ri aussi. Tout me faisait rire. Tout et rien. Et le champagne continuait de couler à flots.

— Vous êtes une très belle femme, m'a complimentée Devo, assis à côté de moi.

Winnie lui a donné un coup de coude amical, j'ai eu peur que ça fasse tomber son postiche et j'ai pouffé de plus belle. Moi qui n'ai jamais pouffé de ma vie, j'étais incapable de m'arrêter. Serena m'a serrée dans ses bras en riant à son tour, j'ai voulu l'embrasser sur la joue, elle a tourné la tête au mauvais moment et nous nous sommes embrassées sur la bouche, ce qui a fait dire *« Yes ! »* à Devo, avec son accent français de dessin animé, alors nous avons éclaté de rire avec Serena avant de nous embrasser à nouveau.

J'ai perdu toute notion de moi-même, du temps, de tout. Mon univers n'était plus qu'un tourbillon d'eau de toilette hors de prix, de champagne délicat, de stuc doré, de roulette en mouvement, de rire, de meilleures amies, de Damon… Mais où donc était passé Damon ?

Et puis plusieurs d'entre nous ont repris place à bord de la limousine vers une destination inconnue.

11

L'air frais et salé de la Méditerranée. Un ponton. Nous avancions toutes les quatre sur un ponton. Le martèlement des talons hauts sur le métal. Bryah avait accroché son bras au mien. Elle chantait une chanson de sa terre natale, « Ramène-moi au Transvaal, c'est là que vit ma Sarie ». J'ai levé les yeux vers les étoiles en songeant à la chance que j'avais d'avoir des amies comme elles.

J'ai renversé du champagne sur ma robe, jeté la flûte à l'eau en trouvant l'incident très drôle.

— Je t'aime, Bry.

Elle continuait de fredonner sa chanson sud-africaine, Winnie et Serena montaient à bord d'un énorme yacht, et puis le gros Américain écartait les bras en signe d'accueil.

Sur le bateau, Serena tenait Luc, le coureur automobile, par le cou. Winnie caressait de plus belle la barbe de Devo, son magnat français, tout en lui murmurant des mots doux dans le creux de l'oreille.

— Buvons ! s'est écrié ce dernier, et j'ai éclaté de rire.

Je riais au moindre de ses gestes. À condition d'oublier son postiche, cet homme-là inspirait l'autorité et la confiance. Winnie n'avait d'yeux que pour lui. Étrangement, son visage m'était familier, sans que je puisse le remettre. J'étais pourtant certaine de ne l'avoir jamais rencontré.

J'ai sursauté en voyant Luc sortir un pistolet et le montrer à Serena. J'imagine que j'aurais dû trouver ça dangereux, mais ce n'était pas le cas. J'ai entendu Winnie déclarer : « Je veux tirer. » Luc a répondu : « Pas question », mais Devo a aussitôt réagi, en français : « C'est bon, laisse-la. » Luc lui a jeté un regard surpris : « Vraiment ? » Devo a pris un air agacé : « Mais oui. » D'un seul coup, je ne comprenais pas pourquoi Devo donnait des ordres à Luc, pour quelle raison un coureur automobile obéirait à un riche industriel coiffé d'un postiche. Je me demandais surtout où ils allaient bien pouvoir tirer, à moins de vouloir se tirer dessus entre eux. Cette idée m'a fait glousser. Et puis Devo a déclaré : « Tu as peur qu'elle tue un poisson ? » et j'ai ri à en perdre haleine. J'avais dépassé le stade de l'ivresse depuis belle lurette.

On a franchi une première porte, puis une seconde, monté des marches, et on s'est retrouvés à l'air libre. La petite brise me faisait du bien, le port était plongé dans la nuit. À nos pieds, l'eau scintillait à l'infini.

J'ai sursauté en entendant une détonation.

12

— J'adore ça ! s'est écriée Winnie.

Personnellement, ça ne me plaisait qu'à moitié, je commençais à me sentir nauséeuse.

— C'est bon, a réagi Luc en retirant l'arme des mains de Winnie avant de la glisser dans la poche intérieure de sa veste.

Le gros Américain… il était vraiment gros, et moi trop soûle pour afficher la moindre mansuétude à son égard. Le gros Américain se trouvait sur le pont avec nous, un caméscope à l'épaule. Bryah adressait des minauderies à la caméra, Serena a imité son exemple, elles se sont serrées dans les bras l'une de l'autre en riant sous les encouragements du gros Américain. Les yeux perdus dans la Méditerranée, je sentais le monde tanguer autour de moi, et puis quelqu'un a proposé de rentrer, mais je me sentais toujours vaseuse.

À l'intérieur du yacht, nous nous sommes retrouvés dans une pièce gigantesque, plus grande que mon salon, avec des meubles dorés et un bar, comme si on n'avait pas déjà assez bu. Le gros Américain, dont j'avais oublié le nom, continuait de nous filmer. Devo, le magnat, a crié : « À boire ! »

J'ai récupéré un verre de je ne sais plus quoi et porté un toast à la proposition des autres, qui suggéraient un truc à plusieurs.

La bouche arrachée, j'ai tout recraché.

— Attendez une seconde. Quel genre de truc à plusieurs ?

— Du sexe à plusieurs, a répondu Devo, ce qui m'a beaucoup fait rire.

— L'Américaine rigole, a-t-il plaisanté.

Il avait raison, je riais, et puis Bryah s'est mise à rire, elle aussi.

Devo a désigné Winnie et Serena.

— Elles ne sont pas belles, tes amies ?

Alors j'ai répondu que mes amies étaient ravissantes. Je riais toujours, Bryah aussi, sauf qu'on voyait bien qu'elle hésitait. Serena n'avait apparemment pas entendu la proposition de Devo, ou bien alors elle s'en fichait. Elle était très occupée avec Luc le pilote, et moi, j'étais complètement paf. Tout le monde s'est dirigé vers une cabine. J'ai glissé un œil par la porte et découvert une moquette épaisse sur laquelle reposait un lit surmonté d'un éclairage compliqué. Ils se sont tous engouffrés dans la chambre, Winnie, Serena, et même Bryah, qui disait :

— Il faut savoir respecter les coutumes locales.

D'un seul coup, tout a lâché.

Paf.

J'ai titubé en arrière sur mes hauts talons – ne me demandez pas comment j'ai réussi à ne pas perdre l'équilibre. J'avais la tête qui tournait, l'estomac en pleine rébellion, comme si je sentais brusquement le poids de tout l'alcool ingéré depuis une quinzaine d'heures.

J'ai reculé d'un pas.

— Non.

— Non ? s'est étonné Devo.

— Non.

Je me suis rempli les poumons, les jambes tremblantes.

— Dommage, a-t-il répliqué dans sa langue en m'adressant un petit salut de tête courtois avant de refermer la porte de la cabine derrière lui.

13

Perplexe, je me demandais si le mieux n'était pas de frapper à la porte, quand j'ai reconnu le rire étouffé de Bryah, et celui de Serena. Winnie était parfaitement capable de se débrouiller toute seule, alors je me suis éloignée, peu soucieuse de profiter de la bande son.

— Damon…

Je me demandais bien où j'avais pu le perdre. Au casino, probablement.

Je suis passée dans la pièce voisine, le grand salon où nous nous trouvions auparavant. J'ai entendu du bruit sur le ponton. Le gros Américain, probablement. Il n'avait pas souhaité se mêler à la partie fine dans la cabine. Pourvu qu'il ait lâché son caméscope ridicule.

L'alcool commençait à me donner un sérieux mal de crâne, et des élancements fulgurants me vrillaient le cerveau. J'ai déniché une bouteille d'eau dans un réfrigérateur.

— Damon…, ai-je prononcé à nouveau.

Le bateau a tangué légèrement, j'ai compris que quelqu'un venait de monter à bord.

— J'arrive au bon moment.

Sa voix m'a fait l'effet d'une caresse. Je me suis retournée, droite comme un I, et je l'ai vu, sur le seuil de la pièce. Mon cœur s'est mis à battre plus fort. Mon mal de crâne… Quel mal de crâne ? Tout m'est revenu instantanément, l'ivresse, l'excitation, la perte de mes inhibitions. Je venais de comprendre : ce n'était pas l'alcool qui m'avait mis la tête à l'envers.

— Nous nous connaissons, monsieur ?

Damon s'est avancé, sourcils levés, un sourire amusé aux lèvres.

— Désolé du retard.

J'ai fait un pas vers lui. Nous nous rapprochions insensiblement. Tous mes sens étaient en alerte. Mes jambes avaient cessé de trembler.

— L'important, c'est que vous soyez là.

Une scène de film. Ironie de l'histoire, mon chevalier servant possédait une étoile à son nom sur Hollywood Boulevard.

Damon a commencé à déboutonner sa chemise.

— Non.

Il s'est immobilisé.

— Non, a-t-il répété sur un ton plat, mais j'ai très bien compris qu'il s'agissait d'une question.

— Non.

Je me suis avancée. Damon Kodiak, star internationale du cinéma, m'observait en silence.

J'ai posé ma main sur la sienne, restée figée sur le col de sa chemise.

— Laisse-moi faire.

14

J'ai tiré les boutons un à un de leur boutonnière, lentement, avec délicatesse et précision. Comme si chacun d'eux était une minuscule pierre précieuse méritant toute mon attention. Sa respiration s'est accélérée, je sentais sa poitrine musclée se tendre, se contracter.

Voilà. J'arrivais enfin au bout de mes peines.

J'ai fait courir mes doigts sur les vagues dessinées par ses abdominaux, en glissant délicatement de la taille à la toison noire et frisée qui séparait ses pectoraux. J'ai caressé la courbe de ses muscles, la pointe de ses seins. Les battements de son cœur ricochaient contre la paume de ma main.

— Préviens-moi quand ce sera mon tour, a-t-il murmuré.

J'ai posé un doigt sur sa bouche, caressé du plat de la main son menton mal rasé, son cou, ses épaules. Il a écarté les bras, laissant sa chemise glisser à terre.

J'ai pris mon temps avec sa ceinture. Je me suis appliquée à passer l'extrémité du cuir épais à travers la boucle, j'ai tiré jusqu'à ce que la tige sorte de son trou. En deux petites secousses, la ceinture rejoignait la chemise sur la moquette du salon.

Sa respiration se faisait de plus en plus haletante.

Le pantalon. Son excitation était visible. Mon regard a brièvement croisé le sien, et je lui ai adressé un sourire coquin avant de m'intéresser au bouton du pantalon, à la fermeture Éclair. J'ai relevé la tête, nos yeux se sont trouvés. Il avait toutes les peines du monde à contenir son désir tandis que j'abaissais son pantalon.

— Abbie…

J'ai secoué lentement la tête.

— Ne prononce pas mon nom.

Je n'étais pas Abbie, mais une autre. Une autre dont la main se glissait à l'intérieur de son caleçon de coton. Une autre qui le touchait, le caressait, le pétrissait. Ni trop vite, ni trop lentement.

— C'est bon. À ton tour, ai-je murmuré.

15

Il s'est placé derrière moi, a descendu ma fermeture Éclair avec lenteur et glissé ses mains à l'intérieur de ma robe en me caressant les côtes. La robe a glissé à terre. Une de ses mains s'est attardée sur mon cou, mes épaules, mes seins. L'autre main m'a agrippé les cheveux brutalement, j'ai laissé échapper un hoquet en sentant son audace, son envie de me posséder.

Il a tiré ma tête en arrière, m'a effleuré la nuque avec la langue. Son haleine chaude me frôlait l'oreille, sa main libre me caressait le ventre, s'enhardissait à l'intérieur de ma culotte. Un son étrange et guttural est monté de ma gorge tandis que ses doigts m'exploraient, qu'ils glissaient doucement, savamment, à l'intérieur de moi. J'étais en état d'apesanteur.

Je lui appartenais.

— Guide-moi, a-t-il exigé dans un chuchotement.

Ma main s'est posée sur la sienne en lui ouvrant la voie. J'ai senti monter en moi une sensation inhabituelle, primitive, dont il a perçu l'acuité à la façon dont ma main se refermait sur ses doigts, dont ma respiration s'accélérait, dont tout mon corps se mettait à vibrer. Un sentiment d'exaltation m'a submergée, j'ai poussé un cri d'une voix qui n'était pas la mienne alors que mon corps tout entier, traversé par un spasme, se liquéfiait contre lui.

Et puis nous avons cédé la place à deux animaux qui roulaient par terre, s'agrippaient, se touchaient, se tordaient. Il a grimpé sur moi, ses bras musclés tendus de chaque côté, le plat de la main sur la moquette. Il m'a pénétrée sans difficulté et j'ai crié, je ne sais plus ce que je lui ai dit, *Prends-moi, je suis à toi*, et nous avons trouvé notre rythme que ponctuaient des gémissements, il serrait les mâchoires et je le prenais par les cheveux, *Ce n'est pas moi, ou alors c'est une nouvelle moi*, j'ai enroulé mes jambes autour de lui, mes talons se sont enfoncés dans le creux de ses reins, j'ai brusquement retrouvé la même sensation qu'auparavant, quelques minutes plus tôt, je la reconnaissais, je l'ai laissée me submerger, *Je voudrais qu'il reste toujours dans mon ventre, je le veux, quel qu'en soit le prix, je n'ai jamais vécu ça, je ne pourrai jamais plus m'en passer quel que soit... quel que soit... quel...*

J'ai hurlé, son dos s'est arc-bouté, il s'est tendu une dernière fois en poussant un râle, les paupières serrées, agité d'un long tremblement.

Nous sommes restés là un moment, haletants, immobiles. Les perles de transpiration qui brillaient sur son front ont tracé un chemin humide le long de mon cou. Mes cheveux collaient par mèches sur mes tempes et mes joues. Il s'est dégagé et je me suis assise par terre. Il m'a aidée à me relever et nous nous sommes longuement observés, épuisés, avec une curiosité intacte. Il a sorti du frigo une bouteille d'eau dont il a bu une gorgée avant de me la tendre. Je l'ai pris par la main, ses doigts étaient chauds, et je l'ai tiré jusqu'à la chambre voisine. Il avait besoin de recharger ses batteries, mais j'allais pouvoir l'aider. Je m'y suis appliquée en l'adossant au mur avant de m'agenouiller devant lui. Lentement tout d'abord, en jouant avec lui, avant de m'appliquer. Il a glissé ses doigts dans mes cheveux et je l'ai senti se tendre. Alors j'ai souri et continué, jusqu'à ce qu'il soit au garde-à-vous. Enfin prêt.

Je me suis ruée sur lui en l'escaladant. Je lui embrassais la bouche méchamment, les doigts agrippés à la toison qui assombrissait sa poitrine. Ses doigts se sont refermés brutalement sur mes fesses, il m'a soulevée et mes jambes se sont refermées autour de lui. Nous étions avides, égoïstes, je gémissais et il geignait, je le suppliais d'aller plus vite, et puis j'ai éclaté de rire. Je riais sans raison, je riais à en avoir les larmes aux yeux, comment avais-je pu rester aussi longtemps dans l'ignorance de tout ça, sans même savoir qu'une telle sensation m'attendait, tapie au fond de moi ?

Je me noie, je me noie dans cette sensation, je ne sais plus rien, sinon que je suis *cette sensation-là, que je ne voudrai plus rien d'autre. Jamais.*

J'étais libre, ouverte, vulnérable, enragée et insatiable. Et puis je rêvais, je ne me reconnaissais pas dans mon rêve, je ne reconnaissais pas mon amant, car il s'était produit un drame, sans crier gare…

Pop-pop-pop-pop

… soudain, plus rien n'était comme avant.

Plus rien ne serait jamais comme avant.

Quand j'ai rouvert les yeux, le soleil inondait la cabine.

16

Il avait quitté Monaco depuis longtemps lorsque le soleil s'était levé. Il traçait sa route sur l'A8 en direction de Lyon. La circulation était fluide. Normal, puisqu'on était samedi matin. Il fallait être fou pour rouler à une heure pareille.

Il émit un petit ricanement nerveux, dopé par le trop-plein d'adrénaline. Et s'il était *devenu* fou, après ce qu'il venait d'accomplir ? Au contraire. Il était sain d'esprit pour la première fois de sa vie. La normalité se trouvait peut-être là, il avait passé son existence à se tromper.

Il s'étira sans lâcher le volant, chatouillé par toute l'électricité délivrée par ses nerfs tendus à bloc. L'impression finirait par s'estomper, il savait déjà qu'il s'écroulerait quand tout serait terminé. Il n'avait pas fermé l'œil de la nuit, et il lui restait encore deux heures de route.

Il s'arrêta sur une aire voisine de Rousset, un ravissant village proche d'Aix-en-Provence. Mais il était trop préoccupé pour s'intéresser au paysage. Il avait besoin de soulager sa vessie, il avait besoin de caféine, il avait besoin de se remplir l'estomac. C'est tout. Idéalement, il ne se serait pas arrêté, il aurait poursuivi jusqu'à Lyon, dans l'anonymat de sa voiture, sans que personne puisse apercevoir son visage, s'en souvenir un jour et raconter à la police : *Oui, ça me revient, il avait l'air nerveux. Comme s'il avait quelque chose à se reprocher.*

Il avait même pensé à faire le plein la veille pour ne pas être contraint de s'arrêter dans une station-service. Sauf qu'il n'avait pas pensé à emporter à manger et à boire. Comment avait-il pu négliger un détail aussi crucial ? Et puis il avait envie de vraies toilettes, pas de ces pissotières à la plomberie mal fichue qu'on trouve sur toutes les autoroutes de France. Sa décision prise, il s'engagea sur la bretelle de la première station-service, s'arrêta sur le parking et coupa le contact.

Il ne portait plus son déguisement. Il s'en était débarrassé plusieurs heures plus tôt, à peine sa mission accomplie. Si d'aventure il se faisait arrêter par les gendarmes pour une raison quelconque, suite aux événements, ou même dans le cadre d'un simple contrôle routier, il n'avait pas envie qu'on lui pose des questions gênantes. Les citoyens inoffensifs se baladent rarement avec un déguisement.

Il avait longuement hésité, pourtant. Rester déguisé, ou bien reprendre son apparence normale, au risque d'être filmé par une caméra de surveillance ? Comment expliquer sa présence à moins de deux heures de Monaco, à une heure pareille ?

Il remonta la fermeture Éclair de son blouson, enfonça sa casquette de baseball sur ses yeux et redressa ses lunettes noires. Il s'examina dans le rétroviseur. Pas terrible. Il avait l'allure de quelqu'un qui cherche à dissimuler son visage. Il fut pris d'une nouvelle hésitation : ne valait-il pas mieux avoir l'air louche que de sourire à la caméra ?

Bien sûr que si.

Il descendit de voiture et se dirigea vers l'entrée de la boutique. La main posée sur la poignée, il observa l'intérieur à travers la porte vitrée et repéra tout de suite la caméra de sécurité. Il se demanda s'il avait complètement perdu la boule. Il aurait faim et se passerait de café, voilà tout. Il pouvait toujours pisser à l'écart, derrière un buisson…

Distrait par la caméra, la barre de la porte lui échappa des doigts. Il se cogna contre la vitre, et sa casquette manqua de tomber. Sa maladresse attira l'attention de la caissière, qui leva les yeux de son livre.

Comment réagir ? Repartir en courant ? Entrer dans la boutique comme si de rien n'était ?

Il se trouvait nul, d'un seul coup, après s'être félicité de sa propre efficacité à Monaco. Il avait prévu jusqu'au plus petit détail et conduit l'opération avec maestria. Quelle mouche le piquait brusquement ?

Il ajusta sa casquette, enfonça ses lunettes de soleil et tira la porte en sifflotant. Il ne savait pas bien siffler, mais l'essentiel était d'afficher son calme. Il adressa un signe de tête à la caissière, un petit bout de femme avec des yeux de fouine et un nez tout rond.

— *Goude morning*, l'accueillit-elle en mauvais anglais.

Quelle conne. Il n'avait pas ouvert la bouche qu'elle devinait ses origines. Lui qui souhaitait passer inaperçu…

Il ne répondit rien, de peur que sa voix ne trahisse son trouble. Il se contenta d'esquisser un sourire et s'intéressa aux rangées de bouteilles d'eau et de soda alignées dans l'armoire réfrigérée couvrant le mur du fond. Il s'aperçut, dans le reflet de la vitre, qu'elle observait son manège. Pour quelle raison ? Quel indice avait bien pu éveiller ses soupçons ? Qu'avait-elle remarqué d'autre ? Un détail qui lui aurait échappé ? Des traces de sang ? Impossible. En tout état de cause, il lui était impossible de vérifier sa tenue en présence de la fille. Quel démon l'avait donc poussé à s'arrêter là ? Il risquait de tout gâcher pour le seul plaisir de pisser dans des toilettes propres et de se remplir l'estomac de malbouffe. Quel abruti !

L'espace d'un éclair, il se vit en train de tuer la fille à mains nues avant de récupérer la vidéo du système de surveillance. Il n'aurait qu'à obliger la fille à lui révéler où se trouvait l'enregistreur…

Il chassa cette pensée de son esprit et se dirigea vers les toilettes. Il délaissa les urinoirs et s'enferma dans un box. Les jambes tremblantes, il posa les mains à plat contre les cloisons latérales, le temps de calmer les battements de son cœur.

À quoi n'avait-il pas pensé ? Quelle erreur avait-il commise ? En fin de compte, le jeu en valait-il la chandelle ? Il se vida les poumons et redressa le menton. *Souviens-toi.*

Souviens-toi de la rage qui t'étouffait. De sa trahison. Souviens-toi de la blessure à ton amour-propre et reprends-toi. C'est ce qui t'a donné la force d'agir, hier soir. Concentre-toi sur ta rage.

Il s'obligea à respirer lentement, vaqua à ses affaires, se lava les mains et se contempla dans la glace. Il se sentait mieux. *Il suffit que tu merdes ici pour tout foutre en l'air.*

Il ressortit des toilettes d'un pas assuré, prit trois barres aux céréales, une bouteille d'Évian, un café maison, et s'arrêta devant la caisse. La fille avait replongé le nez dans son roman. Elle le posa à l'envers et il en découvrit le titre : *La Comédie des menteurs*.

Il adressa un sourire muet à la fille, régla en liquide et regagna son véhicule. À peine enfermé dans l'habitacle, il réprima une furieuse envie de rire.

17

Je me suis longuement étirée en adressant un sourire au plafond. J'étais allongée sur un lit dans une petite cabine, entièrement nue. Les oreillers et le couvre-lit gisaient à terre, en pagaille, à côté d'une chaise retournée.

Les excès de la nuit se sont rappelés à moi dès que je me suis levée. Le moindre mouvement me faisait mal. J'avais des courbatures dans tout le corps et un mal de crâne carabiné.

Pourtant, je me sentais en pleine forme.

J'ai trouvé, dans la salle de bains voisine, un peignoir en coton que j'ai enfilé, puis j'ai regagné le grand salon où tout avait commencé avec Damon, cette nuit-là. Il n'était pas là. J'ai poussé un soupir. Il avait tenu parole.

Juste une nuit.

Une seule nuit, peut-être, mais plus rien n'était pareil. Le fantasme, si fugace fût-il, était devenu réalité. Ma vie avec Jeffrey était terminée. Ce à quoi j'avais goûté la veille n'était pas de l'amour, mais je ne pouvais plus m'en passer. Je refusais de pimenter épisodiquement mon existence par des aventures, comme Serena.

Je refusais de vivre avec un homme mystérieux et distant que je ne connaissais plus, comme Winnie.

Richie et Elena. Ce serait difficile. Ils ne vivaient pas avec nous au quotidien, de toute façon. Je repartirais aux États-Unis. Je m'installerais près de leur internat du Connecticut. Quitte à tout bousculer, je leur demanderais s'ils souhaitaient *vraiment* rester internes. Jeffrey ne leur avait pas laissé le choix. Rien à foutre de son opinion. Il n'avait qu'à rester en Suisse et sauter son ambassadrice jusqu'à plus soif. Pas question de continuer à supporter tout ce cinéma. Même un jour de plus. C'était fini.

Pas du tout. Ce n'était pas la fin, mais le commencement. Je ne m'étais pas contentée de me glisser dans la peau d'une autre ce week-end. J'étais *devenue* une autre.

Winnie a pénétré dans le salon d'un pas mal assuré. Elle aussi avait changé, mais pas en mieux. Le cheveu terne, le regard vide, les yeux rouges, elle avait enfilé un T-shirt trop grand sur ses jambes nues.

— Bonjour, ma chérie. Alors, tu t'es bien amusée ?

— Ils sont partis, m'a-t-elle répondu en prenant une bouteille d'eau dans le réfrigérateur.

— Devo, Luc et François.

Elle a hoché la tête et s'est laissée tomber sur un fauteuil.

— Tu as l'air déçue. Tu ne t'attendais quand même pas à trouver le grand amour avec ces types-là ?

Elle ouvrait la bouche pour me répondre quand une rumeur étrange l'a arrêtée. Un branle-bas, des cris, un bruit de course sur le ponton.

Un souvenir tapi tout au fond de ma mémoire est brusquement remonté. *Un crépitement, pop-pop-pop...*

— Je me demande ce que c'est, a réagi Winnie.

... une succession de détonations étouffées, dans le lointain...

— C'est quoi, ce bordel ? a-t-elle insisté.

... des coups de feu ? Les crépitements entendus pendant la nuit pouvaient-ils être des coups de feu ?

Nous avons entendu la double porte du yacht s'ouvrir à la volée, des bruits de pas, des cris en français. Nous nous sommes levées précipitamment.

Au même instant, trois hommes d'une unité d'élite en tenue de combat se sont rués à l'intérieur de la cabine, mitraillette au poing.

18

Trois autres gendarmes ont surgi derrière leurs collègues, tous en tenue de combat bleue, gilet pare-balles, cagoule, casque à visière, gants, rangers aux pieds. Tous armés jusqu'aux dents.

— Allongez-vous face contre terre ! Face contre terre ! a hurlé l'un des types en français en nous montrant le sol, au cas où nous n'aurions pas compris.

Les autres ont balayé la pièce avec le canon de leurs mitraillettes avant de se déployer à l'intérieur du yacht.

— Face contre terre !

Un gendarme s'est approché de moi et m'a enfoncé la tête dans la moquette. Je ne bougeais pas d'un millimètre. À côté de moi, Winnie avait imité mon exemple.

Des cris ont retenti un peu plus loin. Un bruit de porte, celle de l'une des cabines. La voix aiguë de Serena qui cherchait à comprendre. De nouveaux cris. Du coin de l'œil, j'ai constaté que Winnie regardait droit devant elle, pétrifiée de terreur.

Un chaos indescriptible régnait à bord. Serena et Bryah, sous la menace des hommes armés, se sont allongées à côté de nous. Serena en T-shirt et petite culotte, Bryah entièrement nue.

— Que se passe-t-il ? a demandé Serena.

Le gendarme le plus proche l'a forcée à se taire en lui enfonçant son pied dans le dos.

— Silence !

J'ai voulu m'interposer.

— Faites ce qu'il vous…

— Silence !

Le gendarme est resté à nous garder, l'arme pointée, pendant que les autres fouillaient le yacht.

— Combien de personnes y a-t-il sur ce yacht ?

Malgré mon mauvais français, j'ai compris la question. À part nous quatre, je n'en savais rien. Devo, Luc, François et Damon étaient repartis. Le gros Américain, peut-être ?

— Quatre ou cinq.

Les gendarmes aboyaient entre eux. Sans doute pour se signaler que les cabines étaient vides, je ne savais pas très bien. À vrai dire, je ne savais rien, sinon que je me trouvais sur un yacht dans un pays étranger, en présence d'un commando armé. Qu'avait-il bien pu se passer ?

Le gros Américain, en T-shirt et caleçon, les cheveux hirsutes, est arrivé à son tour sous la conduite d'un gendarme qui l'a forcé à s'allonger à côté de nous. Les hommes du commando se sont rassemblés après avoir réuni tout le monde. Ils nous ont attaché les mains dans le dos l'un après l'autre à l'aide de menottes en plastique dur, différentes de celles dont se sert la police aux États-Unis. Mais nous n'étions pas aux États-Unis.

Ils m'ont relevée de force et poussée en avant avec les autres. Nous avons grimpé les marches jusqu'au pont.

Un air poisseux nous attendait dehors. Le soleil était encore bas dans le ciel, mais ce qui aurait dû être une aube paisible avait cédé la place à un cirque ahurissant.

On aurait pu croire que la France avait déclaré la guerre à Monaco. Des hélicoptères gris bourdonnaient au-dessus de nos têtes en vol stationnaire, des avions de combat tournoyaient dans le ciel. Une nuée de voitures de police avait envahi le port. Les membres d'autres unités de gendarmerie, l'arme au poing, sortaient un à un les occupants des yachts et les obligeaient à s'allonger sur le ponton, les poignets menottés dans le dos.

Nous avons imité leur exemple, sans qu'il soit besoin de nous le préciser. Les gendarmes nous ont positionnés en diagonale sur le ponton de façon à maintenir un passage.

La joue contre la tôle du ponton, je faisais face à Winnie.

— C'est quoi, ce délire ?

— Mon Dieu ! a gémi Winnie. Mon Dieu, non !

— Quoi ?

L'un des gendarmes nous a fait taire en aboyant au-dessus de nos têtes.

— Silence !

Winnie a fermé les yeux, et le chaos est encore monté d'un cran. Fidèle à l'ordre qu'on venait de nous donner, elle ne disait plus rien, se contentant d'exprimer sa détresse en remuant muettement les lèvres :

Oh non ! Oh non !

19

Dix minutes se sont écoulées, puis vingt. Toujours allongée sur le ponton, le visage tourné vers celui de Winnie, j'apercevais le port derrière elle. L'un des types de l'unité d'élite nous surveillait. Des gendarmes et des hommes en civil couraient dans tous les sens. Plusieurs *plouf* m'ont indiqué que des gens plongeaient dans l'eau. Les gendarmes sont remontés à bord de notre yacht, accompagnés de chiens. Des bergers allemands protégés par des gilets bleus.

Cette histoire n'avait aucun sens.

— Winnie, parle-moi, je t'en prie.

Une ranger s'est aussitôt posée entre nos deux visages.

Un cri s'est élevé à l'entrée de la passerelle conduisant à notre yacht :

— Là ! Une arme !

— Qui est le propriétaire de ce yacht ? a hurlé le type dont je voyais la ranger en gros plan. À qui appartient…

— C'est moi, a répondu le gros Américain. Il s'agit de mon yacht.

— Debout !

Le policier m'a obligée à me relever en me tirant par les poignets.

— Allez ! Allez !

On nous a poussés vers le port. Les trois filles, le gros Américain et moi.

— Que se passe-t-il ? a susurré Serena.

Ma voix manquait de conviction quand je lui ai répondu :

— Ne t'inquiète pas, ma chérie. C'est sûrement une erreur.

Les commandos fouillaient les bateaux un à un. Le parking débordait de flics, pour la plupart en civil. Un périmètre de sécurité avait été installé autour d'une voiture, une grosse décapotable noire.

Les types de l'unité de gendarmerie relevaient leurs prisonniers et les plaçaient en file indienne sur le ponton. Notre petit groupe a eu droit à un traitement de faveur en prenant la tête de la colonne.

Quelqu'un, ne me demandez pas qui, avait décidé de nous isoler des autres.

20

La clameur sur le parking avait atteint un niveau assourdissant. Les policiers et les gendarmes dépêchés sur place criaient à tue-tête, aboyaient des ordres qui se perdaient dans le hululement des sirènes et le bourdonnement des hélicoptères. On nous a obligées à monter toutes les quatre dans des 4 x 4 noirs différents. Notre caravane s'est ébranlée lentement, suivie par un hélicoptère. Des commandos nous accompagnaient en courant à côté des véhicules, le canon levé. Nous avons croisé plusieurs grosses camionnettes qui se dirigeaient vers le ponton, sans doute destinées aux occupants des autres yachts. La raison de tout ce cirque continuait à m'échapper.

Je me suis penchée vers le chauffeur, à côté duquel avait pris place un gendarme.

— En tant que citoyenne américaine, j'ai des droits. J'exige de savoir ce qui se passe.

Ils n'ont même pas daigné tourner la tête.

Le convoi est arrivé à l'aéroport sur lequel nous avions atterri deux jours plus tôt, celui de Nice-Côte d'Azur. Des camions militaires et des soldats en armes étaient postés près des pistes. On m'a poussée vers un petit avion et installée d'autorité sur un siège auquel on m'a entravée à l'aide de menottes avant de me bander les yeux.

— Est-ce vraiment nécessaire ? Pour l'amour du Ciel, je porte déjà des menottes et…

— *Silence !* a crié une voix près de moi.

Plusieurs autres personnes sont montées à bord. Les autres filles. J'ai cru reconnaître les sanglots de Winnie, sans en être sûre. Si ça se trouve, il s'agissait des miens. À ce stade, je n'étais plus sûre de rien.

Nous sommes restées sans bouger dans un silence hébété. J'entendais la respiration saccadée des autres, attachées à leur siège comme moi, les yeux bandés, nageant dans l'incompréhension la plus totale.

Des inconnus nous ont rejointes en nous apportant en français des précisions qui m'ont échappé, puis l'appareil s'est ébranlé en direction de la piste. Quelques instants plus tard, l'avion décollait. Moins de quarante-huit heures après notre arrivée triomphale, nous repartions menottées sans aucune idée de l'endroit où l'on nous conduisait ni de ce qui avait bien pu se passer.

— Les filles, nous avons des droits. Exigez la présence d'un avocat. Exigez de voir quelqu'un de l'ambass…

On m'a fait taire d'un geste. Un coup brutal du plat de la main au niveau de la poitrine. Ma tête a cogné contre la paroi. À moitié sonnée, je me suis efforcée de reprendre mes esprits, de me concentrer. Mais me concentrer sur quoi ? Tout ça n'avait aucun sens.

Le vol a duré une heure et demie, à vue de nez. Près de deux fois le temps qu'il nous avait fallu pour rallier Nice depuis Berne deux jours plus tôt. Berne me semblait loin à présent.

On nous conduisait à Paris, probablement. Après l'atterrissage, on nous a détachées de nos sièges et fait descendre l'échelle de coupée. J'étais toujours vêtue de mon seul peignoir sans rien dessous, pieds nus.

J'ai tenté de me rassurer en me disant qu'il s'agissait d'une erreur, d'un quiproquo.

J'avançais sans rien voir, guidée par la main de fer qui me tenait le bras. On m'a poussée dans une voiture dont la sirène hurlait à l'unisson de celles des véhicules qui nous suivaient. Les pensées se bousculaient dans ma tête. Richie et Elena. Jeffrey, aussi.

À force d'essayer de comprendre ce qui avait pu se passer, j'ai perdu toute notion du temps. C'est tout juste si j'ai remarqué que la voiture roulait sans jamais s'arrêter, ralentissant à peine.

Le véhicule s'est immobilisé. La portière s'est ouverte, une bouffée d'air tiède m'a caressé le visage, puis on m'a obligée à descendre, pieds nus sur le macadam. Les deux gendarmes, qui me tenaient chacun par un bras, m'ont quasiment portée.

Du carrelage a succédé à l'asphalte, nous venions de pénétrer à l'intérieur d'un bâtiment. On m'a poussée dans un ascenseur. J'ai compté les étages, un, deux, trois. Je ne voyais rien à cause de mon bandeau. Mes poignets étaient à vif, j'avais mal aux épaules à force de garder les mains dans le dos.

À nouveau du carrelage, puis une pièce glaciale. On m'a assise de force sur une chaise, les mains entravées derrière le dossier, et la porte s'est refermée avec un bruit de clé.

Des effluves d'après-rasage et de transpiration m'ont fait comprendre que je n'étais pas seule. Il y avait là une ou deux autres personnes, a priori. La porte s'est ouverte et refermée à plusieurs reprises, des gens sont entrés et sortis. Des murmures et des conversations chuchotées me parvenaient. Quelqu'un a allumé une cigarette. Je croyais savoir que la loi française avait interdit de fumer à l'intérieur des bâtiments publics, mais rien ne me disait que je me trouvais en France. Le plus sage était encore de me taire.

Mes tempes bourdonnaient, mon cœur battait à tout rompre. Ce silence était pire que le chaos qui régnait sur le port quelques heures plus tôt.

Soudain, une main a arraché mon bandeau.

21

J'ai cligné des yeux, éblouie par la lumière. Des murs nus laqués en blanc, des néons aveuglants. Les éclairages, fixés en dents de scie au plafond, étaient dirigés de telle sorte qu'ils me tombaient directement dans les yeux. La version moderne du spot qu'on dirige sur le coupable dans les vieux polars. Le contraste avec le froid glacial de la pièce donnait le sentiment d'un rayon de soleil en plein hiver.

Deux inconnus me faisaient face. Un jeune type sec et nerveux, teint rose, mâchoire carrée, coupe militaire en brosse. Son compagnon, la cinquantaine, était coiffé normalement et portait un costume.

— Comment vous appelez-vous ? m'a-t-il demandé.

Le fait qu'il s'exprime en français semblait indiquer quc nous nous trouvions en France. Ce qui était logique.

— Je m'appelle Abbie Elliot.

Je m'efforçais de m'exprimer d'une voix calme.

— Je suis citoyenne américaine et je veux… J'ai préféré poursuivre en anglais.

— Je demande à parler à un avocat ou à un représentant de l'ambassade.

— Pour qui travaillez-vous ?

Le plus jeune des deux, l'homme à la mâchoire carrée. Il assumait le rôle du méchant et se délectait visiblement de la situation.

— Travailler ? Je ne travaille pour personne.

Mâchoire carrée s'est penché vers moi.

— Vous mentez.

Il s'exprimait dans un anglais teinté d'un accent prononcé.

— Combien êtes-vous ?

Il me regardait droit dans les yeux afin de mieux m'hypnotiser.

— Allons ! Combien ? a-t-il insisté.

— Vous vous trompez lourdement. J'étais en vacances avec des amies. Je ne sais pas ce qui s'est passé, mais…

— Répondez-moi ! a sifflé le type en m'attrapant par les cheveux et en m'envoyant son haleine au visage. Combien ?

— Je me trouvais à Monaco avec trois amies.

J'éprouvais les plus grandes difficultés à masquer mon trouble. Des gouttes de sueur froide s'échappaient de mes aisselles et me coulaient le long des côtes. Mes mains, entravées derrière le dossier de ma chaise, m'empêchaient de bouger.

— Elles s'appellent Serena Schofield, Winnie Brookes et Bryah Gordon.

— Pour le compte de qui travaillez-vous ? Le Groupe islamique armé ?

Un groupe islamique ?!!

— Je n'ai rien à voir avec les islamistes. Mon père était pasteur méthodiste et…

— Pour qui ? L'ETA ? Les moudjahidines ? Le FLNC ? Al-Qaida ?

Al-Qaida ?!!!

Je me suis recroquevillée sur moi-même tant bien que mal, jusqu'à ce que ma nuque s'arrête, bloquée par le dossier de ma chaise en bois. J'ai regardé successivement mes deux interlocuteurs, éberluée. Je n'aurais pas été étonnée de voir quelqu'un jaillir de derrière un rideau en s'écriant : « Surprise, surprise », comme dans l'émission de MTV que regarde mon fils.

Mais il n'y avait aucun rideau et les mines qu'affichaient mes deux interlocuteurs n'avaient rien d'avenant.

J'étais visiblement seule à rire.

— Vous me prenez vraiment pour une terroriste ?

22

Paradoxalement, ma première réaction a été le soulagement. J'avais eu tout le temps de réfléchir à la situation depuis mon transfert de Monaco, j'en étais arrivée à la conclusion que je me trouvais mêlée à une histoire de drogue. Nous avions été victimes d'un raid de la brigade française des stupéfiants. Ils avaient fouillé les yachts du port à la recherche de substances illégales. Sans doute en avait-on trouvé sur notre bateau, puisqu'on nous avait isolées des autres. Quand bien même la drogue ne nous appartenait pas, nous risquions des ennuis du seul fait de notre présence à bord.

En revanche, l'idée de terrorisme ne m'avait jamais traversé l'esprit. Mes interlocuteurs faisaient fausse route.

J'ai passé la demi-heure suivante à me défendre alors qu'ils déversaient sur moi les noms de groupes ou de leaders terroristes, à l'affût de mes réactions, d'un éclair dans mon regard, d'un geste qui les conforte dans leur intuition. J'ai commencé par protester avec véhémence. Je leur criais que je n'étais pas une terroriste, mais une simple mère de famille en vacances, la personne la plus inoffensive de la Terre. Un échange parfaitement stérile. Mes deux interrogateurs étaient à la recherche d'un point précis sur une carte alors que je me trouvais sur une autre planète, ce qu'ils refusaient de croire. Constatant l'inutilité de leurs efforts, ils m'ont harcelée de questions pour savoir quelle action je préparais maintenant.

— Vous avez prévu d'autres opérations ? m'ont-ils demandé en me citant les cibles les plus sensibles sur le territoire français. L'Assemblée nationale ? Notre-Dame ? L'aéroport de Roissy ? L'Arc de Triomphe ?

C'en était presque comique. Jusqu'à ce week-end, ma conception de l'aventure se limitait à commander un pull en laine sur Internet, et voilà qu'on me demandait si j'avais l'intention de faire sauter la tour Eiffel ou d'assassiner le Premier ministre !

J'emploie à dessein l'expression *presque comique*, parce qu'il manquait à leur petit numéro un élément essentiel : l'humour. Mes deux interlocuteurs n'étaient pas seulement graves, on les sentait paniqués. Un événement dramatique s'était produit, ils craignaient de se retrouver en première ligne si une autre catastrophe se produisait. Ils s'appliquaient pourtant à ne rien montrer en me bombardant de questions sans laisser percer leurs émotions. Ils s'exprimaient d'une voix calme et dissimulaient sous un vernis d'assurance un sentiment aisément identifiable : la peur.

Davantage que la nature même de leurs questions, leur angoisse me mettait les nerfs à vif. Il s'était produit un événement grave.

— Il y a méprise, messieurs. Je ne sais pas ce qui s'est passé, mais…

— Vous mentez, m'a coupée Mâchoire carrée, dont j'avais appris au cours de l'entretien qu'il se nommait Durand. N'essayez pas de prétendre que vous ne savez rien.

Penché vers moi, il me regardait droit dans les yeux.

— C'est pourtant vrai.

— Vous insultez notre intelligence.

L'autre, le plus vieux des deux, celui qui jouait le rôle du bon flic, s'appelait Rouen. En attendant, ils ne voulaient rien me dire.

— Je refuse de continuer à répondre à vos questions tant que je ne saurai pas de quoi il retourne.

Durand m'a quittée des yeux et s'est tourné vers son collègue.

— Montre-lui les photos.

Quelles photos ? Celles de la scène du crime ? Mais quel crime ? Inquiète, j'ai pensé à Damon. Pouvait-il lui être arrivé malheur ? Le meurtre d'une star de cinéma de sa stature aurait pu expliquer le cirque auquel j'avais assisté sur le port de Monaco, la présence d'autant de flics et de gendarmes.

J'avais un mal de tête épouvantable. En temps normal, avec tout l'alcool que j'avais ingurgité la veille, j'aurais dû être comateuse. À cause des mauvais traitements qu'on m'avait infligés à Monaco et dans l'avion, j'aurais donné n'importe quoi pour qu'on me donne un antalgique. Au fond de moi, je pressentais que la vérité risquait fort d'aggraver mon mal de crâne.

Pourvu qu'il ne s'agisse pas de Damon.

Les deux hommes sont allés chercher au fond de la pièce une grande table qu'ils ont placée devant moi. Le plus vieux des deux, Rouen, m'a posé sous les yeux un agrandissement photo sur papier brillant.

— Mon Dieu !

J'ai découvert en gros plan le corps d'un homme assis à l'intérieur d'une voiture. Il portait des blessures par balle au niveau de la poitrine et du cou. Malgré le côté irréel de la photo, j'ai instantanément identifié le cadavre.

— Devo !

23

— *Devo*, comme vous dites, a raillé Durand en imitant mon mauvais accent français avec un coup d'œil en coin à son collègue Rouen. Il s'agit bien de Devo.

Rouen a posé un nouveau cliché sur la table. Celui d'un autre homme, mort lui aussi, dans la même voiture. En plus de blessures similaires, il avait reçu une balle en plein front.

J'ai détourné les yeux en reconnaissant Luc, le pilote automobile.

Devo et Luc, assassinés.

Pliée en deux, j'ai vomi sur mes genoux.

— Vous ne croyez pas qu'il serait temps de renoncer à votre petit jeu et de nous expliquer ce qui s'est passé ?

J'ai relevé la tête et dévisagé Durand entre deux hoquets.

— Vous… vous n'imaginez tout de même pas que je puisse être liée à cette histoire ? Parce que vous croyez que c'est *moi* qui les ai… tués ?

Durand a planté ses deux mains sur la table en se penchant vers moi.

— Nous ne croyons rien, nous le *savons*. Reste à savoir combien de temps il vous faudra avant d'avouer.

Non, non. C'était impossible. *Ne leur dis rien, Abbie. Exige la présence d'un avocat. Ne te comporte pas comme une idiote. Je te rappelle qu'on t'accuse de* meurtre.

— Mon mari travaille à l'ambassade des États-Unis en Suisse. Je veux lui parler. Je veux un avocat et je veux quelqu'un de…

Sa main a volé à une telle vitesse, je n'ai rien vu venir. Un coup au niveau de la tempe, à l'endroit où la boîte crânienne est plus fragile. Pas de quoi m'envoyer à l'hôpital, ni même laisser un hématome, mais le message était clair.

— Vous n'êtes pas en Suisse, et encore moins aux États-Unis, a répliqué Durand d'une voix qui laissait transparaître sa colère. Vous n'avez droit à aucun coup de téléphone, à aucun mari, à aucun avocat, tant que vous n'aurez pas avoué.

J'ai rassemblé le peu de forces qui me restaient.

— Je ne prononcerai pas un mot de plus.

— Dans ce cas, votre silence est explicite.

Rouen, cette fois, qui prenait le relais.

— Dans ce pays, le refus de parler est considéré comme une preuve de votre culpabilité. Nous ne sommes pas en Amérique.

— Comprenez-nous bien, a renchéri Durand. C'est dans votre intérêt. Si vous regrettez vos actes, si vous exprimez des…

Il s'est arrêté, faute de trouver le terme qu'il cherchait en anglais. Rouen est venu à son secours.

— Des remords. C'est votre seule chance d'éviter la prison à vie si…

— Je n'ai tué personne. Je ne suis au courant de rien. *Arrête, Abbie.*

— Vous ne nous aidez pas beaucoup, a réagi Durand sur un ton déçu. Et vos amies ? Êtes-vous sûre d'elles comme vous l'êtes de vous-même ?

— Mes amies n'auraient jamais tué personne.

Durand m'a brandi sous les yeux les photos de Devo et de Luc.

— Elles se trouvaient pourtant sur ce yacht, non ?

— C'est vrai, nous étions toutes sur ce bateau, mais…

— Vous parlez uniquement de vos amies ?

— Devo et Luc nous accompagnaient.

— Et M. Ogletree ? Le propriétaire ?

Le gros Américain se nommait donc Ogletree.

— Lui aussi.

J'ai volontairement omis de mentionner la présence d'une autre personne : Damon. Je voyais mal en quoi cela le concernait. Je devais pouvoir m'en tirer sans avoir besoin de citer son nom. Je n'allais tout de même pas avoir le choix entre reconnaître mon infidélité et être accusée de meurtre ?

Si ?

— Puisque vous clamez votre innocence, je vous demande comment vous pouvez gager de celle de vos amies. Vous pouvez vous porter garante de leurs faits et gestes à tout moment ? En permanence ?

Non, évidemment. Pas plus qu'elles ne pouvaient se porter garantes pour moi, à partir du moment où j'étais sortie de la cabine en laissant Serena, Winnie et Bryah en compagnie de Devo et de Luc.

Tais-toi, Abbie. Qu'est-ce que tu fabriques ? Les innocents peuvent aussi se retrouver en position délicate lors d'un interrogatoire. Ferme ta grande gueule.

En espérant que tes copines fassent de même.

— Elle ne répond pas, a remarqué Durand à l'adresse de Rouen.

— Si ça se trouve, elle protège ses amies.

Je les ai interrompus.

— Je veux un avocat.

— Tu le crois, ça ? On lui donne la possibilité de se justifier et elle refuse, a poursuivi Durand en direction de son collègue. On ferait mieux d'interroger ses copines.

Il s'est retourné vers moi et m'a glissé dans un murmure, son nez collé contre le mien :

— Êtes-vous certaine que vos amies feront preuve de la même loyauté à votre égard ? Vous seriez bien naïve de le croire.

Sur ces mots, ils ont quitté la pièce en m'abandonnant entre ces quatre murs blancs sous une lumière aveuglante, dans mon peignoir de coton taché de vomi, les tempes bourdonnantes. Seule avec mes pensées et ma peur.

Plus seule que je ne l'avais jamais été de toute mon existence.

24

Durand exécuta lentement le tour de la pièce au centre de laquelle trônait une unique chaise.

— Si je comprends bien, il y avait vous, Serena et Winnie.

Il avait du mal à prononcer leurs noms, dont il faisait traîner la première syllabe. SÉÉÉ-ri-na. WIIII-nie.

Bryah baissa les yeux, autant par honte qu'à cause des spots aveuglants.

— Oui, répondit-elle d'une voix quasiment inaudible.

— Pas Abbie, donc. Elle n'était pas… elle ne se trouvait pas avec vous dans la cabine ?

Bryah ne répondit pas immédiatement. Elle n'avait pas quitté la tenue grise que lui avaient donnée les gendarmes sur le port de Monaco après l'avoir tirée de force du lit, entièrement nue. Une sorte de combinaison de chirurgien qui la protégeait mal du froid ambiant.

— Abbie a dormi ailleurs.

— Vous cherchez à la dédouaner ?

— Je vous demande pardon ?

— Je remarque que vous n'êtes pas en mesure de nous dire où elle se trouvait.

— Je… non. Je ne sais pas ce qu'elle faisait, reconnut Bryah. Mais elle est incapable d'assassiner quelqu'un.

— Ah, réagit Durand en se penchant à l'oreille de la jeune femme. Elle n'en dit pas autant de vous. Vos amies vous feront porter le chapeau. Vos riches amies blanches n'hésiteront pas à mettre en cause une islamiste noire.

— Mais je ne suis pas islamiste, espèce d'imbécile. Vous vous imaginez qu'à cause de mes origines…

— Ça suffit ! la coupa Durand. Vous prenez un grand risque en leur permettant de livrer leur version des faits en premier. Le premier témoignage aura le plus de chance de passer pour… la vérité.

Bryah serra les paupières.

— Je n'ai tué personne, et elles non plus.

— Je croyais que vous dormiez ? Comment pouvez-vous vous montrer aussi sûre de leur innocence ? Vous mentez.

— Allons, insista Rouen. Dites-nous qui est la coupable. Elle passera le reste de ses jours en prison, alors que celles qui nous auront aidés pourront espérer la clémence des jurés.

— Vous croyez vraiment que vos amies feront preuve du même courage que vous ? lui susurra Durand à l'oreille.

*

Serena toussa en essayant de se concentrer sur la question qu'on venait de lui poser. Elle se sentait atrocement mal. Réveillée en sursaut par des gendarmes armés jusqu'aux dents, affolée par la photo du cadavre de Luc qu'on lui avait brandie sous le nez, elle avait toutes les peines du monde à contenir les sursauts de son estomac. Elle avait éclaté en sanglots en découvrant le cliché, et il lui avait fallu près d'une demi-heure pour se reprendre.

— Abbie ne ferait pas de mal à une mouche, répondit-elle.

— Ce n'est pas ce que je vous demande, rétorqua Durand. Vous voulez que je répète ma question ?

Serena s'agita sur sa chaise, cherchant une position plus confortable. Il lui arrivait fréquemment de se coincer un nerf au niveau de l'épaule. Menottée dans le dos de la sorte sur une mauvaise chaise en bois, elle souffrait le martyre.

— Elle a quitté la cabine et je ne l'ai plus vue. J'imagine qu'elle est allée se coucher.

— Vous n'en avez pas la preuve.

Elle secoua la tête.

— Non. Je ne sais pas où elle se trouvait, reconnut-elle.

*

Les deux policiers avaient choisi d'interroger Winnie la dernière, après avoir constaté qu'elle était la plus fragile des quatre femmes. Le mieux était de la laisser mariner dans sa détresse et sa peur, de façon à la pousser à craquer lors de son interrogatoire.

Winnie, prostrée sur sa chaise, avait les yeux rouges et bouffis d'avoir trop pleuré.

Durand s'était accroupi devant elle de façon que leurs yeux se trouvent au même niveau, mais elle refusait de le regarder. Elle n'avait même pas levé la tête en les entendant pénétrer dans la pièce.

— Il est mort, c'est ça ? murmura-t-elle.

25

La porte s'est rouverte. À nouveau Durand et Rouen. Je suis incapable de dire combien de temps s'était écoulé. Trois heures, probablement. Peut-être quatre. J'étais déshydratée, nauséeuse, complètement à côté de la plaque. Exactement comme ils le souhaitaient.

J'étais une marionnette qu'ils manipulaient à l'envi. Ils avaient toutes les cartes en main, et moi aucune. Aucune, sinon mon innocence, un bien maigre atout. Restait à savoir s'il me servirait.

— J'ai besoin d'aller aux toilettes et je voudrais de l'eau.

Durand m'a répondu non de la tête, l'air de trouver ma requête totalement inconsidérée.

— Pas tant que vous ne nous aurez pas tout… expliqué.

Il pouvait toujours attendre. J'avais passé mes dernières heures de solitude à me blinder. Je m'étais promis de ne plus lâcher un mot. D'attendre qu'on me donne un avocat, même s'il me fallait attendre une éternité. Pour quelle raison aurais-je parlé à ces gens ? Ils n'avaient pas l'ombre d'une preuve. Forcément, puisque j'étais innocente.

Allez, Abbie. Ne faiblis pas.

— Je veux un avocat.

— Vous n'en avez pas le droit, a répliqué Rouen.

— La justice française n'est-elle pas censée apporter la preuve de la culpabilité de ceux qu'elle met en accusation ? Ou alors vous comptez également me dénier ce droit ? Vous espérez vous passer de procès, aussi ?

Durand s'est approché en me montrant un sachet en plastique contenant mon sac à main.

— C'est à vous ? m'a-t-il demandé.

J'ai résisté à la tentation de lui répondre, entraînée par mes bonnes résolutions.

Durand s'est tourné vers son collègue.

— Une question simple, pourtant. Non ?

— C'est mon sac à main.

Durand, un sourire suffisant aux lèvres, a traversé la pièce. Il a ouvert la porte, tendu le sachet à quelqu'un qui lui en a donné un autre à la place.

Le second sachet contenait un pistolet. Plus petit que celui qu'avait exhibé Luc la veille. Il a sorti fièrement l'arme en observant ma réaction. Comment devais-je réagir ?

— Et alors ? C'est un pistolet.

— *Votre* pistolet, a-t-il répliqué.

— Ce n'est pas mon pistolet, pour la bonne raison que je n'en ai pas. Je n'ai jamais vu cette arme.

— Pourquoi vous entêter à mentir ? Avouez. Avouez qu'il s'agit bien de votre pistolet.

— Allez au diable !

Les envoyer promener me faisait du bien. Me donnait le sentiment de reprendre le contrôle de la situation.

Durand a agité l'arme à quelques centimètres de ma figure.

J'ai tourné la tête.

— Je n'ai rien d'autre à vous dire.

— Rien d'autre, rien d'autre. Si vous saviez à quel point je suis désolé d'entendre ça. J'avais espéré que vous puissiez m'expliquer un petit détail.

Je l'ai regardé.

— Ah oui ? Quel petit détail ?

Il s'est penché en avant, un éclair dans les yeux.

— Ce pistolet que vous n'avez jamais vu. Je serais curieux que vous m'expliquiez comment il a pu se retrouver dans votre sac à main.

26

L'ambassade des États-Unis à Paris occupe un vaste hôtel particulier proche de la Seine, à un jet de pierre de la place de la Concorde, avec ses statues majestueuses dédiées aux plus belles villes de France. Là où se dressait autrefois la guillotine au pire de la Terreur s'élèvent désormais le majestueux obélisque de Louxor et ses fontaines.

Ce soir-là, il montait la garde en brillant d'une lumière douce dans la nuit parisienne, flanqué par les Champs-Élysées d'un côté, les Tuileries et le Louvre de l'autre, entre les colonnes de la Madeleine et celles du Palais-Bourbon.

La protection des bâtiments, assurée par des Marines, avait été renforcée à hauteur des grilles de l'ambassade du fait de la gravité de la situation. Avant d'être autorisés à pénétrer dans l'enceinte, il était demandé aux visiteurs de montrer patte blanche à deux reprises, d'éteindre leurs téléphones portables et de les laisser à la garde des services de sécurité, de franchir un portique de détection et de subir une fouille au corps. Ils étaient alors pris en charge par un Marine qui ne les quittait pas d'une semelle.

Jeffrey Elliot et Simon Schofield étaient ainsi arrivés sous bonne escorte jusqu'au bureau de Daniel Ingersoll, un adjoint du procureur de Washington qui effectuait une mission de deux ans à Paris en qualité de conseiller juridique.

— Des terroristes ? ricana Simon. Des *terroristes ?!!*

Ingersoll, un blond au visage juvénile et avenant, se trouvait en poste à Paris depuis quatre mois lorsque cette histoire délétère lui était tombée dessus. Il avait initialement accepté cette affectation en Europe avec un certain soulagement, à la suite de son divorce, y voyant un excellent moyen pour sa fille adolescente, Molly, de découvrir le monde en fréquentant un lycée parisien pendant quelques années. Le travail s'annonçait surtout passionnant, loin du stress généré par le système judiciaire américain. Ingersoll devait brusquement réviser sa position, conscient qu'une affaire de cette ampleur risquait fort de mobiliser toute son attention pendant son séjour en France.

— Les autorités locales ont lancé une enquête pour terrorisme, répondit-il à Simon. Cela ne signifie pas nécessairement qu'elles restent durablement sur ce terrain.

— Mais alors, qu'est-ce que ça signifie ? s'énerva Jeffrey.

— Expliquez-lui, Dan, s'éleva d'un haut-parleur la voix de l'ambassadeur des États-Unis en France, Tristan Souter, depuis l'avion qui le ramenait d'Australie de toute urgence.

— Bien sûr, soupira Ingersoll.

Le conseiller juridique observa les deux maris. Ils affichaient une mine qu'il connaissait trop bien, pour l'avoir vue à de nombreuses reprises à l'époque où il était magistrat fédéral. Moins chez les accusés que sur le visage de leurs proches. Un mélange de désespoir, d'inquiétude et d'impuissance qui voûtait leurs épaules et leur tordait la bouche.

— Les Français ont le droit de garder un suspect en détention tant qu'ils disposent d'une sérieuse raison de le croire coupable d'un crime, expliqua-t-il à ses visiteurs. En cas de soupçon d'acte terroriste, la garde à vue peut durer quatre-vingt-seize heures. Quatre jours. Techniquement, la loi prévoit trois jours, mais le juge d'instruction accorde systématiquement un délai supplémentaire. En moyenne, la garde à vue s'étend sur quatre jours.

— Que se passe-t-il pendant ces quatre jours ? l'interrogea Simon. De quels droits dispose ma femme ?

Ingersoll hocha lentement la tête dans l'espoir d'apaiser l'angoisse des deux maris paniqués.

— Elle dispose de droits très limités, monsieur Schofield. On peut lui refuser toute communication avec l'extérieur, tout comme l'assistance d'un avocat. En cas de terrorisme, les interrogatoires ne sont même pas filmés. Elle aura droit à un avocat au bout de soixante-douze heures, et seulement pendant trente minutes. L'avocat en question ne disposera d'aucun élément d'enquête. Sans en avoir la certitude, nous soupçonnons les autorités françaises d'enregistrer la rencontre entre l'avocat et son client, de sorte que nous conseillons systématiquement à nos ressortissants de ne rien dire.

Simon bondit de sa chaise et se mit à tourner comme un lion en cage.

— Vous êtes en train de me dire qu'ils ont le droit d'interroger Serena pendant quatre jours sans aucun contrôle ? Sans aucune assistance ? Sans qu'elle soit autorisée à parler à quiconque ?

— Malheureusement oui, intervint la voix de l'ambassadeur.

Simon leva les bras au ciel.

— On les accuse de terrorisme uniquement à cause de la position de ce type ? Comment auraient-elles même pu être au courant ?

Ingersoll était incapable de répondre à la question, faute d'éléments concrets. Comment aurait-il pu en vouloir à un mari terrifié de poser une telle question ? À ce stade, Ingersoll ne savait rien, sinon que les Français l'empêchaient d'agir en refusant de lui communiquer le moindre élément.

Jeffrey consulta sa montre.

— Depuis combien de temps sont-elles en détention ? Douze ou treize heures ?

— Treize, d'après ce que nous croyons savoir.

Ingersoll s'éclaircit la gorge avant de poursuivre :

— Nous savons simplement qu'il était 7 heures du matin lorsque le GIGN a investi le port de Monaco.

— Le GIGN ? demanda Simon.

— Le Groupe d'intervention de la Gendarmerie nationale. L'unité d'élite de lutte contre le terrorisme en France. L'équivalent de notre Delta Force, soupira Ingersoll. Ils ont arrêté quasiment tous ceux qui se trouvaient dans la marina. La plupart des suspects ont été libérés. S'ils les ont gardées, c'est que vos femmes et leurs deux amies les intéressent tout particulièrement.

— Comment se fait-il qu'on ne vous autorise pas à les voir ? s'inquiéta Simon.

Ingersoll fit la grimace.

— En temps ordinaire, un représentant de l'ambassade est autorisé à rendre visite quotidiennement aux ressortissants américains tout au long de leur garde à vue.

Il haussa les épaules avec fatalisme.

— Ce droit nous est dénié dans le cas présent. Comprenez bien qu'il ne s'agit pas d'un crime ordinaire.

Jeffrey se passa la main sur le visage.

— Où sont-elles en ce moment ? Au palais de justice ?

— Nous n'en savons rien, Jeff, résonna la voix de l'ambassadeur dans le haut-parleur.

— Vous n'en savez *rien ?*

Ingersoll prit le relais de Souter.

— Le GIGN a très bien pu décider de les conduire dans son QG de Satory, à l'ouest de Paris. Nous pensons plutôt qu'elles sont détenues dans les locaux de la DCRI, la Direction centrale du renseignement intérieur à Levallois-Perret. Une proche banlieue parisienne.

— C'est absolument… c'est un véritable scandale, explosa Simon qui continuait d'arpenter la pièce, le visage livide. Que… que se passe-t-il à l'heure actuelle ? On leur donne à manger, au moins ? Sont-elles autorisées à dormir ? Sont-elles…

— Les autorités françaises sont en train d'enquêter, répliqua Ingersoll. Ils procèdent à l'interrogatoire des suspectes et réunissent l'ensemble des éléments à charge. Cette affaire constitue à leurs yeux une priorité absolue, ce que chacun peut comprendre, de sorte qu'ils avancent à marche forcée. Je vous rappelle qu'il ne s'agit pas d'une affaire ordinaire.

— En attendant, ils ont tout le loisir de retenir nos femmes pendant quatre jours en les harcelant de questions et en leur faisant subir je ne sais quoi d'autre, intervint Jeffrey. Et vous dites qu'on ne sait rien ? Ils ne vous ont communiqué aucun détail ?

Ingersoll se gratta la tête, perplexe.

— J'ai épuisé la liste de mes contacts. Je ne sais absolument rien. Les Français ont décidé de mettre un embargo très sévère sur les informations dont ils disposent.

Le conseiller juridique ne se montrait pas totalement franc avec ses visiteurs. C'est vrai, les autorités françaises ne lui avaient quasiment rien révélé, mais Ingersoll avait quelques informateurs au sein de la police. Des relations nouées depuis son arrivée. À défaut de faits précis, du moins disposait-il de rumeurs.

Et il avait cru comprendre que les preuves accumulées contre les quatre femmes étaient accablantes.

27

Je me débattais dans une lumière aveuglante. Quand bien même j'aurais souhaité dormir, l'éclairage et le froid glacial qui régnait dans la pièce m'en auraient empêchée. J'étais complètement transie, à moins que le tremblement qui agitait mon corps ne soit le résultat de mes nerfs à vif, de la peur insidieuse qui menaçait de me rendre folle chaque fois que je laissais mon imagination prendre le relais.

Plusieurs heures s'étaient écoulées, sans que je puisse déterminer combien. Cette cellule était dépourvue d'horloge, ou même d'une fenêtre susceptible de me raccrocher au monde. Le soleil, les repas, les autres… on m'avait privée de tous mes repères habituels. Seuls survivaient mes baromètres intérieurs, la faim ou la fatigue, sans que je puisse m'y fier étant donné les circonstances.

J'étais incapable de savoir quel jour nous étions, s'il était midi ou minuit. J'estimais être attachée à cette chaise en bois depuis une bonne quinzaine d'heures, mais je n'en aurais pas juré.

Mon état physique n'était guère plus glorieux. Une douleur me traversait le dos des reins à la nuque, je ne sentais plus mes bras, et un méchant torticolis, glané à force de me tortiller dans tous les sens, me raidissait le cou.

Déséquilibrer le suspect en le privant de tout confort. Le principe est simple. Une tactique vieille comme le monde, presque primitive. Mais efficace.

On avait relevé mes empreintes, prélevé mon ADN en me passant un coton-tige à l'intérieur de la bouche. J'avais subi une prise de sang et toute une batterie de tests au niveau des mains et des avant-bras. À ces détails près, on me fichait la paix. Un peu trop à mon goût. J'avais commencé par appeler. Je réclamais de l'eau, le droit d'aller aux toilettes, de me dégourdir les jambes. Rapidement, j'aurais donné n'importe quoi pour une occasion de leur cracher ma rage à la figure. N'importe quoi plutôt que ce silence. Je voulais comprendre, mais on me laissait reconstituer seule un puzzle dont je n'avais que deux pièces : le meurtre de Devo et Luc, la présence de l'arme du crime dans mon sac à main.

S'ils ne m'avaient pas menti. Je ne savais même plus si je devais les croire. Soit ils me manipulaient, soit quelqu'un s'était chargé de glisser ce pistolet dans mon sac. Dans un cas comme dans l'autre, il s'agissait d'une erreur. Comment aurait-il pu en être autrement ?

— Holà ! Il y a quelqu'un ?

J'étais pleinement consciente de l'ineptie d'une telle démarche. D'un côté, je refusais de m'exprimer, de l'autre je voulais qu'on vienne me voir. Tout en sachant qu'il était dangereux pour moi de parler hors de la présence d'un avocat, je voulais revoir Durand et Rouen, savoir de quelles informations ils disposaient, comprendre pourquoi ils me croyaient coupable, entendre de leur bouche ce qu'avaient pu leur révéler les autres.

Cet enfermement dans le silence n'était qu'une ruse de plus. Ils m'avaient présenté une preuve accablante avant de me laisser digérer l'information pendant des heures, le temps que mon imagination et ma peur bâtissent des scénarios catastrophes. La manœuvre avait beau être éculée, elle n'était pas employée sans raison : elle fonctionnait diantrement bien.

La porte s'est ouverte sur Durand et Rouen. Encore eux. La brute et le gentleman.

— J'ai… j'ai soif. Je voudrais me laver…

— Je sais. Vous aimeriez avaler un repas chaud, prendre une bonne douche, et passer un coup de téléphone, a répliqué Durand en débouchant sa bouteille d'eau avant d'en avaler une longue gorgée et de revisser le bouchon. Vous aimeriez pouvoir bénéficier du même luxe que vos amies.

— Mes… mes amies ?

Ma voix s'est brisée. J'avais la bouche si sèche que ma langue collait au palais.

— Vos amies sont nourries et lavées. Elles dorment tranquillement dans un lit à l'heure qu'il est. Elles ont accepté de nous parler, elles. Le temps vous est compté, madame Elliot. Nous savons ce qui s'est passé, mais nous ne savons pas pourquoi. De toute façon, votre témoignage n'aura bientôt plus aucune importance.

— Dites-moi… ce qu'elles vous ont raconté.

— Votre amie Winnie, par exemple ? Elle nous a avoué que c'était vous. C'est vous qui avez tiré, et qui avez eu l'idée au départ.

— Moi ? J'aurais voulu tuer Devo et Luc ? C'est parfaitement ridicule. Jamais elle ne vous a dit ça.

Durand a haussé les épaules.

— Et pour quelle raison ? Je ne me trouvais même pas avec Luc et Devo. J'étais probablement la seule à ne pas être là.

Arrête-toi, Abbie. C'est précisément ce qu'ils veulent. Ils cherchent à nous monter les unes contre les autres.

— Dans ce cas, suggéra Rouen, leur témoignage pourrait expliquer qu'elles vous aient toutes désignée. Tout simplement parce que vous ne vous trouviez pas avec elles cette nuit-là.

— Un système de défense qui leur permet de se blanchir en rejetant la faute sur vous, insista Durand.

— Si cela peut vous consoler, vos amies Serena et Bryah se sont montrées pour le moins… réticentes. Elles hésitaient à vous incriminer.

— Vous qui n'avez aucun alibi, a poursuivi Durand.

— Vous dont le sac à main contenait l'arme du crime, a enchaîné Rouen.

— Allons, Abbie, m'a pressée Durand en s'approchant de moi.

J'ai secoué violemment la tête. Non. Non. C'était forcément faux. Jamais mes amies n'auraient agi de la sorte. Impossible.

J'ai pris ma respiration, histoire de me donner du courage. Une fois que j'aurais parlé, il serait trop tard pour me rétracter.

— J'ai un alibi. Damon Kodiak.

28

Les suspects se comportent tous de façon différente lors de leur garde à vue. Certains sont outrés. D'autres sont tétanisés par la peur. D'autres encore disent tout et n'importe quoi, quand certains refusent de desserrer les dents. Il y a les suspects qui cherchent par tous les moyens à plaire à ceux qui les interrogent, et ceux qui leur crachent à la figure.

L'Anglaise était différente de ses trois amies depuis le départ. On la sentait mal à l'aise, pétrie de remords, moins combative. On percevait surtout chez elle une lassitude immense.

— Vous étiez amoureuse, fit Durand.

— Non, répondit Winnie en secouant lentement la tête. Enfin… je ne sais pas. Peut-être. Il me plaisait… oui, il me plaisait bien… peut-être que j'étais amoureuse, après tout.

— Vous espériez le voir divorcer.

— Non, pas du tout…, soupira-t-elle. Ce n'était pas… pas possible… pour tout un tas de raisons.

— On pourrait très bien comprendre votre… trouble, s'interposa Rouen. À l'idée que vous ne puissiez pas avoir cet homme, et l'existence qu'il aurait pu vous donner.

Winnie ne répondit pas. Elle continuait de secouer la tête, pas tant pour repousser leur théorie que dans l'espoir de rester éveillée.

— Vous niez toujours avoir touché l'arme retrouvée sur place ? insista Durand.

Winnie laissa échapper un gémissement.

— Combien de fois faut-il que vous me posiez les mêmes questions ?

— On vous les posera tant que vous ne nous aurez pas avoué toute la vérité.

— Bon sang, je me tue à vous dire la vérité ! Ça fait vingt fois !

— Quelle raison pouvait avoir Serena de vouloir le tuer ?

— Aucune.

— Et Bryah ? Et Abbie ? Pour quelle raison ?

— Elles n'avaient aucune raison de vouloir le tuer. Elles ne feraient pas de mal à une…

— Dans ce cas, c'est vous qui avez tiré, Winnie. Il n'y a pas d'autre solution. C'est vous qui avez appuyé sur la détente. Nous le savons.

— Expliquez-nous pourquoi vous l'avez tué, Winnie, insista Rouen.

La jeune femme s'entêta dans le silence. Sa tête retomba en arrière sur le dossier de la chaise.

— Vous vouliez de l'argent, reprit Durand. À défaut de le garder pour vous toute seule, vous vouliez le faire chanter.

— Vous croyez… que je l'ai tué… pour de l'argent ? Quel argent, d'abord ? Jamais il ne m'aurait donné… de l'argent. Pour quelle raison m'en aurait-il donné ?…

— Pour s'assurer de votre discrétion, proposa Rouen.

— Non… c'est… complètement ridicule. Je vous en prie… j'ai soif… J'ai soif et je veux me laver…

— Bientôt, Winnie. Très bientôt, rétorqua Durand. Allons, parlez-nous de cet argent.

— Je n'ai pas… besoin d'argent. Aucune… de nous. Abbie… Abbie n'a pas vraiment d'argent… mais elle… jamais elle… je vous en supplie… de l'eau…

— Vous pourrez boire quand vous aurez avoué, Winnie.

— Allons, Winnie, la pressa Rouen. Dites-nous que vous regrettez votre geste.

— Regretter ? Je regrette… qu'il soit mort. Je… je donnerais n'importe quoi… pour qu'il soit… en vie… mais je… je n'ai rien fait…

Les deux policiers échangèrent un regard. Il était temps de donner à boire à Winnie et de la conduire aux toilettes. Pour l'heure, ils avaient tout ce qu'il leur fallait.

29

— *Vous étiez amoureuse.*

— *Non. Enfin... je ne sais pas. Peut-être. Il me plaisait... oui, il me plaisait bien... peut-être que j'étais amoureuse, après tout.*

— *On pourrait très bien comprendre votre... trouble. À l'idée que vous ne puissiez pas avoir cet homme, et l'existence qu'il aurait pu vous donner.*

— *Expliquez-nous pourquoi vous l'avez tué, Winnie.*

— *Je l'ai tué... pour de l'argent. Jamais il ne m'aurait donné... de l'argent. C'est... complètement ridicule...*

Durand arrêta le petit appareil. À la suite de l'interrogatoire de Winnie, il avait passé plus d'une heure à écouter l'enregistrement réalisé à l'insu de la prisonnière, à trier ses phrases. Un technicien avait alors découpé et remonté le témoignage de Winnie de façon à donner une apparence réaliste et naturelle à ses aveux supposés.

Bryah secoua la tête, faisant vibrer la masse de ses cheveux.

— Non... non... C'est... c'est impossible... Jamais Winnie n'aurait... elle n'a pas pu...

— Elle est passée aux aveux. Vous n'êtes plus en mesure de l'aider. Reste à savoir si vous souhaitez vous aider vous-même.

Durand, reposé après quelques heures de sommeil et une douche, s'exprimait d'une voix calme. Son collègue Rouen avait gardé le même costume, mais il portait une chemise blanche propre. L'un et l'autre jouaient nonchalamment avec la bouteille d'eau qu'ils tenaient à la main.

Bryah, menottée à une mauvaise chaise en bois, supportait la lumière aveuglante qui se reflétait sur les murs blancs de la pièce depuis deux jours et une nuit interminables. Malgré tous ses efforts, elle avait fini par perdre la notion du temps. À vue de nez, elle se trouvait là depuis trente-six heures. C'est tout juste si on lui avait donné un sandwich au fromage et une petite bouteille d'eau. On l'avait également autorisée à dormir par terre quelques heures, juste assez longtemps pour que le réveil soit encore plus douloureux que la veille.

Elle dodelina de la tête. Les larmes se mirent à couler. Elle avait clairement reconnu la voix de Winnie sur l'enregistrement.

— Elle a déjà avoué les avoir tués, reprit Durand. Vous avez le choix : soit vous continuez à nier et vous passerez le reste de vos jours en prison avec elle, soit vous nous dites ce que vous savez. En échange d'une peine extrêmement limitée.

Bryah s'ébroua, histoire de rassembler ses pensées.

— Elle a avoué les avoir tués pour leur argent. Il vous suffit de le répéter : « Elle les a tués pour l'argent. »

— Non…

— Allons, répétez : « Elle les a tués pour l'argent », insista Durand en la secouant par l'épaule. Ensuite, on vous autorisera à prendre un bain et on vous donnera à manger. De quoi avez-vous envie ? Un sandwich ? Un croissant ? Un café ?

Bryah releva la tête et posa sur Durand deux yeux bruns fatigués.

— Non… je ne peux pas…

Durand écarta les bras en un geste d'impatience.

— À quoi rime votre entêtement ? Nous savons ce qui s'est passé ! Tout ce qu'on vous demande, c'est de nous dire ce qu'on sait déjà ! Une seule phrase, et vous sortez de prison dans deux ans. En refusant, vous apportez la preuve que vous mentez et que vous êtes complice. Vous ne reverrez jamais les vôtres. Vous risquez trente ans de prison. Peut-être même la perpétuité.

— Écoutez-moi bien, madame Gordon, intervint Rouen. Winnie avoue l'avoir tué par intérêt. C'est un avantage pour elle, dans la mesure où il ne s'agit plus d'un acte terroriste. Vous comprenez ? La loi est encore plus dure en cas d'acte terroriste. En avouant, votre amie apporte la preuve qu'elle n'est pas une terroriste. Elle obtiendra une condamnation nettement plus clémente. Je vous demande de l'aider en confirmant ses dires.

Durand posa une main sur sa poitrine.

— Personnellement, nous ne savons pas si Winnie dit la vérité. Elle souhaite peut-être accréditer la version d'un crime crapuleux dans le seul but d'obtenir une condamnation moindre. Vous l'aideriez en confirmant ce qu'elle nous a déjà avoué. Vous l'aideriez à échapper à une inculpation pour terrorisme. Par la même occasion, vous vous rendriez service à vous-même en coopérant avec la justice.

Bryah s'efforça de contrôler ses sanglots. Elle avait entendu parler des lois antiterroristes en France, des longues peines auxquelles étaient soumis les condamnés, au grand dam des associations de défense des droits de l'homme. Elle n'était pas avocate, mais sans connaître tous les détails, les arguments des deux hommes tenaient debout. Et puis… Et puis c'était bien la voix de Winnie sur cet enregistrement.

— Elle les a tués pour l'argent, la pressa Rouen. Elle les a tués pour l'argent.

Bryah baissa la tête.

— Elle les a tués… pour l'argent, balbutia-t-elle.

30

La porte s'est ouverte. Je m'étais assoupie. Plutôt, mon esprit s'était évadé en s'enfonçant dans un brouillard incohérent. Je ne savais plus comment qualifier l'état de somnolence dans lequel je me trouvais. De toute façon, je ne savais plus rien. J'avais à peine dormi la nuit passée sur le yacht avec Damon, et je n'avais pas vraiment fermé l'œil depuis. Je m'étais probablement assoupie lorsqu'on m'avait autorisée à m'allonger par terre pendant quelques heures la nuit précédente. Même pas toute la nuit. Depuis, je me trouvais dans une sorte de stupeur.

J'essayais seulement de me convaincre de ne rien dire. Mon cerveau ne fonctionnait pas normalement.

Ils m'ont mis sous le nez un document intitulé *Procès-verbal d'audition de la personne gardée à vue.*

— C'est votre dernière chance, a insisté Durand. Les autres ont fini par entendre raison. Votre amie Winnie a avoué.

J'ai fermé les paupières. Ou alors elles étaient déjà fermées.

Winnie... non !

— Vous avez compris ? Les autres ont confirmé ses dires.

— Ils ont corroboré son témoignage, est intervenu Rouen.

Non... c'est impossible... je suis en plein cauchemar... le cauchemar d'une autre...

Durand m'a attrapée par le menton pour m'obliger à le regarder dans les yeux.

— Winnie affirme que c'est vous qui lui avez fourni l'arme. Vous l'avez aidée.

Non... pas l'arme... ce n'est pas mon arme...

J'ai trouvé la force de répondre dans un murmure.

— Non. Jamais... touché une arme... de ma vie.

Ma langue était toute gonflée, les mots s'échappaient péniblement de mes lèvres.

Durand a brandi devant moi les procès-verbaux des autres.

— Regardez vous-même ! Elles le confirment toutes. C'était une opération de chantage, Abbie.

— Qui ça... du chan... du chantage ?

— Vous voudriez continuer de nous persuader que vous n'étiez au courant de rien ?

— Pourquoi... aurait-on fait chanter... Devo ?

— *Devo*, répéta Durand en ricanant. Arrêtez de l'appeler comme ça.

— Pourquoi... c'est pas son nom ?

Rouen s'est approché. Il tenait à la main le portrait d'un homme chauve en costume officiel, très sûr de lui, en train de prononcer un discours devant un drapeau bleu-blanc-rouge.

En dépit de l'état second dans lequel je me trouvais, il ne m'a fallu que quelques secondes pour ajouter mentalement une barbe et une perruque au personnage du portrait.

— Oh non…

Le vrai nom de Devo, le magnat avec lequel nous avions fait la fête, était Henri Dévereux.

On m'accusait d'avoir assassiné le président français.

31

La porte de la cellule s'ouvrit. Dan Ingersoll inspecta le décor de la pièce avant de s'y aventurer. La détenue était recroquevillée dans un coin, les coudes sur les genoux. Une masse de cheveux mi-longs et gras lui collait au crâne. Elle avait le teint pâle, les traits tirés, les yeux injectés de sang, le regard vide. Elle releva la tête avec lenteur.

— Abbie Elliot ? s'enquit-il.

Elle passa la langue sur ses lèvres parcheminées, le menton en avant.

— Qui êtes-vous ?

— Je m'appelle Dan Ingersoll. Je travaille pour l'ambassade des États-Unis.

— Félicitations.

Elle reposa la nuque contre le mur de la cellule dont le béton dessinait un univers froid et propre.

Il ne savait par où commencer, faute d'avoir connu une situation similaire par le passé.

— Vous a-t-on bien traitée, au moins ?

Elle répondit non d'un mouvement de cou. La question était idiote, après quatre jours de garde à vue et d'interrogatoires impitoyables.

— Ils ont oublié de déposer un chocolat sur mon oreiller, dit-elle.

— Je suis sérieux.

— Vous êtes sérieux ? Ah bon ?

Le regard de la prisonnière se fixa au plafond.

— Vous étiez sérieux aussi, en oubliant de venir me rendre visite pendant ces quatre jours ?

— Je n'en avais pas le droit, répliqua le conseiller juridique. Le système français est différent de celui des Ét…

— Le prochain qui me rappelle que je ne suis pas aux États-Unis, je l'assassine. Un meurtre de plus ou de moins…

Comment aurait-il pu lui en vouloir ? La jeune femme n'avait jamais été confrontée à des enquêteurs en colère de toute son existence. Elle devait traverser un véritable cauchemar.

— Comment vont les autres ? demanda-t-elle. Vous leur avez parlé ?

— Je me suis uniquement entretenu avec Serena Schofield, répondit Ingersoll. Les deux autres ne sont pas américaines.

— Dans quel état se trouve Serena ?

Ingersoll s'accorda un temps de réflexion avant de répondre. Il n'avait pas l'habitude de prendre des gants. Un agent du FBI lui avait dit un jour qu'il ne s'exprimait pas comme un homme de loi. Il avait pris la remarque comme un compliment.

— La situation est complexe.

— Je ne vous demandais pas si la situation était complexe. Je crois m'en être aperçue. Je voulais savoir comment allait Serena.

Ça m'apprendra, pensa-t-il.

— Elle est totalement désemparée. Et terrorisée.

Abbie hocha lentement la tête. Elle était épuisée par le stress et le manque de sommeil, au point de paraître hébétée. Personne ne résiste à quatre jours de peur, d'angoisse, de manipulation. Ingersoll se demanda si Abbie avait avoué. La plupart des gens l'auraient fait, à sa place.

— Je n'ai tué personne, prononça-t-elle.

Il garda le silence. La culpabilité de la jeune femme ne le concernait pas. Son boulot consistait à veiller à ce que ses droits soient respectés, en tant que citoyenne américaine. Il n'était pas là pour la juger.

— Je n'avais pas la moindre idée que ce type était le président français. Comment aurais-je pu m'en douter ?

Simon Schofield avait émis la même réflexion dans le bureau d'Ingersoll quelques jours plus tôt. *Comment auraient-elles pu être au courant ?* Ingersoll n'avait pas su quoi répondre au mari de Serena, il n'était pas plus avancé à présent.

— Vous avez parlé à mon mari ? demanda-t-elle.

— Bien sûr. Il sera là très bientôt.

— Et mes enfants ?

— J'ai cru comprendre qu'ils arriveraient prochainement en France.

Les yeux d'Abbie se noyèrent de larmes à l'évocation de Richie et d'Elena.

Ingersoll se fit la réflexion qu'elle n'avait rien d'une tueuse. Il s'en voulut aussitôt de cette pensée stupide. Son expérience de magistrat lui avait enseigné que l'habit ne fait pas le moine. Les assassins les plus violents se dissimulent parfois derrière une apparence calme et douce. L'être humain est compliqué.

— J'imagine que tout le monde est au courant et que nos identités ont été livrées en pâture à la presse ?

Ingersoll hocha la tête.

— J'en ai bien peur.

Abbie montra la porte d'un mouvement du menton.

— Que vous ont-ils dit ? De quelles preuves disposent-ils ?

— Je ne sais quasiment rien.

Elle le dévisagea longuement.

— Je vous en prie, monsieur Ingersoll. Pas de conneries, pour une fois.

Le mot sonnait faux dans sa bouche. Sans qu'il puisse se l'expliquer, Ingersoll avait la conviction qu'Abbie Elliot était une excellente mère de famille.

Il comptait désormais lui rendre visite chaque jour. À condition, bien sûr, qu'elle ne soit pas envoyée loin de là. Il était fermement décidé à veiller sur elle et Serena. Toutes les deux avaient un passeport américain, il était de son devoir de les protéger du mieux qu'il le pourrait, à défaut de pouvoir les sauver. Cette pensée lui donna le courage de répondre :

— D'accord, je ne vous dirai pas de conneries. Cette affaire prend des proportions ahurissantes. On assiste à un véritable lynchage médiatique. Le président Dévereux était très populaire ici et les gens sont persuadés, à tort ou à raison, qu'il a été assassiné par quatre étrangères aussi belles que riches. Les Français réclament du sang. On parle de rétablir la peine de mort pour vous. Le gouvernement américain fait profil bas parce que deux de ses ressortissantes sont impliquées dans cette histoire. À votre place, je choisirais soigneusement mon avocat.

Il reprit sa respiration en voyant Abbie s'enfouir le visage entre les genoux.

— Cela dit, madame Elliot, je suis disposé à tout entreprendre pour vous aider. Et ce ne sont pas des conneries.

Elle hocha la tête, reconnaissante de sa franchise. Elle devait se sentir terriblement seule.

Elle pleurait doucement lorsqu'il quitta la pièce.

Il s'épongea le visage, comme si l'angoisse d'Abbie Elliot était contagieuse. La France n'avait jamais été secouée par une affaire aussi retentissante.

Les autorités ne feraient pas de cadeau aux quatre femmes.

ACTE II

Neuf mois plus tard

Mars 2011

32

« OUVERTURE DU PROCÈS », titrait simplement *Le Monde* ce jour-là, sans autre précision. Ceux qui n'avaient pas entendu parler du drame devaient être dans le coma, ou alors ils n'étaient pas nés. L'*International Herald Tribune*, fidèle à sa retenue coutumière, informait ses lecteurs qu'était arrivé le « Premier jour du procès Dévereux », tandis que *USA Today* annonçait : « Début du procès de la Bande des quatre ». J'avais été mise au courant par l'un des gardiens de la prison du Sud parisien où j'avais été conduite deux jours plus tôt. On m'avait changée d'établissement afin de renforcer ma protection. Les autorités françaises prenaient très au sérieux les menaces de mort proférées contre nous.

Le véhicule bleu surmonté d'une sirène dans lequel j'ai pris place, à mi-chemin entre la camionnette et le 4 x 4, était identifié par le mot GENDARMERIE, tracé en grosses lettres blanches. Poignets et chevilles menottés, j'étais enchaînée à un banc à l'arrière, deux gendarmes armés assis en face de moi. Le compartiment dans lequel nous nous trouvions était isolé de l'avant par une cloison en Plexiglas percée d'une fente, de façon à pouvoir communiquer avec le conducteur.

Une lumière sourde pénétrait dans l'habitacle par les fenêtres teintées en verre blindé.

J'avais cru comprendre que mes trois compagnes bénéficiaient de mesures de protection similaires et que les quatre véhicules empruntaient des trajets différents. Sans parler des camionnettes supplémentaires censées dépister des agresseurs éventuels. Quel que soit le sort qu'on nous réservait, les autorités françaises n'avaient pas envie que nous soyons abattues par un manifestant en colère. Question sécurité, la mort de leur président leur avait suffi pour longtemps. Les chefs des deux entités responsables de la protection de Dévereux, le Groupe de sécurité de la présidence de la République et le RAID, avaient démissionné à la suite du drame. Personne n'avait voulu tenir compte du fait que le président avait refusé toute protection lors de sa virée à Monaco, à l'exception de l'agent attaché à sa personne, Luc Cousineau. Jamais le GSPR et le RAID n'auraient dû baisser leur garde, en dépit des injonctions présidentielles, et des têtes étaient tombées.

Le procès se déroulait au palais de justice de Paris, un bâtiment abritant également la plus haute juridiction française, la Cour de cassation. Il se trouve sur l'île de la Cité, à quelques centaines de mètres de Notre-Dame, à côté de la Sainte-Chapelle où nous avions écouté *Les Quatre Saisons* de Vivaldi quelques années plus tôt avec Jeffrey, baignés dans la lumière qui filtrait à travers les vitraux cet après-midi-là.

Toutes les rues avoisinantes avaient été barrées. À l'exception de rares camions de télévision, les seuls véhicules autorisés étaient ceux dans lesquels nous nous trouvions, ainsi que les camionnettes chargées de faire diversion. La masse des badauds se pressait derrière des barrières en agitant des pancartes, pour la plupart rédigées en français. Face à une minorité de soutiens – LIBÉREZ LES MAÎTRESSES DE MONTE-CARLO – s'affichait la haine d'une majorité de manifestants : JUSTICE POUR HENRI – MORT AUX MEURTRIÈRES ! La rumeur qui me parvenait à travers les vitres blindées du véhicule n'était pas sans me rappeler celle d'un concert de rock.

Le véhicule a franchi les grilles ouvragées du palais de justice et s'est arrêté dans la cour. En tendant le cou, j'ai aperçu les marches, les quatre colonnes majestueuses au-dessus desquelles s'étale la devise de la République française, gravée dans la pierre : LIBERTÉ ÉGALITÉ FRATERNITÉ.

La camionnette a traversé la cour afin d'échapper aux yeux de la foule et s'est glissée dans un passage voûté donnant sur l'arrière du bâtiment. Je suis descendue à l'invitation de mon escorte avant de traverser une longue suite de couloirs, entourée de gendarmes.

J'avais effectué le même trajet à de nombreuses reprises au cours des mois précédents, mais la sécurité avait été renforcée. Les menaces s'accumulaient à l'approche du procès. Il avait fallu évacuer le palais de justice la semaine précédente à cause d'une alerte à la bombe. Depuis, la Sainte-Chapelle était fermée au public et l'accès au palais limité à ceux qui y travaillaient, ou aux spectateurs anonymes prêts à subir une fouille digne de l'aéroport Ben Gourion, en Israël.

Du moins était-ce ce qu'on m'avait expliqué, car je vivais coupée du reste du monde. Je n'avais pas revu mes trois amies en dehors des audiences. Seuls Jeffrey et mes enfants étaient autorisés à me rendre visite. Mon avocat et les gardiens de prison me tenaient informée de la situation, la plupart du temps. Le surveillant qui m'était affecté dans l'établissement où j'avais passé les deux derniers jours était une pipelette nommée Solly. Ravi d'être mêlé à une affaire aussi spectaculaire, il m'avait expliqué que j'étais la criminelle la plus célèbre depuis Marie-Antoinette. C'était indéniablement un compliment dans sa bouche, mais je croyais me souvenir que la situation avait mal tourné pour elle.

Nous avons atteint le secteur réservé aux accusés. L'un des gendarmes a sorti sa clé. J'en ai profité pour me tourner vers celui qui me tenait le bras, Guy, que je connaissais relativement bien parce qu'il aimait tester son anglais avec moi :

— Souhaitez-moi bonne chance.

Je me suis avancée dans la pièce et la porte s'est refermée dans mon dos. La voix de Guy m'est parvenue de l'autre côté du battant.

— *Ce n'est pas de la chance qu'il leur faut. C'est un miracle*, a-t-il laissé tomber en français en s'adressant à l'un de ses collègues, sans se douter que je l'entendais.

Qu'importait, après tout. Il ne m'apprenait rien de neuf. Comment lui donner tort ?

Il avait raison. À moins d'un miracle…

33

La pièce dans laquelle je me trouvais était une antichambre anonyme réservée aux accusés. Ils y attendaient l'ouverture du procès, menottés et sous bonne garde. Le hasard a voulu que je sois la première. Je ne savais pas où avaient été gardées les autres les jours précédents. À vrai dire, je ne savais quasiment rien d'elles depuis quelque temps.

Nous avions rarement eu l'occasion de nous parler au cours des neuf derniers mois. Le juge d'instruction chargé de l'enquête nous avait placées en détention préventive en attendant le procès. Un autre magistrat – le *juge des libertés et de la détention*, ainsi que le désignent les Français – avait confirmé la décision de son collègue. En clair, cela signifiait que nous n'étions pas autorisées à sortir sous caution en attendant le procès.

Nous sommes restées enfermées dans des établissements différents durant toute la procédure. Officiellement, il s'agissait d'assurer notre protection ; il faut bien reconnaître que nous jouissions d'une réputation sulfureuse, et l'adjectif est faible. En réalité, je soupçonne les autorités d'avoir voulu nous empêcher de communiquer entre nous.

Winnie n'a pas tardé à me rejoindre. C'est à peine si je l'ai reconnue tant elle avait changé. Sa longue crinière soyeuse avait laissé place à une coupe plus courte qui lui tombait tristement sur les épaules. Ses orbites s'étaient creusées, on aurait dit qu'elle s'était étiolée. Elle avait perdu des kilos qu'elle n'avait jamais eus en trop et sa confiance s'était évaporée. À la femme au port de reine que j'avais connue succédait une personne accablée par le destin, les épaules voûtées et le visage amer. La vision de sa déchéance m'a touchée au plus profond, je ne crois pas avoir connu un tel moment de découragement au cours des neuf mois de cauchemar que je venais de vivre.

Le sourire qu'elle m'a adressé, en réponse au mien, aura été le seul rayon de soleil d'une journée qui s'annonçait glaciale.

Bryah est arrivée ensuite, suivie de Serena. Elles n'avaient rien à envier à Winnie. Nous portions sur nos épaules le poids de la machine qui nous avait broyées. Nos vies respectives se trouvaient bouleversées à jamais, on avait livré en pâture à la foule nos petits secrets, humilié nos proches, et un avenir très sombre nous était promis. Avant même que s'ouvre notre procès, nous étions écartelées par la peur, la frustration et l'épuisement, jusqu'à l'hébétude.

Nous étions enfin réunies dans une même pièce, mais nous n'avions pas le droit de parler. Il nous suffisait pourtant de nous regarder pour comprendre que nous restions soudées, que l'amour qui nous réunissait n'avait rien perdu de sa force.

Cette unité tenait de l'exploit, tant les enquêteurs s'étaient évertués à nous monter les unes contre les autres depuis le premier jour. *Serena prétend que l'idée vient de vous. Winnie ne vous confiait pas tous ses petits secrets. La première qui avouera obtiendra la clémence du juge. Vos amies ne resteront pas vos amies très longtemps.* L'agent Durand, des services secrets français, et son collègue Rouen, de la police nationale, avaient tout tenté pendant quatre jours pour nous briser.

Au terme de notre garde à vue, l'enquête avait été confiée à un juge d'instruction. Celui-ci, censé s'attacher à la découverte de la « vérité » avec impartialité, n'avait pas agi différemment de Durand et Rouen ; dès le premier jour, il nous avait poussées à nous dénoncer les unes les autres. La seule « vérité » qui ressortait de son instruction tenait au zèle avec lequel il entendait confirmer notre culpabilité de façon à passer pour un héros dans les journaux.

La représentante du ministère public, une magistrate décidée et ambitieuse nommée Maryse Ballamont, nous avait promis à chacune une peine réduite si nous acceptions de signer une dénonciation impliquant les autres. Jusqu'à mon propre avocat, qui me répétait à tout bout de champ que je n'avais aucun intérêt à « protéger » mes amies, que le navire prenait l'eau de toutes parts et que l'heure du chacun pour soi avait sonné.

— Allez les filles, haut les cœurs !

L'un des gendarmes m'a fait taire d'un claquement de langue en me posant la main sur l'épaule. À ce stade, je m'en fichais éperdument : que risquais-je de plus ? Rester en prison après ma mort ?

Arrête d'entretenir des idées noires, Abbie.

Je devais impérativement garder un semblant d'espoir, penser que la chance tournerait un jour, que l'accusation finirait par se rendre compte de notre innocence, que nous ressortirions libres du tribunal.

— *C'est l'heure*, a annoncé l'un des gendarmes.

Matraque et arme de service à la ceinture, il avait enfilé sa plus belle chemise bleu ciel et son meilleur pantalon d'uniforme marine. Nous nous sommes levées dans un même mouvement. J'ai adressé un clin d'œil à Bryah, au bord de l'évanouissement. Serena retenait ses larmes. Winnie, tête baissée, a longuement pris sa respiration.

L'instant suivant, nous nous dirigions vers la salle d'audience où nous attendait notre procès.

34

Un murmure a parcouru la salle d'audience n° 3 lorsque nous avons franchi la petite porte réservée aux accusés.

— *Sales meurtrières !* a crié une voix.

— *Bande d'assassins !*

— *Vous n'êtes que des monstres !*

La tête haute, fermement décidée à préserver un semblant de dignité, je me suis installée dans la cage de verre blindé en regardant droit devant moi, comme si de rien n'était. La salle était parsemée de chemises bleu ciel de gendarmes, mais on avait dû décider en haut lieu de laisser le public cracher un peu de son venin avant d'imposer le silence.

Malgré ma détermination, il était impossible d'ignorer le spectacle qui nous attendait dans la salle. Autant demander à un sage de méditer en pleine tornade. Un type a bondi de son siège et s'est rué vers nous, aussitôt maîtrisé par les gendarmes. Une chaussure, lancée du balcon, s'est écrasée contre la paroi de verre de notre cage, à quelques centimètres de l'endroit où j'étais assise.

J'avais pris place à l'extrémité du box, loin du public, un poste qui me permettait d'observer les réactions de mes compagnes. Bryah s'est ratatinée sur elle-même, terrorisée. Serena, horrifiée, s'est mise à pleurer. Quant à Winnie, tête baissée, elle serrait les paupières.

Je me suis mordu la lèvre inférieure en me souvenant des conseils de mon avocat : *« Surtout, ne montrez pas vos émotions. Ne vous mettez pas en colère. Les juges français détestent les esclandres. »* Il m'a fallu prendre sur moi pour ne pas réagir face à cette foule haineuse.

J'avais envie de leur crier que j'étais innocente. Comment pouvait-on nous prendre pour des tueuses ?

Tout au long de l'enquête, j'avais voulu me persuader que de nouveaux développements surviendraient. Qu'on finirait par découvrir un indice, qu'une piste se matérialiserait, que les enquêteurs comprendraient enfin qu'ils ne tenaient pas les vraies coupables.

Une escouade de gendarmes a pénétré dans la salle. Plusieurs d'entre eux se sont postés devant le box vitré tandis que leurs collègues se positionnaient de part et d'autre des rangées de spectateurs, la matraque à la main, leur arme sagement rangée dans son étui.

La foule apparaissait dans ce qu'elle a de plus terrible, un monstre prêt à dévorer sa proie. Les gendarmes avaient beau réclamer le silence, les gens nous invectivaient et multipliaient les gestes assassins. Quelques-uns étaient venus là avec l'intention de nous apporter leur soutien, notamment un couple d'étudiants américains désireux de rappeler que les États-Unis avaient sauvé la France lors de la Seconde Guerre mondiale. Des cris fusaient de tous côtés, la minorité de ceux qui nous soutenaient tentant vainement de se faire entendre dans l'océan de hurlements qui nous étaient hostiles. Les journalistes qui occupaient une bonne partie des deux premiers rangs, comme ceux qui avaient dû se contenter de sièges pliants au fond de la salle, prenaient des notes à toute allure.

Nos maris se trouvaient là tous les quatre. Installés au premier rang, Jeffrey, Simon, Christien et Colton se sont retournés afin d'observer la mêlée. Simon a fait un rempart de son corps à Katie Mei, sa fille adoptive de quatre ans, tandis que Christien posait un bras protecteur autour des épaules de ses deux enfants. Simon s'en est mêlé en apostrophant de son siège ceux qui protestaient, tendant un doigt accusateur en direction des trouble-fête sous l'effet de la contrariété.

Soudain, tout a basculé : un type en veste de cuir et cheveux hérissés que j'ai pris pour un Anglais, assis vers le milieu de la salle, a bousculé un adversaire qui a fait tomber un gendarme. Les collègues de ce dernier se sont précipités pour séparer les deux hommes. Comme on pouvait s'y attendre, le ton est monté et une bagarre a éclaté entre les forces de l'ordre et certains spectateurs.

— *Allez, debout !*

Les gendarmes chargés d'assurer notre protection nous ont fait lever et nous ont évacuées précipitamment du box. Quelqu'un a claqué la porte, et nous nous sommes retrouvées dans la petite salle d'attente où l'on nous a remis nos menottes.

Les autres filles étaient sous le choc. Nous savions que les avis sur l'affaire étaient tranchés. Nous avions toutes lu les reportages consacrés à l'affaire dans la presse internationale, les hypothèses ridicules et les rumeurs aberrantes qui circulaient sur Facebook comme sur les sites qui nous étaient consacrés sur le Net, mais rien ne nous avait préparées à ce genre de réaction. Pour la première fois, nous prenions la pleine mesure de la haine des Français ordinaires à notre encontre.

En France, nous savions l'immense majorité des gens convaincus que nous étions coupables, et même archi-coupables. C'était une chose d'en avoir conscience, c'en était une autre d'assister à un tel déversement d'animosité.

— Nous sommes foutues, a murmuré Serena. Définitivement foutues.

35

L'atmosphère était infiniment plus paisible lorsque nous avons repris place à l'intérieur du box. Il y avait désormais plus de gendarmes en uniforme que de spectateurs face à nous. Les plus belliqueux avaient dû céder leur place à quelques-uns de ceux qui faisaient la queue à l'entrée de la salle. Une queue, à ce qu'on m'avait raconté, qui serpentait à travers les couloirs du palais de justice et débordait jusqu'au trottoir.

Le décor, relativement moderne, était radicalement différent de celui que l'on trouve dans les tribunaux américains. La partie de la salle réservée au public accueillait une demi-douzaine de bancs de bois blond derrière lesquels avaient été installées des chaises supplémentaires. Au-dessus des spectateurs s'élevait une tribune où se bousculait le reste de l'assistance.

Notre refuge se trouvait sur le côté gauche. Une longue fente horizontale, creusée dans le verre qui protégeait des balles, nous permettait de communiquer avec nos avocats, assis devant le box. Face à nous se tenait Maryse Ballamont, l'avocate générale, installée derrière une longue table en bois semblable à celle dont disposaient nos défenseurs. À angle droit, parallèlement aux bancs du public, se trouvait la partie civile. En l'occurrence l'ancienne Première dame, Geneviève Dévereux, une rousse splendide qui avait autrefois coiffé la couronne de Miss France.

La cour n'avait pas encore fait son entrée, mais les avocats étaient tous à leur poste, en longue robe noire rehaussée de la bavette blanche traditionnelle. Il ne leur manquait plus que la perruque.

Je me suis tournée vers mon mari, assis au premier rang. Tous nos proches avaient effectué le déplacement. Les enfants de Winnie, aussi beaux l'un que l'autre, entouraient leur père, et Simon portait sur ses genoux Katie Mei, la petite fille qu'il avait adoptée avec Serena. Le fils de Bryah était absent, tout comme mes deux enfants, dont je n'avais pas souhaité la présence. Ce drame avait déjà traumatisé Richie et Elena au-delà de l'imaginable. Inutile de leur infliger en plus cette épreuve…

Jeffrey a lentement hoché la tête dans ma direction en me gratifiant d'un sourire lumineux. Notre relation avait pris un tour étrange, pour le moins. Ni lui ni moi ne savions très bien sur quel pied danser. Il avait appris mon aventure avec Damon Kodiak en même temps que le reste de la planète, sans jamais m'en parler depuis. J'aurais aimé penser qu'il agissait de la sorte par respect pour le cauchemar que je vivais, tout en sachant qu'il lui était difficile de jeter la pierre à quelqu'un qui s'était écarté du droit chemin une seule petite nuit, alors que lui-même me trompait depuis deux ans.

Quoi qu'il en soit, Jeffrey s'était comporté avec beaucoup de décence depuis mon arrestation. Je savais que les mois écoulés n'avaient pas été faciles pour lui non plus, tant du point de vue professionnel que personnel. Je l'avais toujours habitué à m'occuper de la maison et des enfants, lorsqu'ils étaient là ; du jour au lendemain, Richie et Elena avaient intégré un établissement scolaire de Berne en attendant le procès, ce qui contraignait Jeffrey à s'occuper d'eux au quotidien tout en travaillant. Et je ne parle que de l'intendance, car la situation était plus difficile encore sur le plan émotionnel. C'était à Jeffrey qu'incombait la lourde tâche de tenir la main des enfants pour les endormir lorsqu'ils pleuraient dans leur lit, sans compter l'humiliation qu'il avait endurée. Nous n'en avions pas terminé avec les conséquences de ce week-end à Monaco.

Une sonnerie aiguë a retenti dans la salle d'audience. L'huissier s'est levé en annonçant d'une voix forte :

— La cour !

J'ai adressé un dernier coup d'œil à mon mari tandis que la salle saluait l'arrivée des juges en se levant.

36

En France, les procès d'assises se déroulent normalement en présence de trois juges assistés de neuf jurés populaires, mais il ne s'agissait pas d'un procès normal. Le meurtre du président de la République avait été considéré dès le départ par les autorités comme un acte terroriste, ce contre quoi s'étaient élevés nos défenseurs. Ils avaient porté l'affaire devant la Cour de cassation, la plus haute juridiction française, qui avait validé l'accusation de terrorisme.

En clair, cela signifiait que les débats auraient lieu en présence d'un panel de juges, sans jurés citoyens. Restait à savoir si une telle mesure nous serait favorable ou non. Mon avocat, toujours soucieux de me remonter le moral, n'avait jamais clairement déclaré en ma présence que la situation jouait en notre défaveur. Pourtant, le fait qu'il s'était battu bec et ongles contre cette décision m'avait bien fait comprendre que les dés étaient pipés.

La longue table derrière laquelle se tenaient les magistrats, trônant sur une estrade, dominait la salle des débats. Avec son plateau tout simple et ses lampes articulées individuelles, elle ne ressemblait en rien à la tribune d'un juge américain. Personnellement, j'avais l'habitude des tribunaux tels qu'on les voit dans les séries télévisées, et celui-ci ressemblait à une salle de conseil municipal.

Une porte s'est ouverte dans le mur lambrissé, et les juges ont fait leur entrée. Ils avaient revêtu la toge noire traditionnelle agrémentée d'une bavette blanche, comme les avocats. Seul à porter une robe rouge, le président s'est installé au centre de la table, et tout le monde s'est rassis.

Nous avons toutes les quatre enfilé les casques qu'on nous avait fournis, d'anciens modèles aux gros écouteurs munis d'épais coussinets. Comme le président menait les débats en français, une interprète avait été chargée d'en assurer la traduction simultanée à notre intention. Un détail qui ajoutait à l'étrangeté de ce que je vivais depuis neuf mois.

Les avocats se sont tous présentés officiellement, les nôtres comme celui de la partie civile, c'est-à-dire la veuve d'Henri Dévereux. Le président s'est ensuite intéressé à la publicité des débats, un point qui m'a brièvement échappé jusqu'à ce que je me souvienne des explications que l'on m'avait fournies à ce sujet : les procès sont publics en France, à moins de prouver que les débats sont susceptibles de se révéler dangereux. Après ce qui s'était produit une demi-heure plus tôt, prononcer le huis clos n'aurait pas été absurde, mais aucun des avocats n'a souhaité le réclamer. De toute façon, il est peu probable que le président le leur aurait accordé. De mémoire de Français, il s'agissait du procès le plus marquant de l'histoire récente. Il était donc naturel qu'il soit public. En outre, le régiment des gendarmes présents dans la salle aurait suffi à envahir un petit pays.

— Le greffier va entreprendre la lecture de l'acte d'accusation, a traduit dans mon oreille la voix calme et posée de l'interprète.

On m'avait longuement expliqué les arcanes du système français : suite à l'instruction, le juge décide s'il y a matière à mettre en accusation le ou les inculpés ; plusieurs magistrats renvoient alors l'affaire devant une cour d'assises. Mon défenseur m'avait précisé que ce renvoi se limite généralement à un exposé sommaire des faits ; sans doute du fait de la gravité du crime, les juges avaient rédigé le texte en termes acides.

On m'avait lu l'ordonnance de renvoi à plusieurs reprises au cours des semaines précédentes, ce qui n'en rendait pas moins pénible sa lecture ce jour-là, en particulier dans la voix monotone de l'interprète. Entendre l'horreur de cette description kafkaïenne prononcée de façon aussi distante tenait du supplice. Les traces de poudre. Les empreintes. L'ADN. Les éléments à charge. Les fausses déclarations dont on m'accusait tout particulièrement. Les témoins. Les circonstances immorales de l'affaire. Le chantage.

La lecture de l'ordonnance de renvoi achevée, j'ai compris à quel point le procès s'annonçait mal. *Avant même de vous juger, nous allons commencer par dire tout le mal que nous pensons de vous...*

J'ai poussé un soupir en arrêtant mon regard sur le plafond de la salle d'audience, traversé d'une mince ouverture offrant à cette pièce sinistre son unique accès à la lumière naturelle.

Un miracle. Mon Dieu, accordez-moi un miracle.

— Avant d'entamer les débats, je souhaite lire une déclaration, a déclaré le président.

37

À l'approche de la soixantaine, le président Alfred Reynold présentait un visage tanné surmonté d'une crinière blanche. Il a posé une feuille devant lui et croisé les mains à l'intérieur des manches de sa robe rouge.

— Le 19 juin 2010, cette nation était attaquée, a-t-il commencé, ses propos traduits simultanément par l'interprète. Aucune bombe n'a explosé, aucun immeuble ne s'est effondré, aucune ville n'a été incendiée, mais nous n'en avons pas moins fait l'objet d'une attaque.

« Cette date restera gravée à jamais dans l'histoire de notre pays. Chacun d'entre nous se souviendra à jamais de l'endroit où il se trouvait en apprenant la mort de notre président. Chacun d'entre nous portera à jamais en lui un sentiment de chagrin, de colère et de peur, auquel s'ajoute la volonté de rendre la justice en faisant payer pour leur crime les responsables de la mort du président Dévereux.

« Ce jour-là, aucun de nous n'appartenait plus à l'UMP, au Parti socialiste ou au Front national. Aucun de nous n'était de droite, de gauche, ou écologiste. Aucun de nous n'était blanc, noir ou jaune. Ce jour-là, nous appartenions tous à la France, unis dans une même souffrance, dans une même peine. Unis dans une volonté commune d'aller de l'avant en dépit du traumatisme qui venait de nous toucher, unis dans notre désir d'honorer l'héritage du président Dévereux.

« C'est donc ensemble que nous rendrons la justice au nom de notre président et de son garde du corps, Luc Cousineau. Ensemble, c'est le cœur lourd que nous conduirons ce procès, portés par un souci d'équité et une volonté infaillibles, sans oublier que notre but ultime est de voir triompher la justice. En affichant une ambition moindre, nous manquerions de respect à la mémoire du président Dévereux, au sens aigu de l'impartialité et de la compassion qui l'animait.

Le président s'est tu dans un profond silence. Henri Dévereux jouissait d'un statut comparable à celui d'une rock-star dans son pays. Cet ancien champion de football à la personnalité flamboyante avait multiplié les liaisons avec les vedettes de l'écran et les riches héritières avant de se lancer dans une carrière politique. En 1995, il avait célébré son mariage avec Geneviève Rousseau, une ancienne Miss France de quinze ans sa cadette, lors d'une cérémonie spectaculaire au cœur du Val de Loire, dans une propriété appartenant à des proches de son mentor, François Mitterrand. Cette année-là, il avait perdu l'élection présidentielle avant de prendre sa revanche en 2002 et d'être réélu triomphalement cinq ans plus tard. Avec sa ravissante épouse et leurs trois jeunes enfants, Dévereux était un personnage à la fois charismatique et controversé. Je me souviens que la presse s'était fait l'écho de plusieurs scandales et autres aventures, sans que le personnage perde jamais les faveurs d'une majorité de ses concitoyens.

On nous accusait ni plus ni moins d'avoir assassiné le président le plus populaire de l'histoire de la République française, et voilà que le magistrat chargé d'arbitrer les débats promettait à son pays de frapper ses assassins d'un châtiment exemplaire.

Le procès ne pouvait s'engager plus mal, d'autant que le président concluait son préambule par une annonce menaçante :

— J'appelle à la barre le commissaire Rouen.

38

Le président avait posé devant lui le dossier de l'affaire, un monstre réunissant l'ensemble des éléments à charge réunis par le magistrat instructeur, les procès-verbaux d'interrogatoire des témoins, ou encore les rapports remis par les experts de la police scientifique. Toute l'accusation se trouvait là, si bien que les juges avaient théoriquement le droit de ne pas auditionner les témoins en se contentant des procès-verbaux déposés au dossier, avant d'entendre les avocats et de rendre un verdict.

Le dossier reposait sur quatre éléments essentiels. Les deux premiers, d'ordre technique, étaient composés de documents officiels relatifs au collectage, à l'examen et à la transmission aux magistrats des éléments à charge, auxquels s'ajoutaient les décisions prises au cours de la période de détention préventive. Le troisième grand pilier était consacré à l'examen de la personnalité des quatre accusées, depuis notre acte de naissance jusqu'à l'audition des familles et des proches.

Le président, se désintéressant de ces documents, a préféré s'intéresser à la dernière partie du dossier, celle des *pièces de fond*. On y trouvait plus de deux cents documents, parmi lesquels des témoignages, des rapports scientifiques, des photos, ainsi que le résumé des éléments à charge.

— Bonjour, commissaire, a commencé le président.

— Bonjour, monsieur le président.

Le commissaire Rouen avait pris place à la barre, un pupitre équipé d'un micro, face aux magistrats. Dans un coin de la salle d'audience, un greffier a modifié l'angle de sa caméra de façon que président et témoin se trouvent dans le champ. En France, les caméras de télévision n'ont pas droit de cité dans les tribunaux, mais le président avait souhaité conserver une trace audiovisuelle des débats qui resterait par la suite sous scellés, tout comme les minutes du procès.

— Commissaire, entretenez-vous des liens personnels ou familiaux avec les accusées ?

— Non, monsieur le président.

— Dans ce cas, je vous demanderai de nous dire ce que vous savez au sujet de cette affaire.

André Rouen, fort de ses dix-huit années d'ancienneté au sein de la police, avait toutes les apparences d'un témoin crédible. Assez grand, mince, des cheveux châtain grisonnant au niveau des tempes, il avait le profil type du témoin anonyme d'âge moyen.

Le commissaire, faute de prêter serment, conformément à la loi française qui dispense les policiers de cette formalité au prétexte qu'ils sont déjà assermentés, est entré dans le vif du sujet. Il a tout d'abord évoqué le coup de téléphone de la police monégasque, « un appel que je n'oublierai jamais », qui l'a conduit sur les lieux.

— Nous avons coordonné notre intervention avec l'unité du RAID et le général Favier du GIGN.

Le RAID et le GIGN avaient pris en charge les aspects paramilitaires de l'opération en bouclant le port tandis que la police nationale entamait son enquête sous la direction de Rouen.

Ce dernier a évoqué plusieurs des clichés contenus dans le dossier d'accusation afin de décrire la position des corps du président et de son garde du corps, ainsi que la fouille de la Bentley dans laquelle avaient été retrouvées les deux victimes.

Le président, tout en fouillant l'épais dossier posé devant lui, a ensuite détaillé les mesures prises par les services de renseignement français et la police afin de rassembler les indices retrouvés lors de l'enquête, puis il a demandé au commissaire de résumer les plus essentiels.

— Nous avons prélevé divers échantillons d'ADN à l'intérieur du véhicule, a répondu Rouen. Notamment des follicules pileux, du mucus, du sang et du cérumen.

La réalité était infiniment plus complexe, mais Rouen avait décidé de témoigner au plus simple en ne citant que les éléments cruciaux.

— Les follicules pileux retrouvés sur le tableau de bord de la voiture correspondent à ceux de Winnie Brookes. Ceux retrouvés sur le siège passager et sur le tapis de sol correspondent à ceux de Serena Schofield, et ceux retrouvés sur la banquette arrière correspondent à ceux d'Abbie Elliot.

Un murmure a parcouru l'assemblée, que j'ai perçu malgré mes écouteurs. L'instruction doit théoriquement rester secrète, mais plusieurs détails avaient filtré dans la presse, accompagnés de rumeur dont personne n'avait eu la confirmation jusque-là.

— Un petit échantillon de mucus retrouvé à l'intérieur du véhicule au niveau de la portière conducteur correspondait à l'ADN de Winnie Brookes, a poursuivi Rouen. De même, la minuscule tache de sang découverte sur le siège passager a permis d'établir avec certitude qu'il s'agissait du sang de Serena Schofield.

« Enfin, une trace de cérumen, une substance corporelle communément connue sous le nom de cire d'oreille, a pu être prélevée au niveau du levier de changement de vitesses, entre les deux corps. Les analyses ADN ont prouvé qu'il appartenait à Abbie Elliot.

— Commissaire, j'aurais une question au nom de la cour, a repris le président. Lors de l'interrogatoire des accusées, leur a-t-on demandé si l'une ou l'autre d'entre elles avait pénétré dans ce véhicule, ou s'en était approchée ?

— Oui, monsieur le président. Nous avons posé la question à chacune des accusées.

— Quelle a été leur réponse ?

Rouen a légèrement tourné la tête dans notre direction, sans pouvoir lire nos visages de l'endroit où il se trouvait.

— Les accusées ont toutes nié avoir approché ce véhicule.

39

Les murmures de l'assistance ont repris de plus belle et le président a demandé le silence avant de poursuivre l'interrogatoire du témoin.

— Une fois mises en présence de ces éléments, les accusées ont-elles continué de nier leur présence à bord de cette Bentley ?

— Oui, monsieur le président. Elles ont toutes continué à nier.

Mon avocat avait voulu me convaincre de reconnaître ma présence dans la décapotable. Il m'avait poussée à raconter mon histoire de façon à protester de mon innocence tout en reconnaissant que j'étais montée dans la Bentley.

— À quoi bon le nier ? me répétait-il à tout bout de champ. Si vous vous entêtez à nier une telle évidence, vous perdez toute crédibilité auprès de la cour.

Serena a secoué la tête, mâchoires serrées, en fixant le plafond. Son tempérament de battante et de sportive l'avait poussée à imiter mon exemple, mais elle affrontait cette fois un ennemi invisible. Mon avocat avait raison : nous ne disposions d'aucune explication sérieuse sur la présence de notre ADN dans cette voiture.

Le président a montré d'un geste la vitrine en verre, installée à la droite de Rouen, dans laquelle reposaient les éléments à charge. Un greffier a pris dans la vitrine l'arme du crime et l'a tendue au commissaire. Il s'agissait d'un Beretta Px4 Storm, une petite arme de poing à crosse noire.

— Cette arme a été retrouvée à bord du *Misty Blue*, le yacht appartenant à M. Ogletree, a expliqué Rouen.

— Veuillez nous dire précisément où vous avez découvert cette arme.

— Ce pistolet se trouvait à l'intérieur du sac à main que vous voyez là, monsieur le président.

Le magistrat a adressé un nouveau signe au greffier qui a récupéré mon sac noir dans la vitrine et l'a tendu à Rouen.

— Ce sac à main appartient à l'une des accusées, Abbie Elliot.

— Mme Elliot a-t-elle daigné reconnaître ce fait, *au moins ?*

Le sarcasme du président a provoqué un ricanement dans la salle.

— Oui, monsieur le président. Elle a effectivement reconnu que ce sac lui appartenait.

— Qu'en est-il de l'arme ?

— Elle a nié être propriétaire de l'arme.

— Comment Mme Elliot explique-t-elle la présence de cette arme dans son sac à main ?

— Elle ne l'explique pas, monsieur le président.

Rouen a poursuivi son témoignage, conformément aux éléments du dossier, en expliquant que les équipes de l'identité judiciaire avaient procédé au relevé des empreintes sur le pistolet avant de prélever les nôtres.

— Dites-nous ce qu'ont donné ces analyses, commissaire.

Rouen s'est éclairci la gorge. S'il cherchait à accroître le suspense, c'était peine perdue, car tout le monde dans la salle était suspendu à ses lèvres.

— Nous avons retrouvé sur le canon de l'arme l'empreinte d'un index droit correspondant à celle de l'une des accusées, Serena Schofield. Une autre empreinte correspondant à celle du pouce gauche d'une autre des accusées, Abbie Elliot, a été relevée au niveau de la crosse.

— Qu'en est-il de la troisième empreinte prélevée sur le pistolet, commissaire ?

— L'empreinte découverte sur la détente de l'arme était celle du majeur droit de Winnie Brookes.

Le président a hoché la tête avec solennité. Il était déjà au courant, évidemment, d'autant que des rumeurs circulaient à ce sujet dans les médias depuis plusieurs semaines, mais c'était la première fois que l'information se trouvait officialisée : on avait bien retrouvé sur l'arme du crime des empreintes appartenant à Winnie, Serena et moi.

Assise à côté de moi, Winnie observait la scène d'un regard vide, sans manifester la moindre émotion alors que le témoignage de Rouen la crucifiait. J'ai été surprise par la fragilité de Serena en la voyant pleurer. À bien des égards, elle était pourtant la plus dure de nous toutes.

Je n'en menais pas large de mon côté. En plus de l'ADN qui confirmait ma présence à l'intérieur du véhicule où avaient été retrouvées les deux victimes, l'enquête apportait la preuve que mes empreintes se trouvaient sur l'arme du crime, découverte dans mon sac à main.

Bryah, totalement passive, regardait fixement au plafond tout en suivant les débats.

Des débats qui l'avaient miraculeusement préservée jusqu'alors.

40

Mon avocat, Jules Laurent, s'est levé tout en réglant d'une main son micro. Grand, racé, soigneusement rasé, il avait l'allure d'un garçon sage si l'on voulait bien oublier la tignasse de boucles noires qui s'agitait à chacun de ses mouvements. Jules était un type bien. Il avait passé des heures à m'écouter patiemment tandis que je lui clamais mon innocence, que j'enchaînais les théories les plus folles au sujet du double meurtre. Certains de ses associés avaient pris ombrage de sa décision d'assurer ma défense. Il est vrai qu'il était rondement rémunéré pour représenter mes intérêts, grâce à Simon Schofield qui payait l'addition de tous nos défenseurs.

— Commissaire, s'est lancé Jules. Si j'ai bien compris, vous avez découvert des traces d'ADN appartenant à Winnie Brookes, Serena Schofield et ma cliente, Abbie Elliot, dans l'automobile où se trouvaient les deux victimes.

— En effet, a confirmé Rouen en se tournant vers son interlocuteur, debout devant notre box de verre.

— Plus précisément, vous avez trouvé de la salive, des follicules pileux, du sang, ainsi que des traces de cérumen.

— Oui.

— Mais pas d'empreintes ? a insisté Jules.

Le commissaire n'a pas répondu à la question immédiatement.

— Nous n'avons pas découvert d'empreintes à l'intérieur du véhicule. Mais n'oublions pas que nous avons trouvé leurs empreintes sur l'arme du crime.

— Exactement, a approuvé Jules. Ces trois femmes se sont donc montrées suffisamment maladroites pour laisser leurs empreintes sur une arme qu'il leur aurait été extrêmement facile d'essuyer. Extrêmement facile. En revanche, elles ont fait preuve d'une prudence *extraordinaire* quand elles sont montées dans cette voiture, au point de ne pas laisser derrière elles la moindre empreinte. Étrange, vous ne trouvez pas ?

Rouen a incliné la tête.

— J'imagine qu'elles ne s'attendaient pas à ce que l'on retrouve l'arme du crime, alors qu'elles savaient que l'on découvrirait les corps des victimes.

La réponse tenait debout. Le commissaire avait visiblement réfléchi longuement à la question.

— Tout de même, a insisté Jules. À vous entendre, ces femmes auraient semé toutes sortes de traces d'ADN à l'intérieur de cette automobile, mais pas une seule empreinte.

— Il faut croire qu'elles n'avaient pas conscience de laisser de telles preuves derrière elles, l'a contré Rouen.

Jules a opiné.

— N'est-il pas envisageable que ces traces d'ADN aient été prélevées ailleurs avant d'être placées là ?

Non pas par ces femmes, mais par un tiers ? Ce qui aurait le mérite de confirmer qu'elles ne sont jamais montées dans cette voiture, ainsi qu'elles l'affirment.

— Cette hypothèse me paraît peu probable, a rétorqué Rouen. Je pense à l'inverse que ces femmes ont abattu le président et son garde du corps alors que ceux-ci se trouvaient dans la voiture, avant de s'assurer qu'ils étaient bien morts. Dans un tel cas de figure, elles n'avaient aucune raison de toucher quoi que ce soit à l'intérieur du véhicule, ou même d'y monter.

— Vraiment ? s'est étonné Jules, dont la réaction trahissait l'incrédulité. Prenons le cas de ma cliente, Abbie Elliot. Vous avez découvert l'un de ses cheveux sur la banquette arrière, derrière le conducteur, un autre sur le tableau de bord, ainsi que du cérumen au niveau du levier de vitesses, entre le président et M. Cousineau. J'aimerais que vous nous expliquiez comment Abbie Elliot a pu placer sa tête entre les deux victimes, au point de laisser des traces de cérumen sur le levier de vitesses. De même, la présence de ces cheveux nous confirmerait sa présence à l'avant comme à l'arrière du véhicule ? Et ce, sans laisser la moindre empreinte ?

L'ombre d'un sourire a animé le visage de Rouen.

— Monsieur Laurent, nous ne sommes pas en mesure de vous fournir l'ensemble de leurs faits et gestes. En outre, l'absence d'empreintes à l'intérieur du véhicule n'empêche pas qu'elles soient montées à bord. On ne laisse pas toujours des empreintes derrière soi.

— Dans ce cas, commissaire, comment pouvez-vous éliminer la possibilité que les traces d'ADN aient été placées là délibérément par un tiers ?

Rouen a écarté les mains d'un geste qui trahissait son agacement.

— Je ne suis pas en mesure de l'éliminer totalement, en effet.

Jules a acquiescé. Il venait de marquer un point.

— Cela dit, a repris Rouen, je serais plus enclin à afficher mon scepticisme si deux des accusées n'étaient pas passées aux aveux.

J'ai entendu des éclats de rire s'échapper de la tribune avant que l'interprète ait fini de traduire les propos du commissaire. Il est vrai que la remarque du policier ne manquait pas de sel.

— Nous y venons, a répliqué Jules. En attendant, commissaire, vous partez du point de vue que le président Dévereux et M. Cousineau ont été tués alors qu'ils se trouvaient à bord du véhicule ? Je me trompe ?

— Pas du tout, maître. Nous sommes effectivement convaincus que les deux hommes étaient dans ce véhicule.

Jules a signalé au président son intention de s'appuyer sur un cliché annexé au dossier. Il a tiré d'une chemise un agrandissement d'une photo sur laquelle on reconnaissait les cadavres du président Dévereux et de Luc Cousineau à l'intérieur de la décapotable. Luc se trouvait en position assise derrière le volant, la nuque reposant sur l'appuie-tête. Quant au président, qui était installé sur le siège passager, son corps avait basculé sur la gauche.

Jules a installé l'agrandissement sur un chevalet.

— Commissaire, la disposition des plaies vous a poussé à la conclusion que le président a été abattu au moment où il se baissait sur le côté gauche, tel que son corps a été retrouvé. En d'autres termes, il ne s'est pas affalé sur le côté *après* avoir été abattu. Il se trouvait déjà dans cette position quand on l'a tué.

— C'est la conclusion des enquêteurs, en effet.

— De la même façon, on voit ici que M. Cousineau est resté droit dans son siège. Vous en avez déduit qu'il était en position assise lorsqu'on lui a tiré dessus, et que son corps n'a pas été bougé par la suite.

— Tout à fait.

— Puisque c'est le cas, on peut en déduire que le président a tenté d'échapper aux balles de son assassin.

— C'est la conclusion que j'en ai tirée, en effet.

— N'est-il pas également envisageable que le président ait voulu prêter secours à M. Cousineau ?

— C'est possible.

— D'un autre côté, M. Cousineau…

Jules a marqué une pause afin de montrer du doigt Luc, installé normalement derrière le volant.

— M. Cousineau ne semble pas avoir esquissé le moindre mouvement en direction du président, un homme qu'il avait reçu pour mission de protéger, au péril de sa vie si nécessaire.

— Maître, l'a interrompu le président. On ne juge pas ici la victime, M. Cousineau, pour son manque de bravoure ou de professionnalisme. En outre, votre démonstration ne sert en rien les intérêts de votre cliente, bien au contraire.

Jules a adressé au président un hochement de tête déférent.

— Monsieur le président, avec tout le respect que je vous dois, ce n'est pas là que je voulais en venir.

Mon défenseur a désigné l'agrandissement.

— En réalité, je souhaitais établir le fait que le garde du corps, M. Cousineau, avait été tué avant le président. Et je me demandais pour quelle raison.

41

Denis Giscard était le responsable adjoint de l'unité chargée de la sécurité présidentielle, le Groupe de sécurité de la présidence de la République. Il m'a immédiatement rappelé son ancien patron, Luc Cousineau. Bâti comme un catcheur, il avait le regard aigu propre à tous les gardes du corps et le maintien rigide d'un soldat de métier.

— Je sers au sein du GSPR depuis quatre ans, monsieur le président, a-t-il répondu à la question que lui posait le magistrat.

— Lieutenant Giscard, connaissez-vous l'accusée Winnie Brookes ?

— Oui, monsieur le président.

L'ancien gendarme s'exprimait avec clarté, en manifestant une déférence toute militaire.

— J'ai rencontré Mme Brookes pour la première fois au mois de juillet 2009.

— À quelle occasion ?

— J'assurais la protection du président Dévereux lors du sommet du G8 à L'Aquila, en Italie. Le président a fait la connaissance de Mme Brookes lors d'une réception organisée un soir.

Winnie restait comme pétrifiée en retenant son souffle alors que l'un des gardes du corps du président évoquait la façon dont sa relation avec Dévereux s'était étalée sur près d'une année.

— Je dirais qu'ils se voyaient à peu près tous les mois, monsieur le président. Il leur arrivait de se rencontrer une fois par semaine, et puis, d'autres fois, ils restaient séparés pendant des périodes plus longues.

— Vous a-t-il été donné de voir comment ils se comportaient lorsqu'ils étaient ensemble ?

— Oui, monsieur le président. En tant que chargé de sécurité, j'étais amené à côtoyer de près le président, de sorte que j'avais l'occasion d'observer leur comportement. J'ai notamment eu l'impression que Mme Brookes n'envisageait pas cette relation de la même façon que le président.

Le magistrat en robe rouge a esquissé un geste de la main.

— Je vous demanderai de vous montrer plus précis.

— À mon avis, cette dame poursuivait le président. C'est elle qui était à l'origine de la plupart de leurs contacts. Elle se montrait… très obstinée. Je l'ai entendue une fois lui parler de mariage.

Le garde du corps a marqué un temps d'arrêt.

— Elle a annoncé au président sa volonté de quitter son mari tout en lui demandant de quitter sa femme.

Le président a réclamé le silence afin de mettre un terme aux réactions du public. Du coin de l'œil, je surveillais la silhouette immobile de Christien, le mari de Winnie, assis au premier rang, contraint d'écouter cette exposition publique de l'infidélité de sa femme. J'imagine qu'il n'en avait jamais rien su, pas plus que moi, qui étais pourtant sa meilleure amie. Avec le recul, je voyais brusquement surgir de ma mémoire certains signes évidents. Ces week-ends au cours desquels elle prétendait rendre visite « à des copains de fac » ou à des parents résidant à l'étranger, ces déplacements inopinés « chez une vieille tante malade » lui avaient donc servi d'alibi lors de ses rendez-vous avec le président… J'avais d'ailleurs été frappée chez elle par certains changements : un air plus enjoué, le regard plus brillant. Je lui en avais fait la réflexion un jour :

— Tu devrais te rendre plus souvent chez ta vieille tante malade, Win.

Pour toute réponse, elle avait éclaté de rire, mais je n'aurais jamais imaginé qu'elle puisse vivre une aventure extraconjugale.

— À quel moment Mme Brookes a-t-elle annoncé son intention de quitter son mari ?

— Au début du mois de mars 2010. Le président était en campagne en Alsace à l'occasion des élections régionales. Mme Brookes l'a accompagné lors de l'un de ses déplacements.

Après notre arrestation et la révélation de sa relation avec Dévereux, la presse avait remué ciel et terre pour obtenir des photos de Winnie en compagnie du président. Les journaux avaient fini par en dénicher une, prise en février 2010 à Kigali, au Rwanda, où Dévereux était le premier chef d'État français à se rendre en un quart de siècle. Cette visite avait marqué les esprits, car Dévereux avait exprimé ses regrets quant au rôle de la France dans le génocide de 1994. Ces considérations géopolitiques étaient passées au second plan depuis qu'avait été publiée cette photo du président devant le mémorial du génocide, sur laquelle on distinguait en arrière-plan une ravissante jeune femme en robe bleu roi dont on avait initialement cru qu'elle appartenait à la délégation présidentielle. Ce cliché avait été diffusé à la télévision et dans les journaux aussi souvent que l'avait été, en son temps, le clip vidéo de Monica Lewinsky participant à un meeting du président Clinton.

— Comment le président a-t-il réagi à la demande de l'accusée lorsque celle-ci lui a demandé de quitter sa femme ?

— Le président lui a clairement répondu qu'il n'en avait pas l'intention. Il lui a dit : « C'est hors de question. »

— Quelle a été la réaction de l'accusée, Winnie Brookes ?

Le lieutenant a pris sa respiration avant de répondre.

— Elle lui a répondu que la situation ne lui convenait pas. Je l'ai entendue dire : « Ce n'est pas assez. »

— Cette conversation vous a-t-elle paru inquiétante, lieutenant ?

— Absolument, monsieur le président. L'une de mes missions consiste à évaluer les risques. Je la croyais capable d'actes violents. Et de chantage.

— Avez-vous fait part de vos préoccupations au président ?

— Oui, monsieur le président. Il m'a répondu qu'il comprenait mon trouble.

Le magistrat a feuilleté son dossier, à la recherche d'un document dont il a ensuite indiqué les références pour que les avocats puissent également s'y référer.

— Venons-en au séjour à Monaco de juin 2010, lieutenant, a-t-il repris. Vous n'accompagniez pas le président à cette occasion.

— C’est exact. Le capitaine Cousineau était le seul membre du groupe affecté à ce déplacement.

— Il s’agissait d’une violation de protocole.

— Absolument, monsieur le président. Une violation rare, mais pas inédite.

— Comment l’avez-vous expliquée sur le moment ?

— Par un souci de discrétion, monsieur le président. Je savais que le président Dévereux avait l’intention de rendre visite à Mme Brookes sur son lieu de vacances. C’était inhabituel. En règle générale, soit Mme Brookes venait le voir à Paris, soit elle l’accompagnait lors d’un déplacement en profitant de l’anonymat accordé par la délégation. La situation était différente à Monaco car le président souhaitait se déplacer incognito. D’où sa décision de laisser à Paris une partie de ses agents de sécurité.

— Vous trouviez cela raisonnable ?

— Non, monsieur le président. J’ai fait part de mes réserves au capitaine Cousineau qui s’est chargé de les transmettre lui-même au président Dévereux.

— Quelle a été la réaction du président ?

La tête du lieutenant Giscard a fait un quart de tour à gauche, de sorte qu’au lieu de voir sa nuque, j’ai découvert son profil. Ce n’était pas moi qu’il souhaitait regarder, mais Winnie dont il ne pouvait croiser le regard sauf en se retournant complètement.

— Le président m’a annoncé son intention de mettre un terme à sa relation avec Mme Brookes à l’occasion de ce séjour à Monaco. Il a précisé qu’il la voyait pour la dernière fois.

42

Le sous-sol du palais de justice abrite des cellules réservées aux accusés en cours de jugement. Le secteur réservé aux femmes est remarquablement bien tenu, grâce aux bonnes sœurs qui lavent le linge et lessivent sols et murs quotidiennement. Sans avoir jamais dormi dans cet endroit, du fait des consignes de sécurité qui contraignaient les autorités à nous balader constamment de prison en prison, j'y avais déjà séjourné pendant quelques heures à l'occasion de comparutions précédentes. Tout au long du procès, avant de nous conduire chaque soir dans un lieu tenu secret, c'est là qu'on nous autorisait à bénéficier de courtes visites de nos proches.

Jeffrey avait quitté le tribunal quelques minutes avant la fin de l'audience pour aller chercher nos deux enfants, Richie et Elena. De par son statut diplomatique, Washington lui avait octroyé un logement à Paris dès le lendemain de mon arrestation. Ce pied-à-terre lui permettait de se poser chaque fois qu'il venait me voir, entre deux séjours en Suisse.

Mes enfants passaient le plus clair de leur temps dans leur nouvelle école de Berne et ne me rendaient visite que le week-end. Ils auraient dû être en classe ce jour-là, mais c'était l'ouverture de mon procès et, quand bien même je refusais qu'ils assistent aux débats, je comprenais leur envie de me voir à cette occasion. Si j'en avais eu la force, j'aurais insisté pour qu'ils ne manquent pas l'école, mais je dois bien reconnaître que le règlement familial avait du plomb dans l'aile à ce stade de ma vie. Parents comme enfants, personne ne savait comment réagir au drame que nous traversions.

— Tu ne peux pas te contenter de m'expliquer que tu ne l'aimes pas, ai-je déclaré à mon fils, assis à côté de moi sur le lit de ma cellule, une simple planche protégée par un fin matelas.

— Pourquoi devrais-je l'aimer ?

Je lui ai passé la main dans les cheveux.

— Tu as le droit de ne pas l'apprécier, mon chéri. Mais explique-moi pourquoi.

— Je déteste ce Holden[1]. Il est prétentieux. Il n'aime rien ni personne. Il se contente de se moquer de tout, comme s'il valait mieux que nous. Je t'assure, maman. Je ne comprends pas pourquoi on considère ce bouquin comme un classique de la littérature.

Richie avait quinze ans. Ses traits changeaient, sa mâchoire s'étoffait, à l'image de celle de Jeffrey, ses pommettes ressortaient et il commençait à avoir du poil au menton. À part mes yeux, il n'avait rien hérité de moi.

— Tout simplement parce que Holden ressemble à tous les adolescents, lui ai-je expliqué en posant ma main sur sa joue. Holden a peur, mon chéri. C'est

---

1. Il s'agit de Holden Caulfield, le héros du roman *L'Attrape-cœurs* de J. D. Salinger. *(N.d.T.)*

pour ça qu'il repousse les autres, en essayant de se convaincre qu'ils sont superficiels et bidon. Ce qui est parfois le cas, mais il s'agit avant tout de donner un sens à ses peurs, bien qu'il n'en ait pas conscience.

— Peut-être, a reconnu Richie. N'empêche que ce bouquin est vraiment merdique.

Elena, douze ans, s'était installée de l'autre côté. La tête sur mon épaule, elle serrait ma main dans la sienne. Elle me ressemblait davantage que Richie, avec son corps frêle, son nez minuscule et ses grands yeux bruns. Jusqu'à l'épi rebelle au niveau de sa tempe droite. Son corps montrait les premiers signes de la puberté, sous l'effet de l'explosion hormonale. Ma petite fille changeait, mais sa mère n'était pas là pour l'aider.

J'étais une véritable boule de nerfs en présence de mes enfants. J'entendais profiter au mieux des rares moments que je pouvais passer avec eux. J'avais constamment les larmes aux yeux, j'aurais voulu passer des heures à les embrasser, à les serrer dans mes bras en fermant les yeux dans l'espoir que ce cauchemar s'évanouisse. Mais j'étais leur mère, et je devais me montrer forte. Je ne pouvais que deviner l'enfer qu'ils traversaient. J'étais autorisée à les voir tout au plus deux fois par semaine, le temps de visites trop courtes au cours desquelles chacun s'efforçait de masquer son trouble. Je devais me contenter des informations que Jeffrey me fournissait au compte-gouttes, persuadée qu'il s'efforçait de rosir le tableau de façon à m'éviter de souffrir davantage. *Ils vont bien, je t'assure. C'est dur, mais ils gardent le moral.*

J'étais en train de les perdre. J'étais lentement en train de les perdre tous. Et je me trouvais réduite à deviser des qualités littéraires de *L'Attrape-cœurs* alors que notre âme s'était pétrifiée au plus profond de chacun d'entre nous.

— Comment trouves-tu ton prof de chinois ?

Richie adorait le chinois à l'époque où il fréquentait son école privée du Connecticut. Nous ne l'avions pas poussé dans cette direction, il s'était passionné tout seul pour l'étude de cette langue. Cela ne pouvait qu'être un atout au XXIe siècle. *Surtout s'il souhaite se lancer dans une carrière de diplomate*, comme le disait Jeffrey plus souvent qu'à son tour.

Richie avait l'air perdu.

— Il n'étudie plus le chinois, m'a expliqué Elena.

— Il… tu ne suis pas de cours de chinois dans ta nouvelle école, Rich ? Pourquoi ?

Il a haussé les épaules.

— J'ai préféré prendre un trimestre sabbatique.

— Je ne comprends pas.

J'ai lancé un regard à Jeffrey, muet dans un coin de la cellule. J'ai voulu insister.

— Pourtant, tu adorais le chinois. Tu as choisi d'apprendre une autre langue à la place ?

— Maman, quelle importance !

— Il apprend le français, m'a renseignée Elena. Comme moi.

— Le *français ?* Pourquoi diable… ?

La vérité m'est brusquement apparue, dans toute sa brutalité. J'ai pris mes enfants dans mes bras et je les ai serrés contre moi. Nous sommes restés longtemps collés tous les trois. J'ai su qu'Elena pleurait en sentant son corps pris d'un léger tremblement. C'était trop pour moi, mes bonnes résolutions se sont envolées.

— Je vous interdis de jamais perdre espoir, ai-je murmuré entre deux sanglots. Jamais.

Manifestement, le monde entier s'attendait au pire, à commencer par mes propres enfants, qui apprenaient le français en prévision des décennies de prison qui attendaient leur mère en France.

43

Deuxième jour de procès. Nous sommes arrivées toutes les quatre au palais de justice de la même façon que la veille, à bord de véhicules séparés venant de prisons différentes. J'ai passé la nuit dans un établissement du Sud-Ouest parisien que je ne suis pas près d'oublier. Il y régnait une odeur de transpiration épouvantable, et les deux prostituées qui occupaient la cellule voisine de la mienne, Lorissa et Florence, ont massacré pendant des heures de vieilles chansons de Madonna.

Le témoin suivant était Richard Ogletree, le gros Américain rencontré lors de cette soirée de sinistre mémoire à Monaco. Le cheveu toujours aussi gras, il n'avait pas maigri d'un gramme en neuf mois. En revanche, il avait choisi cette fois une tenue moins voyante, chemise blanche ouverte et veste sport bleue, et il faisait moins le fanfaron. Lorsqu'il est passé devant nous avant de prendre place à la barre, j'ai remarqué qu'il suait à grosses gouttes. Il a adressé un signe de tête à Maryse Ballamont, l'avocate générale, qui lui a rendu son salut d'un mouvement du menton quasi imperceptible.

Comme Ogletree s'exprimait en anglais, l'ensemble des parties concernées par son témoignage – juges, avocats, sans oublier Ogletree lui-même – ont enfilé des casques semblables à celui que nous portions toutes les quatre dans notre box. Le délai dû à la traduction simultanée imposait un rythme curieux à l'enchaînement des questions et des réponses.

— Je suis essentiellement un investisseur, votre honneur, a commencé Ogletree. J'ai également coproduit quelques films.

— Monsieur Ogletree, je vous prie de bien vouloir m'appeler monsieur le président. Je vous rappelle que nous ne sommes pas aux États-Unis.

Le gros Américain a levé la main en signe d'excuse.

— Désolé, monsieur le président.

— Très bien. Monsieur Ogletree, veuillez nous dire ce que vous savez au sujet de l'affaire qui nous concerne.

— À l'époque, nous réalisions un film à Paris et j'ai profité d'un week-end de break dans le tournage pour aller sur mon yacht à Monaco.

D'une voix qui tremblait légèrement sous l'effet de l'émotion, Ogletree a fait un bref résumé des événements survenus ce soir-là : notre rencontre dans une boîte, l'épisode du casino et la décision générale de finir la nuit sur son yacht, le *Misty Blue*.

— J'ai fini par aller me coucher, a-t-il conclu. J'ai laissé mes invités continuer à s'amuser et j'ai rejoint ma cabine. Je n'ai revu personne jusqu'au lendemain matin, quand la police française a investi mon yacht et nous a tous arrêtés.

Le président n'ayant plus de questions, l'avocate générale Ballamont s'est levée. Grande et mince, c'était une femme séduisante dotée de très beaux traits : des cheveux d'un noir brillant, des pommettes bien dessinées, deux yeux verts intelligents. Un air austère et sec venait néanmoins gâcher ce tableau engageant, même si je reconnais volontiers avoir le plus grand mal à me montrer objective à l'égard d'une femme qui souhaitait m'envoyer en prison jusqu'à la fin de mes jours.

Très droite dans sa toge noire, une main posée sur l'écouteur droit de son casque, elle est allée droit au but.

— Monsieur Ogletree, vous faites référence au président Dévereux dans votre témoignage. Ce soir-là, étiez-vous au courant que l'homme qui se faisait appeler Devo était le président de la République française ?

Ogletree a hoché vivement la tête. Un peu trop vivement à mon goût.

— Oui, madame l'avocate générale. Il me l'a avoué lors de notre rencontre dans cette boîte de nuit. Il m'a expliqué qu'il portait une perruque et une fausse barbe pour profiter pleinement de sa soirée sans risquer d'être harcelé par les gens. Il souhaitait préserver son incognito vis-à-vis de l'extérieur, mais tout le monde était au courant au sein de la bande que nous formions.

— Je préciserai à ce stade, monsieur Ogletree, que vous touchez là à un point de désaccord majeur. Mais intéressons-nous plutôt aux quatre accusées. Ont-elles à un moment quelconque, en votre présence, fait allusion au fait que le surnommé Devo était le président français ?

— Oui, toutes. Chaque fois que quelqu'un l'appelait par mégarde *Monsieur le Président*, il s'empressait de le corriger en précisant qu'il s'appelait Devo, histoire de préserver son anonymat. Je me souviens, par exemple, qu'il a fait allusion à l'élection présidentielle américaine. Il nous a expliqué qu'il avait bien connu Hillary Clinton à l'époque où elle était Première dame, ou encore qu'il avait croisé le sénateur Obama à plusieurs occasions. Le genre d'anecdote qu'est susceptible de rapporter un président.

J'ai fermé les yeux. Ogletree ne se contentait pas de mentir, il inventait purement et simplement des conversations qui n'avaient jamais eu lieu. Je croyais rêver.

— Abbie Elliot ? a répondu Ogletree à une question de l'avocate générale. Oui, je me souviens parfaitement qu'elle m'a avoué son enchantement à l'idée de prendre un verre avec le président français.

— Êtes-vous certain de cette affirmation ? a insisté l'avocate générale. Je parle tout particulièrement de Mme Elliot. Êtes-vous certain qu'elle savait se trouver en présence du président français ?

— J'en suis sûr et certain, madame Ballamont. C'est le dernier souvenir qui me reste de cette soirée, avant d'aller me coucher.

Maryse Ballamont a acquiescé. Nous venions d'assister à une scène soigneusement préparée.

— Votre dernier souvenir, a-t-elle répété. Vous nous avez également rapporté avoir filmé cette soirée sur votre yacht à l'aide de votre caméscope.

— En effet. Je m'apprêtais à aller dormir quand Mme Elliot m'a demandé de lui prêter mon caméscope.

L'avocate générale a marqué une pause.

— Veuillez expliquer à la cour la raison pour laquelle Mme Elliot vous a dit avoir besoin de ce caméscope, a-t-elle questionné le témoin avant de poser l'écouteur droit du casque sur son oreille afin d'écouter l'interprète traduire la réponse.

Le gros Américain, qui lui faisait face, s'est tourné vers les juges.

— Elle a exprimé son intention de filmer les ébats du président Dévereux.

44

— Maman, j'ai une mauvaise nouvelle à t'annoncer.

Richie a brandi son iPhone en pénétrant dans la cellule du palais de justice où j'étais autorisée à le voir tous les soirs, après les débats, avant de regagner une prison inconnue.

— Figure-toi que tu es seulement la troisième plus sexy de la bande des quatre sur le site maitressesde-montecarlo.com.

Mon cœur, qui avait fait un bond dans ma poitrine à l'annonce d'une mauvaise nouvelle, s'est calmé instantanément. Je lui ai répondu par un sourire.

— Tu as voté pour moi, au moins ?

Richie m'a embrassée sur la joue.

— Winnie termine à la première placc. Bryah est deuxième et Serena dernière. Il faut croire que les grandes blondes n'ont plus la cote de nos jours.

J'ai éclaté de rire, soucieuse de bien montrer à mon fils qu'il avait réussi à me remonter le moral. Je m'inquiétais pourtant de le voir surfer sur les sites de ce genre. J'aurais aimé pouvoir l'isoler au maximum de tout ce tumulte, de même que sa sœur. À ce stade, c'était peine perdue. Aux dernières nouvelles, pas moins de cinq sites Web et six pages Facebook étaient consacrés aux belles et sulfureuses meurtrières du président français. Deux livres étaient déjà en chantier. La semaine précédente, j'avais regardé Larry King interviewer sur CNN la fille avec laquelle je partageais ma chambre à l'université. Elle lui avait expliqué que j'avais toujours eu un tempérament rebelle, tout en me voyant mal tuer quelqu'un. Un à zéro pour moi.

Elena, qui faisait petite écolière modèle avec sa jupe plissée et son pull blanc, était également hypnotisée par son iPhone. Je l'ai vue froncer les sourcils et elle n'a pas répondu quand je lui ai demandé ce qu'elle lisait. Les enfants sont incorrigibles avec leurs jouets électroniques. Internet est une belle invention, mais je n'ai jamais éprouvé le besoin de m'y connecter vingt-quatre heures sur vingt-quatre.

— Laisse-moi voir.

Je lui ai pris l'iPhone des mains. Elle consultait le blog de Joseph Morro, le journaliste du *New York Times* chargé de couvrir le procès. Je le connaissais parce qu'il me noyait sous les demandes d'interview. J'ai découvert sa prose :

Le témoignage de M. Ogletree a été terrible pour les accusées, notamment pour l'Américaine Abbie Elliot. En affirmant qu'elle avait voulu « filmer les ébats du président Dévereux », Ogletree apporte la preuve qu'Elliot possédait un mobile et qu'elle mentait.

Super. Génial. Ce n'était pas la première fois que je lisais ce genre de calomnie, et je n'entendais pas gâcher le peu de temps qu'on m'accordait avec mes enfants en prêtant le flanc aux critiques. J'ai posé l'iPhone sur le banc de la cellule et tendu les bras à ma fille.

— Assez joué au *geek*. Maman a envie d'un gros câlin.

Nous sommes restées longtemps serrées l'une contre l'autre. La chaleur de son petit corps, le parfum de son shampooing, je profitais pleinement de la sensation unique que peut éprouver une mère en tenant son enfant entre ses bras. J'ai senti les larmes d'Elena rouler sur ma joue. L'esprit humain possède une capacité inouïe à passer du bien-être au désespoir.

— C'est trop injuste, maman, a-t-elle balbutié d'une voix mal assurée.

Ce n'était en effet pas juste, et de loin, pour ces deux enfants formidables. Je n'osais pas imaginer ce qu'ils ressentaient en classe, lorsqu'ils regardaient la télévision et lisaient les journaux, à l'image du blog de ce Joseph Morro, ou bien dans leur lit le soir, emportés par leurs angoisses. Je préférais ne rien dire, de peur de m'effondrer. Je n'en avais pas le droit, je ne pouvais pas leur infliger une souffrance supplémentaire dans un moment pareil. C'était à moi de me montrer forte, pas à eux.

— On finira bien par trouver une solution.

La phrase est sortie dans un murmure, c'est tout ce qui m'est venu. Je ne suis pas certaine d'avoir su les réconforter.

Surtout, je ne savais pas si c'était vrai. La vérité devait bien se tapir quelque part, on finirait par dénicher un indice quelconque. Tôt ou tard, la digue du mensonge n'allait-elle pas céder ?

45

— Colonel Bernard Durand, de la Direction centrale du renseignement intérieur, s'est présenté le témoin suivant.

Durand, *alias* Mâchoire carrée. Celui qui jouait le méchant flic dans le duo qu'il formait avec le commissaire Rouen. Un rôle qui lui allait comme un gant. Même endimanché pour faire honneur à la cour, il avait tout d'un voyou. Une mauvaise peau héritée sans doute d'une maladie infantile quelconque ou d'origines miséreuses, peut-être les deux, deux fentes impitoyables à la place des yeux, une coupe en brosse et un cou de taureau. J'étais bien placée pour savoir ce qu'il en coûtait d'être l'ennemi de Durand.

— Ces quatre accusées étaient au bout du rouleau, expliquait-il à la cour. Winnie Brookes n'était pas heureuse en ménage et le président s'apprêtait à mettre un terme à leur aventure. Abbie Elliot, sa voisine et meilleure amie, était également malheureuse dans son couple, ce qu'elle a reconnu elle-même, tout comme son mari, au cours de l'enquête. Comme Mme Brookes, Mme Elliot n'avait aucune indépendance financière. Pour l'une comme pour l'autre, quitter leur mari était synonyme de grandes difficultés. D'où cette tentative de chantage.

« Serena Schofield ne s'entendait pas non plus avec son mari. Elle était riche, contrairement à ses deux amies, mais le contrat de mariage signé avec son mari, Simon, précisait qu'elle devrait se contenter d'un million de dollars en cas de divorce. Un million de dollars, c'est une somme pour la plupart d'entre nous, mais pas pour une femme comme elle, mariée à un homme dont la fortune s'élève à six cents millions de dollars.

Le président a demandé au greffier d'enregistrer dans les minutes du procès l'ensemble des procès-verbaux d'interrogatoire des quatre accusées et de leurs conjoints. Depuis le temps que je connaissais Serena, jamais elle n'avait fait allusion à ce contrat de mariage.

— La tentative de chantage a manifestement échoué, a poursuivi Durand. Au moment où le président et Luc Cousineau quittaient le yacht, Winnie Brookes leur a montré la vidéo tournée cette nuit-là, puis elle les a abattus dans la Bentley décapotable. De toute évidence parce que le président refusait de céder à son chantage.

— Aucun témoin n'a assisté à la scène, a remarqué le président.

— C'est exact. À part Mme Brookes, qui nie les faits.

— Bien sûr.

Le président a tourné son regard vers le box des accusés.

— Colonel, êtes-vous en mesure d'apporter la preuve que Winnie Brookes est bien l'auteur des coups de feu ?

— Oui, monsieur le président. Tout d'abord, grâce aux déclarations signées par Bryah Gordon et Serena Schofield.

Toutes deux ont juré que Winnie Brookes leur avait avoué les deux meurtres à son retour à bord du yacht.

— S'agit-il des aveux pour lesquels Mme Gordon et Mme Schofield se sont rétractées depuis ?

Une lueur amusée a dansé dans les yeux de Durand.

— Après avoir consulté leur avocat, monsieur le président. À ce stade, elles ont en effet décidé qu'elles ne souhaitaient plus confirmer ces aveux. Mais je peux vous affirmer qu'elles n'ont pas hésité une seconde lorsqu'elles ont signé leurs déclarations initiales.

Le président a fait un geste de la main, signifiant ainsi sa communauté de vues avec Durand.

— En tout état de cause, colonel, même en oubliant ces aveux signés devant témoin, est-il exact que vous disposez de preuves tangibles de la culpabilité de Mme Brookes ?

— Oui, monsieur le président. Nous avons fait subir des tests à chacune des quatre accusées lors de leur arrestation, afin de chercher la présence de résidus de poudre.

— Avec quels résultats ?

— Nous avons retrouvé des résidus de poudre sur l'avant-bras droit de Mme Brookes. De ce fait, monsieur le président, nous avons pu établir avec certitude que c'était Mme Brookes qui avait fait feu avec l'arme ce jour-là.

46

Imaginez quatre femmes en vacances, arpentant le hall d'un hôtel luxueux en robe d'été, une flûte de champagne à la main, tout excitées à l'idée de passer un week-end de quatre jours à Monaco. L'employé de la réception, tiré à quatre épingles, glisse quelques mots à la grande blonde du groupe. Ses trois compagnes font la grimace en poussant les hauts cris.

Cette scène, enregistrée le jour de notre arrivée par le système de surveillance numérique de l'hôtel Métropole, était à présent projetée dans la salle d'audience. Je me souvenais parfaitement de ce moment. L'employé de la réception avait prononcé le nom de Simon lorsque Serena avait voulu prendre la suite et nous nous étions toutes récriées au prétexte que ce week-end était précisément fait pour oublier nos maris respectifs. Nous qui nous attendions à un week-end mouvementé, nous allions être servies.

— Cet enregistrement a été réalisé à 20 h 40, a expliqué le colonel Durand en désignant l'écran. L'heure à laquelle les quatre accusées sont arrivées à l'hôtel le 17 juin.

Durand a tendu un doigt en direction d'une pile de petites boîtes noires dans la vitrine réservée aux pièces à conviction.

— Monsieur le président, nous avons visionné l'ensemble des caméras de surveillance de l'hôtel au cours de la semaine qui a précédé le matin du 19 juin, le jour où les corps du président Dévereux et du capitaine Cousineau ont été découverts. Cela nous a permis de voir toutes les personnes auxquelles l'hôtel a délivré une clé électronique pendant cette période.

— Et qu'avez-vous constaté ? s'est enquis le président.

— Nous avons réussi à identifier tous ceux qui ont séjourné à l'hôtel cette semaine-là, et nous les avons ensuite interrogés individuellement.

— Qu'ont démontré ces interrogatoires ?

— Monsieur le président, entre l'instant où les quatre accusées sont arrivées à l'hôtel Métropole et la découverte des corps, personne d'autre qu'elles ne s'est vu délivrer une clé électronique de la suite qu'elles occupaient, le Carré d'or.

— Est-il envisageable, colonel, que l'une des quatre accusées ait égaré sa clé électronique, laissant la possibilité à une tierce personne de pénétrer dans la suite ?

— Non, monsieur le président. Chaque accusée se trouvait en possession de sa clé électronique lors de son arrestation.

— Fort bien, colonel. Avez-vous procédé à d'autres investigations ?

Durand a porté un verre d'eau à ses lèvres avant de répondre.

— Oui, monsieur le président. Nous avons voulu vérifier l'hypothèse avancée par les accusées au cours de l'enquête. À savoir que quelqu'un aurait pu soudoyer un employé dans le but d'obtenir une clé électronique sans s'adresser à la réception où il aurait été filmé par la caméra de surveillance. Ou bien alors qu'un employé de l'hôtel se serait introduit dans la suite par effraction.

Le président a demandé à ce que soit versée aux débats une pièce prélevée dans son dossier.

— Poursuivez, colonel.

— Monsieur le président, comme le montre le compte rendu d'enquête, la direction de l'hôtel Métropole a procédé à l'interrogatoire de l'ensemble de ses employés en ma présence. Nous nous sommes intéressés tout particulièrement aux employés qui ont pénétré dans la suite pour la préparer et la nettoyer. Nous avons longuement enquêté sur chacun d'eux, et nous sommes aujourd'hui convaincus qu'aucun d'entre eux n'a permis à quiconque de pénétrer dans cette suite, intentionnellement ou par accident, en dehors des quatre accusées, et qu'aucun d'entre eux ne s'est rendu coupable d'un acte délictueux quelconque.

— Soyons clair, a résumé le président en refermant le dossier. Au cours de l'enquête, les accusées ont prétendu que les pièces à conviction retrouvées sur la scène de crime avaient été placées là à leur insu.

— Oui, monsieur le président.

— Elles ont notamment déclaré que les cheveux retrouvés dans le véhicule avaient été prélevés sur leurs brosses à cheveux dans leur suite de l'hôtel Métropole, avant d'être déposés sur la scène de crime.

— Oui, monsieur le président.

— Elles ont déclaré que le mucus découvert sur la scène de crime provenait d'un mouchoir usagé récupéré dans leur suite, que le cérumen de Mme Elliot provenait d'un coton-tige dérobé dans cette même suite, tout comme la trace de sang appartenant à Mme Schofield. Êtes-vous au courant de ces déclarations ?

— Oui, monsieur le président.

— Que répondez-vous à ces affirmations ?

Durand a hoché la tête d'un air triomphal.

— Monsieur le président, je suis en mesure d'affirmer avec certitude que personne ne disposait d'une clé électronique permettant d'accéder à la suite Carré d'or en dehors de ces quatre femmes. J'ajoute qu'aucun employé de cet établissement n'a permis à quiconque de pénétrer dans cette même suite au cours de la période concernée.

« Monsieur le président, a conclu Durand, il est donc impossible qu'un tiers ait pu s'introduire dans cette suite afin d'y dérober des pièces à conviction dans le but de les placer ensuite sur la scène de crime. Les affirmations de la défense sont non seulement absurdes, elles sont invraisemblables.

47

J'ai dormi cette nuit-là dans une prison du sud de Paris. Comme d'habitude, je disposais d'une cellule individuelle pour des raisons de sécurité, ce qui signifie que je bénéficiais à moi toute seule des blattes et des toilettes bouchées. À défaut de matelas, on m'avait fourni de vieilles couvertures que j'ai étalées sur la planche servant de lit.

Les gardiens de ma prison se passaient un magazine baptisé *Bruit* à la une duquel était annoncé un reportage exclusif de photos sexy de Winnie Brookes. Les photos en question remontaient à l'époque de ses vingt ans, quand elle s'était lancée dans une brève carrière de mannequin. Un photographe anglais quelconque s'était souvenu qu'il avait effectué ce shoot ; soucieux de surfer sur la vague de folie qui entourait les Maîtresses de Monte-Carlo, il les avait vendues au plus offrant. Winnie n'avait pas posée nue, mais presque. On la voyait en culotte et soutien-gorge, et les photos prises en compagnie d'une collègue mannequin tout aussi dénudée avaient d'emblée recueilli les suffrages des hommes de Neandertal qui me gardaient.

Allongée sur mon lit de fortune, je fixais le plafond, écœurée.

— Désolé, je n'ai pas de photos de vos copines en sous-vêtements, mais je suis tout disposé à en prendre.

J'ai relevé la tête et découvert un type mal rasé en jean et blouson de cuir, ses cheveux roux tirés en arrière et retenus par une queue de cheval.

— Je vous ai vu au tribunal.

— Joe Morro, s'est-il présenté. Du *New York Times*.

J'ai reposé ma nuque sur les couvertures.

— L'auteur du blog. Celui qui me harcèle de demandes d'interview.

— En personne.

— Celui qui m'a traînée plus bas que terre dans son compte rendu d'hier en affirmant que j'avais menti et prémédité mon crime. Ma fille a lu votre prose.

— Nous pouvons peut-être nous rendre service mutuellement.

— Je serais curieuse de savoir de quelle façon. Vous comptez m'aider à m'évader ? Ou alors vous accuser de ces deux meurtres ? Dans ce cas, ça pourrait effectivement m'aider.

Il a laissé échapper un petit rire.

— Accordez-moi l'exclusivité de votre témoignage. Confiez-vous à moi, ce qui est publiable comme ce qui ne l'est pas. En échange, je peux vous fournir des informations.

J'ai basculé la tête dans sa direction.

— Comment vous êtes-vous introduit ici ?

Il a ri à nouveau.

— Je sais, je sais. Vous êtes solidement gardée. Je suis copain avec l'un des gardiens. J'ai consacré un article à sa sœur, il y a longtemps. Mais ne vous inquiétez pas, ils m'ont fouillé de la tête aux pieds avant de me laisser arriver jusqu'à vous. Vous n'avez rien à craindre.

— La plume est plus puissante que l'épée, à ce qu'on dit.

Ma remarque lui a plu.

— Comment apporter la preuve que vous êtes victime d'un coup monté ? Durand, le type des services secrets français, affirme que personne n'a pu accéder à votre suite. Comment le vrai coupable a-t-il pu se procurer des cheveux, du cérumen et le reste ? En plus, personne ne pouvait prévoir que le président Dévereux se rendrait à Monaco. Il voyageait incognito. J'ai du mal à croire que cette affaire ait été montée de toutes pièces, Abbie.

— Parce que vous croyez peut-être que je ne sais pas à quel point je suis dans la mouise ? Joe, j'ai sommeil et je dois absolument me reposer. Si jamais j'ai besoin de quoi que ce soit, vous serez le premier averti.

— Je suis convaincu de votre innocence.

J'avoue que je ne m'y attendais pas. Plus personne ne s'aventurait depuis longtemps sur un terrain aussi miné. Je l'ai regardé.

— Vous devriez éviter ce genre de remarque si vous n'êtes pas sincère.

— Mais je suis sincère. Personnellement, je suis convaincu de la culpabilité de Winnie. Cette fille a un comportement très autodestructeur, vous ne trouvez pas ? Vous payez les pots cassés, avec vos deux copines. Elle a tué le président avant de remonter à bord du yacht et de vous piéger.

— C'est faux.

— Ça ne s'est peut-être pas déroulé exactement de cette façon-là, mais je suis prêt à parier ma carte de presse que Winnie est coupable. Et je suis également prêt à parier la même carte de presse que vous êtes infoutue de dire si j'ai raison ou tort.

J'ai gardé le silence. Il voulait m'obliger à réagir, et la manœuvre fonctionnait.

— Je suis en mesure de vous aider, a-t-il répété. Je suis très débrouillard, quand je veux.

— C'est vous qui le dites.

— J'ai bien réussi à vous approcher, non ? Dans un lieu tenu secret, qui plus est ?

Il a glissé sa carte professionnelle à travers les barreaux.

— Appelez-moi, a-t-il laissé tomber avant de s'éloigner.

48

Les murmures de l'assistance se sont brusquement tus à l'énoncé de son nom. On aurait cru des élèves à l'arrivée de leur prof. Tous les regards se sont braqués sur lui. Il s'est avancé dans la salle d'audience avec l'assurance naturelle de quelqu'un qui est habitué à sa notoriété. Il était vêtu d'un costume noir splendide, d'une fine cravate noire, et de mocassins italiens de luxe.

Il n'était pourtant pas à sa place dans ce tribunal, loin des tapis rouges de Cannes et de la cérémonie des oscars. Mais n'était-ce pas un acteur, après tout ? Il avait l'habitude des rôles de composition et celui-ci lui convenait à merveille. Il l'interprétait avec toute la sobriété voulue.

Quel que soit l'angle sous lequel on se plaçait, la présence de Damon Kodiak à la barre d'un procès d'assises était totalement surréaliste. Même dans la situation périlleuse qui était la mienne, je mentirais en disant que je n'éprouvais pas une réaction physique à sa vue. Il m'avait fait découvrir une partie de moi-même que j'ignorais. C'est vrai, le souvenir des quelques heures passées avec lui s'était trouvé terni par mon arrestation et l'accusation qui pesait sur mes épaules, mais là n'était pas l'essentiel : Damon restait bien davantage qu'un simple souvenir à mes yeux. Il avait gravé au plus profond de mon être une marque indélébile.

Je ne pouvais pourtant pas oublier la présence de Jeffrey, assis à moins de dix mètres de moi. Si l'on m'avait annoncé que je me retrouverais un jour dans la même pièce que mon mari et mon amant d'un soir, et que cette aventure serait le *cadet de mes soucis*, je ne l'aurais jamais cru.

Damon a répondu avec aisance aux questions préliminaires du président. Il a reconnu s'être trouvé à Monaco la nuit du double meurtre, à l'occasion d'un break dans son planning de tournage. Il a également reconnu m'avoir rencontrée en compagnie des autres dans une boîte de nuit et s'être intéressé à moi tout particulièrement.

— J'ai beaucoup apprécié la conversation que nous avons eue, a-t-il déclaré. Si elle me plaisait ? Bien sûr. On pourrait même dire que nous avons flirté ensemble.

Oui, je crois aussi qu'on pouvait le dire.

— Monsieur Kodiak, lui a demandé le président. Aviez-vous conscience que l'individu qui se faisait appeler Devo était le président de la République française ?

— Pas du tout. Je me suis joint à leur groupe en fin de soirée, et il est vrai que j'avais bu quelques cocktails à ce stade. Il est donc possible que les autres l'aient su, mais ce n'était pas mon cas.

Quelles que soient ses réserves, le témoignage de Damon était essentiel pour la défense, surtout après les déclarations de Richard Ogletree affirmant que nous connaissions tous la véritable identité de Devo. Damon était le premier à confirmer nos dires.

— Oui, votre honneur. Je me souviens d'être allé au casino de Monte-Carlo.

Ogletree avait visiblement oublié de lui préciser qu'on ne disait pas *votre honneur* au juge, mais *monsieur le président*. Cette fois, pourtant, le magistrat n'a pas cru bon de corriger la star de l'écran.

— Je me souviens d'être allé au casino avec Abbie et ses amies en sortant de la boîte de nuit. J'en ai gardé un souvenir précis. Je me souviens aussi de m'être bien amusé au casino, comme toujours.

Damon a laissé s'écouler un battement, laissant le temps à l'assistance de réagir, ce qui n'a pas manqué d'arriver.

— Pour autant que je m'en souvienne, a-t-il poursuivi, je ne suis pas resté avec Abbie au casino. On s'est plus ou moins perdus de vue.

C'était la vérité. Il s'était évanoui au milieu de la foule des joueurs, ce que confirmaient les caméras de surveillance de l'établissement.

— Monsieur Kodiak, a insisté le juge, quand avez-vous revu l'accusée, Mme Elliot ?

— Quand j'ai revu Abbie ?

Damon s'est gratté la nuque, il a lancé un coup d'œil dans ma direction en se retournant, sans que nos regards se croisent.

— Oui, monsieur Kodiak. Vous dites que vous avez été séparés à votre arrivée au casino. À quelle occasion avez-vous revu l'accusée, Abbie Elliot ?

Il a tendu le bras dans ma direction avant de répondre.

— Aujourd'hui. En pénétrant dans cette salle d'audience.

— Vous êtes sans doute conscient d'être l'alibi de Mme Elliot. Elle affirme que vous avez eu ensemble une aventure romantique sur le yacht et que vous êtes donc en mesure d'apporter la preuve qu'elle se trouvait en votre compagnie à l'heure où le double meurtre a été commis. J'imagine que vous le savez.

— Bien sûr, votre honneur. Bien sûr.

Il a hésité en balayant le plafond des yeux, à la recherche d'une façon élégante d'exprimer ce qu'il avait à dire.

— Elle… elle avait beaucoup de charme. Elle s'est montrée très directe. Je crois pouvoir affirmer, sans me tromper, qu'elle avait très envie de coucher avec moi.

— Ce qui n'a pas été le cas ?

— Ce qui n'a pas été le cas, a répondu Damon en adressant aux juges un regard qui exprimait clairement sa pensée : *Comment imaginer qu'une star de mon niveau puisse s'afficher avec une telle femme ?*

Tous ceux qui n'étaient pas hypnotisés par le beau Damon Kodiak ont reporté leur attention sur moi. Je me suis efforcée de rester de marbre en regardant droit devant moi. *De quoi t'ont-ils menacé, Damon ?*

— Votre honneur, a-t-il repris, j'ai bien peur que les allégations d'Abbie Elliot soient un mauvais alibi, ou bien alors le fruit de son imagination.

49

— Bonjour, monsieur Kodiak.

Jules Laurent, mon avocat, s'est éclairci la gorge en jetant un rapide coup d'œil au bloc posé devant lui sur le bureau.

— Bonjour, maître, a répondu Damon en retirant son casque, heureux de constater que son interlocuteur lui adressait la parole en anglais.

— Vous affirmez ne pas être monté à bord du yacht le *Misty Blue* au cours de la nuit du crime.

— C'est exact.

— Pourtant, on a retrouvé vos empreintes sur la poignée d'une cabine de ce yacht.

— Je sais, oui. Ainsi que je l'ai expliqué aux enquêteurs, je suis souvent monté à bord du yacht de Dick Ogletree. Mais pas cette nuit-là.

— La porte à laquelle je fais allusion est précisément celle de la cabine dans laquelle ma cliente dit avoir partagé avec vous des moments… intimes. Mais sans doute le saviez-vous ?

— Pas du tout. Vous me l'apprenez.

— Simple coïncidence ?

— Apparemment.

— Dans ce cas, vous ne savez peut-être pas non plus que ma cliente, Abbie Elliot, a identifié cette cabine *avant* de savoir que les autorités avaient retrouvé vos empreintes sur la poignée de porte.

Damon ne pouvait pas être au courant. Jules a demandé que l'on verse au dossier les pièces prouvant que mes déclarations à la police étaient antérieures à la découverte des empreintes.

— Si bien que, des cinq cabines que compte ce yacht, Abbie Elliot aurait précisément choisi celle qui porte vos empreintes ? Il aurait donc fallu qu'elle ait beaucoup de chance, vous ne trouvez pas ? a insisté Jules en triturant un crayon entre ses doigts.

Damon a légèrement baissé la tête.

— Je ne suis pas certain qu'elle soit d'accord avec vous, maître, lorsque vous dites qu'elle a eu de la chance.

Des rires étouffés ont parcouru l'assistance. Jules a attendu le retour du calme.

— La question était maladroite, je vous le concède. Que dites-vous de celle-ci : monsieur Kodiak, sachant que vous êtes en pleine possession de vos moyens et tout à fait capable de… nier ses dires, comment expliquez-vous que ma cliente ait inventé une telle histoire ? Sachant que vous vous empresseriez de la nier, en la faisant passer pour une menteuse ?

Le sourire satisfait qu'affichait Damon s'est en partie effacé.

— Une femme, a poursuivi Jules en soulignant son propos d'un large geste, dont l'accusation nous dit qu'elle est une criminelle d'une intelligence redoutable.

Il faudrait donc qu'elle soit très… très bête pour inventer un alibi aussi idiot, non ?

L'avocate générale s'est levée de sa chaise, décidée à protester, mais le président l'a devancée en rappelant à Jules que ce n'était pas l'heure de son plaidoyer. Jules a accueilli la remarque avec une courbette avant de passer à la suite.

— Les deux meurtres ont eu lieu le 19 juin, monsieur Kodiak. Pourtant, on ne vous a entendu que le 24 juin, c'est-à-dire cinq jours plus tard. Vous en souvenez-vous ?

Damon a regardé de tous les côtés avant d'acquiescer.

— Il me semble que c'est le cas, en effet.

— C'est la police qui est venue vous trouver, et non l'inverse, n'est-ce pas ?

— C'est exact.

— Quand la police est venue vous trouver le 24 juin, vous n'aviez pas entendu parler du meurtre du président Dévereux ?

— Bien sûr que si. J'ai appris la nouvelle en même temps que tout le monde.

— Vous saviez donc que ce crime s'était déroulé à Monaco.

— Oui.

Damon répondait de façon de plus en plus méfiante.

— Vous étiez également au courant des arrestations, a poursuivi Jules en désignant le box des accusés où nous nous trouvions toutes les quatre. Les noms et les visages de ces quatre femmes ont fait la une de tous les médias presque tout de suite. Vous ne saviez donc pas qu'elles avaient été arrêtées ?

Damon a toussoté. Il cherchait de toute évidence à gagner du temps.

— J'avoue ne pas me souvenir du calendrier précis des événements, maître. J'ai su leur nom à un moment, c'est certain. Et, oui, pour répondre à la question que vous ne m'avez pas encore posée, j'ai reconnu les quatre femmes que j'avais rencontrées dans cette boîte de nuit.

— Et vous n'avez pas cru bon de prendre contact avec les autorités françaises ?

— Non. Je ne voyais pas en quoi le fait de les avoir croisées dans une boîte pourrait servir les intérêts de l'enquête. Que vouliez-vous que je leur dise ? Que j'avais passé un bon moment en leur compagnie ?

Cette fois, les rires qui sont montés de l'assistance étaient plus discrets. Tout le monde sentait bien que Jules Laurent allait passer à l'attaque.

50

— Monsieur Kodiak, le dossier indique que les autorités ont tenté de vous joindre dès le 21 juin, a précisé Jules en faisant consigner la pièce correspondante dans les minutes du procès. Cette date correspond-elle à vos souvenirs ?

Damon s'est gratté la joue.

— Je ne sais pas exactement.

— Auriez-vous des raisons de mettre en doute la justesse des informations fournies par la police ?

Damon a secoué la tête.

— Pas du tout. Je me souviens simplement que j'étais en train de tourner des scènes de mer en Méditerranée et qu'il m'était difficile de les joindre.

Jules a baissé le bras et scruté longuement Damon.

— Il vous était difficile de retourner en France en bateau ou en hélicoptère pour discuter avec les enquêteurs du meurtre du président français ?

— Non, probablement pas, surtout s'ils avaient insisté, mais le fait est qu'ils ne l'ont pas fait, a rétorqué sèchement Damon en perdant pour la première fois son sang-froid. On passait des journées entières en mer et, s'ils m'avaient signalé que c'était urgent, je serais retourné à terre immédiatement. Bien sûr.

Il a repris sa respiration, le temps de se calmer.

— Ils m'ont dit que ça pouvait attendre.

Jules a hoché la tête machinalement. Il s'en voulait peut-être d'avoir poussé le bouchon trop loin. Les explications de Damon ne paraissaient nullement extravagantes.

— Ne s'agissait-il pas plutôt pour vous de… disons, de peaufiner votre version des faits ?

— En aucun cas, maître, a répliqué Damon en tendant un index accusateur vers mon avocat. Après cette soirée en boîte et au casino, j'ai quitté Monaco et je suis rentré chez un ami à Cannes. J'y suis resté jusqu'au lendemain matin avant de prendre un hélicoptère pour rejoindre le lieu de tournage en Méditerranée. Je ne vois pas quelle version des faits j'aurais eu besoin de peaufiner.

— Chez un ami à Cannes. L'ami en question… s'agit-il d'Oliver Kurtz ?

— Absolument, a approuvé vigoureusement Damon d'un hochement de tête. Ollie a d'ailleurs confirmé mes dires auprès des autorités.

— Oliver Kurtz est votre assistant personnel, n'est-ce pas ? Il avait donc… loué une maison à Cannes ?

— Tout à fait.

— Vous parlez de lui comme d'un ami. N'est-ce pas plus exactement votre employé ?

Damon a poussé un soupir.

— Ollie est à la fois un ami et un employé.

— Je vois.

Jules a dressé un sourire entendu au public.

— J'imagine qu'il est soucieux de conserver ce double statut, non ? En particulier celui d'employé. On l'imagine prompt à satisfaire son patron. Je me trompe ?

— Il n'irait pas jusqu'à mentir pour moi, maître, si c'est ce que vous sous-entendez.

— Loin de moi cette pensée.

Jules, le front barré d'un pli, a paru réfléchir, puis il a tourné les pages de son bloc, passant à un autre sujet.

— Comment s'intitule le film que vous tourniez en Méditerranée ?

— *Par-dessus bord.*

— Ah ! *Par-dessus bord.* Un film produit par la société Mirastar, si je ne m'abuse.

— Mirastar Entertainment, oui.

— Je crois savoir que vous aviez un contrat de dix films avec Mirastar.

— C'est vrai.

— Et *Par-dessus bord* était le dernier de ces dix longs métrages.

— Exact.

— N'est-ce pas avec Mirastar que vous avez tourné la série des *Charme ? Charme à trois*, *Charme à quatre*, *Charme à cinq ?*

— Si.

— Il y a également… laissez-moi vérifier, a marmonné Jules en feuilletant ses notes. *Le Renégat ? En un clin d'œil ? Le Dernier Homme ?*

— Oui.

— Ce sont des films d'action, n'est-ce pas ?

Damon a opiné.

— On peut dire ça, en effet.

— Maître, s'est interposé le président. Ces digressions sont-elles nécessaires ?

— Je le crois, monsieur le président. J'arrive au fait.

Il s'est tourné à nouveau vers Damon.

— Monsieur Kodiak, je crois savoir que vous étiez en train de négocier un contrat à l'époque du double meurtre. Est-ce exact ?

— Oui, maître.

— Vous avez quarante-sept ans, monsieur Kodiak ?

— C'est gentil à vous de me le rappeler, maître.

Des rires ont fusé du balcon. Je n'aurais jamais cru qu'il était aussi vieux. Il était très bien conservé, je pouvais en témoigner. Sous serment si nécessaire.

— Je ne voudrais pas paraître brutal, mais n'est-on pas en droit de penser qu'un... qu'un homme de votre âge risque d'éprouver quelques difficultés à tourner des films d'action ?

— Je ne sais pas.

— Alors, mettons-nous d'accord pour reconnaître que vos derniers films n'ont pas enregistré le même succès au box-office.

Jules s'est emparé d'une feuille.

— J'ai ici les chiffres, si vous souhaitez les entendre.

— Je le reconnais, a rétorqué Damon sur un ton glacial.

— Fort bien. Vous étiez donc sur le point de négocier un nouveau contrat avec Mirastar. Avec d'autres maisons de production aussi, peut-être ?

— Oui.

— Est-il exact de dire que la somme que l'on vous proposait était inférieure à celle du contrat précédent ?

L'exercice n'amusait plus du tout Damon.

— C'est exact.

Jules a laissé s'écouler un silence, soucieux de s'assurer qu'il bénéficiait de l'attention de tous. Damon, le premier, était suspendu à ses lèvres.

— À l'heure de négocier ce nouveau contrat, monsieur Kodiak, vous est-il arrivé de vous dire que les tractations se trouveraient compliquées si le grand public venait à apprendre que vous étiez à bord d'un yacht dans lequel se trouvait le président français juste avant son assassinat ?

— Monsieur le président ! s'est énervée Maryse Ballamont en bondissant de sa chaise.

— Je n'étais pas sur ce yacht, a répondu Damon. Je n'y étais pas.

— Bien sûr, l'a raillé Jules avant de se rasseoir en le remerciant.

J'ai croisé le regard de Damon au moment où il balayait la salle d'un mouvement de tête. Il a soutenu le mien une fraction de seconde avant de détourner les yeux.

51

On m'a attribué une nouvelle cellule crasseuse, le temps d'une autre nuit sans sommeil. En dépit des efforts de Jules, la presse Internet s'est montrée très dure après le témoignage de Damon. Dans son blog, Joseph Morro du *New York Times* écrivait : « L'alibi de Mme Elliot, pour le moins tiré par les cheveux depuis le début de l'affaire, s'est trouvé anéanti aujourd'hui par M. Kodiak, que l'idée d'une aventure avec l'accusée semblait amuser grandement. » Quand je pense que Morro m'affirmait la veille encore croire à mon innocence… Le chroniqueur judiciaire du *Monde* affirmait quant à lui que mon alibi relevait « de fantasmes de ménagère frustrée ». Le sondage en ligne quotidien du même journal indiquait que quatre-vingt-deux pour cent des internautes sollicités nous croyaient coupables. Je me serais attendue à ce que les lecteurs de *USA Today* se montrent plus cléments, mais un sondage comparable faisait état de soixante et onze pour cent de lecteurs convaincus de notre culpabilité.

Le lendemain, après avoir pris une « douche » se limitant à me rincer les cheveux dans un lavabo après m'être savonné les aisselles, je reprenais le chemin du palais de justice. On m'a fait monter une fois de plus à l'arrière d'un lourd véhicule de la gendarmerie, poignets et chevilles menottés. Les gendarmes chargés d'assurer ma protection me traitaient toujours avec un respect essentiellement dû à ma célébrité. Pourtant, chez eux aussi, je sentais s'installer une certaine distance à mesure que s'accumulaient les preuves contre moi. Dieu merci, nous n'avions pas besoin de respecter les feux de signalisation, de sorte que notre convoi (un véhicule nous précédait, un autre nous suivait) a rapidement traversé Paris.

À peine avions-nous franchi la Seine que j'entendais les cris des manifestants. *Mort aux meurtrières !* Quelques instants plus tard, je découvrais à travers la vitre la foule des badauds que la police s'efforçait de contenir derrière des barrières. Ils montraient le poing en agitant des pancartes aux slogans agressifs.

— Ils n'ont jamais entendu parler de la présomption d'innocence ?

Les mots sortaient à peine de ma bouche que tout a basculé.

Deux coups sourds ont ébranlé la carrosserie : la camionnette de gendarmerie était prise pour cible par les manifestants. Un bruit de verre brisé m'a indiqué qu'un flacon venait de s'écraser sur le capot, juste avant l'explosion. À travers la fente en Plexiglas qui nous séparait de la cabine avant, j'ai vu une mer de flammes monter à l'assaut du pare-brise.

Le véhicule s'est déporté brutalement sur la droite avant de s'immobiliser. J'ai été projetée sur le banc d'en face, malgré mes chaînes, alors que les gendarmes qui me gardaient s'écrasaient les uns sur les autres en jurant.

L'un des gendarmes m'a repoussée sur mon banc tandis que ses collègues sortaient leurs armes. L'un d'eux hurlait dans sa radio en réclamant des instructions à ses supérieurs. Des flammes dégageant une épaisse fumée noire avaient envahi la chaussée. Les gens repoussaient les barrières de sécurité, accueillis par des brigades anti-émeute en tenue de combat qui se précipitaient tardivement, bouclier et matraque en avant. Certains avaient épaulé leur fusil.

Les forces de l'ordre s'attendaient si peu à une telle réaction qu'elles ont été immédiatement débordées. Les manifestants, telle une armée de fourmis, arrivaient de tous les côtés à la fois. Un petit groupe s'est rué sur la camionnette.

— *Il faut évacuer le véhicule !* a crié l'un des gendarmes. Il avait raison. Nous n'avions aucune chance de nous en tirer si nous restions là, d'autant que le véhicule était en feu. C'était une question de secondes avant que les manifestants ne nous rejoignent.

Il était grand temps de fuir.

52

La porte arrière de la camionnette s'est ouverte brutalement et plusieurs gendarmes armés se sont précipités à l'intérieur. On m'a retiré mes chaînes et je suis descendue précipitamment du véhicule, encadrée par deux anges gardiens. Une odeur d'essence insoutenable flottait dans l'air, les hurlements de la foule couvraient jusqu'aux battements de mon cœur.

On m'a entraînée vers le véhicule qui fermait le convoi, encore intact. Autour de nous, les manifestants couraient dans tous les sens en poussant des cris. Une demi-douzaine d'énergumènes au regard haineux ont voulu nous bloquer le passage en me reconnaissant. La police a aussitôt ouvert le feu. Deux manifestants, touchés en pleine poitrine, se sont effondrés. Un autre, échappant aux policiers anti-émeute, a lancé dans ma direction une brique qui a atteint le gendarme agrippé à mon bras gauche. Il est tombé à genoux, m'entraînant dans sa chute. J'ai récupéré instinctivement la brique, prête à me défendre. Le gendarme m'a remise sur pied et nous sommes repartis tant bien que mal.

Un excité s'est jeté la tête la première contre les boucliers des policiers qui l'ont arrosé de coups de matraque. Le vacarme était assourdissant, alimenté par une folie humaine que décuplaient la rage et le désespoir…

Au milieu de cette effervescence, mon attention s'est trouvée attirée par un individu, debout à l'écart de la mêlée. Il paraissait étrangement immobile en dépit de l'agitation générale. Il a relevé lentement le pan de sa chemise, dévoilant une arme coincée dans sa ceinture. Muette de saisissement, j'ai levé le bras à l'instant où il relevait le canon du pistolet. La brique, en lui effleurant l'épaule, l'a déséquilibré et le coup est parti en l'air. L'un des gendarmes a fait feu, du sang a giclé de son torse et il s'est écroulé. Des membres de la police anti-émeute se sont alors rués sur lui, l'ont désarmé et retourné avant de le menotter.

La vue du sang a suffi à effrayer les manifestants les plus proches et je me suis enfuie en courant, entraînée par mes protecteurs. Ils m'ont poussée à l'arrière du véhicule qui fermait le convoi, le conducteur a fait demi-tour sur les chapeaux de roues et enfoncé la pédale d'accélérateur.

— Vous êtes… sauvée, a haleté le gendarme assis à côté de moi.

Sauvée ?

Provisoirement, peut-être. J'en arrivais à me demander si je verrais la fin de mon procès.

53

Je n'avais aucune idée de l'endroit où je me trouvais. L'expression « dans un lieu tenu secret » prenait brusquement tout son sens, puisqu'on n'avait pas jugé utile de me tenir au courant.

Je savais seulement que j'étais sur une base militaire de l'armée française, derrière des barbelés dont on m'avait fait comprendre que je m'y arracherais les mains si je m'en approchais.

Toujours est-il que j'étais en vie, et à peu près indemne. Les plaies et les bosses dont je souffrais – un genou écorché lors de ma chute et de mauvaises coupures au niveau des poignets, provoquées par les menottes lorsque l'embardée de la camionnette m'avait éjectée du banc sur lequel j'étais assise – étaient mineures au regard des événements. Un médecin militaire s'était contenté de panser mes blessures au poignet à l'aide de gaze et de sparadrap.

— Comment vous sentez-vous, madame Elliot ?

La question m'était posée par Dan Ingersoll, le conseiller juridique auprès de l'ambassade des États-Unis à Paris. Il portait le joli costume bleu qu'il réservait au procès, auquel il assistait quotidiennement. Tout au long de mon instruction, il n'avait jamais cessé de s'adresser à moi avec formalisme. Il me rendait visite plusieurs fois par semaine, s'assurait de ma sécurité et de mon alimentation, veillait à ce que l'on préserve mes droits, fidèle à son rôle de diplomate. Il avait mis un point d'honneur à vérifier que ma dignité n'était pas bafouée dans l'attente de mon procès, et ses conversations avec moi se limitaient à ces sujets.

En dépit de cette façade officielle, Dan s'inquiétait sincèrement pour moi. Les rares fois où j'avais eu des plaintes à émettre, il avait agi avec zèle. Quand je me posais une question, il m'apportait une réponse. Et chaque fois que j'éprouvais le besoin de m'épancher, il m'écoutait.

J'ai voulu le rassurer en le voyant poser un regard inquiet sur mes poignets bandés.

— C'est à cause des menottes. Je n'ai pas cherché à me suicider.

Il a hoché la tête.

— Ah.

— Où suis-je ?

— Sur la base aérienne de Creil, à une cinquantaine de kilomètres au nord de Paris. C'en est terminé des changements de prison quotidiens. Ils ont décidé de vous confier toutes les quatre aux militaires. Vous effectuerez désormais les trajets jusqu'au palais de justice en hélicoptère.

Restait à savoir si mes conditions de détention s'en trouveraient améliorées, ou bien dégradées. Je penchais pour la seconde solution.

— Qui est le type qui a voulu me tuer, Dan ?

Il a haussé les épaules.

— Les autorités ne savent quasiment rien de lui, sinon qu'il avait vingt-deux ans, avait interrompu ses études à la Sorbonne et admirait Dévereux. Il souffrait apparemment de problèmes psychologiques.

— Vous parlez de lui au passé.

— Il est mort, a soupiré Ingersoll. Les émeutes ont fait trois victimes, et une trentaine de blessés. J'ai cru comprendre qu'ils avaient arrêté une soixantaine de personnes.

— Trois personnes sont tombées sous mes yeux, touchées par balle.

Il a secoué la tête.

— Les gendarmes mobiles se sont servis de balles en caoutchouc. Seuls les gardes qui vous escortaient étaient armés à balles réelles. Ils ont abattu le type qui a voulu vous tuer. Un autre est mort d'un coup de matraque. Un troisième, plus âgé, a succombé à une crise cardiaque.

J'ai été parcourue d'un frisson. Trois morts, plus de trente blessés. J'ai baissé la tête, les yeux fermés. La liste des victimes de notre petit week-end à Monaco continuait à s'allonger.

— Ah ! J'oubliais ! L'équipe des New York Yankees nous a contactés, a ajouté Dan. Ils ont vu à la télévision votre jeté de brique, ils sont prêts à vous prendre sous contrat.

J'ai esquissé un sourire. Sa volonté de me remonter le moral était louable.

— Ils étaient armés de simples cocktails Molotov, a répondu Dan quand j'ai souhaité savoir ce qui avait déclenché les incendies. Une bouteille remplie d'essence, un chiffon imbibé d'alcool coincé dans le goulot en guise de mèche. Il n'y a plus qu'à l'allumer et jeter la bouteille. Une bombe incendiaire artisanale qui a fait ses preuves depuis plusieurs siècles.

— Elle a fait ses preuves aujourd'hui.

Il a souri pour une raison qui lui appartenait, avant de recouvrer son sérieux.

— Nous sommes en contact avec le ministère de l'Intérieur au sujet de votre sécurité et de celle de Mme Schofield. Et nous sommes sur la même longueur d'onde qu'eux, madame Elliot. Les événements d'aujourd'hui leur ont fait l'effet d'une gifle. Les politiques détestent donner l'impression de ne pas contrôler la situation. Surtout lorsqu'ils sont arrivés au pouvoir à cause de l'assassinat du président.

Il a repris son souffle.

— Ils s'engagent à garantir votre sécurité, a-t-il ajouté sur un ton rassurant.

Mon petit doigt me disait que cette posture gentiment paternaliste ne lui déplaisait pas. J'aurais parié qu'il avait une fille.

— Pendant le procès, j'imagine. Ils s'engagent à garantir ma sécurité pendant le procès. Mais pas après.

Dan n'a pas cherché à me contredire. Qu'aurait-il pu dire ? Il lui suffisait de voir ce qui s'était passé alors que j'étais sous la garde d'une escorte armée pour imaginer ce qui m'attendrait le jour où je serais seule dans une cellule, ou alors dans la cour d'une prison.

Arrête d'avoir des idées noires, Abbie.

Les débats devaient reprendre la semaine suivante. Nous avions une ligne de défense, et de nombreux éléments en notre faveur. Nous allions enfin pouvoir être entendues. Nos experts pourraient également témoigner que les pièces à conviction avaient très bien pu être placées dans la voiture, qu'il était très facile de dupliquer des clés électroniques. Et nos maris pourraient certifier que nous n'étions pas des monstres, en dépit de tous nos défauts.

La bataille ne faisait que commencer. Notre défense tenait la route. Nous gardions toutes nos chances.

J'étais la première à répéter à mes enfants qu'il ne fallait pas perdre espoir.

Restait à m'en convaincre moi-même.

54

Je me noie dans une mer d'eau bouillante, ma chair se détache de mes os. Je voudrais crier, mais seul un murmure désespéré s'échappe de mes lèvres. Ma tête se retrouve submergée et je découvre les visages de mes enfants, Richie et Elena, déformés par les vagues qui agitent l'eau. Ils m'appellent et me tendent la main, mais je refuse de saisir leurs doigts, effrayée à l'idée que la mer les ébouillante à leur tour. *Allez-vous-en.* Je me veux implorante. *Allez-vous-en avant d'être brûlés...*

Je me suis dressée d'un bloc en aspirant goulûment une longue bouffée d'air. Un homme, debout derrière la porte de ma cellule, faisait tinter une clé métallique sur les barreaux.

J'ai mis un certain temps à émerger de mon rêve, à émerger de l'eau brûlante, les yeux bouffis de sommeil.

L'homme a déverrouillé la porte et s'est approché. Il était habillé tout en noir, et c'est tout juste si je devinais sa silhouette.

— Levez-vous, m'a-t-il commandé.

Je me suis exécutée et il m'a tirée de ma cellule par le bras. Un autre homme, tout en noir lui aussi, nous attendait dans le couloir. Il s'est glissé dans notre sillage. J'avais du mal à suivre mon guide, mal réveillée, peinant à avancer avec des chaussettes qui glissaient sur le sol. Nous avons descendu deux étages, jusqu'à ce qui devait être une autre cellule. Malgré l'obscurité, j'ai compris qu'elle n'était pas vide. Des respirations rauques me parvenaient, ainsi qu'une odeur que je ne parvenais pas à identifier. Une odeur de peur…

La lumière s'est allumée. Bryah, Serena et Winnie étaient assises dans trois des coins d'une pièce dépourvue de tout mobilier, toutes vêtues de la même robe grise qu'on m'avait fournie. Nous nous sommes regardées en papillotant des yeux sous l'effet de la surprise. Je devais moi-même ressembler au tableau qu'elles m'offraient : des yeux rougis par le sommeil, des mèches dans tous les sens.

Nous sommes restées silencieuses pendant de longues minutes. Aucune de nous ne prononçait une parole. Aucune de nous ne comprenait. Nous avons tourné la tête dans un même mouvement en entendant l'écho de pas dans le couloir.

Le colonel Durand, *alias* Mâchoire carrée, a franchi le seuil de la cellule. Il s'est immobilisé au milieu de la pièce et nous a regardées l'une après l'autre, étudiant soigneusement nos visages d'un air presque amusé. Puis il a entamé une ronde en hochant la tête, le menton dans la main.

— Winnie Brookes a assassiné le président. Personne ne saurait revenir là-dessus. Quant aux autres, vous étiez au courant du chantage, sans plus. Vous n'avez jamais eu l'intention de tuer. Vous vous êtes contentées de dissimuler ce crime, *après* les faits. Winnie ne voulait pas commettre un meurtre. Elle a… perdu pied. Rien n'était prémédité. Un chantage qui a mal tourné.

Durand nous a observées l'une après l'autre.

Je me suis hasardée à l'interroger.

— Est-ce une question, ou bien une affirmation ?

— Une affirmation. Une affirmation que vous reprendrez toutes à votre compte lors de la reprise des débats, lundi. Le procès sera clos le jour même. Ce procès se termine lundi.

Lundi ?!!

— Non. Les témoignages en notre faveur prendront des semaines.

Durand a posé sur moi un regard plein d'assurance avant de s'approcher de Bryah.

— La description que je viens de vous donner ressemble à s'y méprendre à la déclaration que vous avez signée, madame Gordon.

— Vous m'avez piégée, a-t-elle rétorqué.

Il l'a menacée d'un doigt.

— Assez. Vous avez accepté de coopérer par le passé et vous accepterez à nouveau de coopérer. Vous déclarerez lundi à la cour ce que je viens de vous dire.

— En échange de quoi ? a-t-elle voulu savoir.

— Dix ans. L'avocate générale demandera contre vous une peine de dix ans, et la cour se pliera à sa requête.

— Comment pouvez-vous le savoir ?

Durand, ignorant ma question, a rejoint le coin où se tenait Serena.

— Cela vaut pour vous aussi, madame Schofield. Vous aussi avez accepté de signer cette même déclaration. Vous serez condamnée à dix ans de prison.

Il a écarté les mains.

— Un vrai cadeau. Vos enfants seront encore jeunes quand on vous libérera.

Serena et Bryah, parfaitement immobiles, affichaient un visage tendu.

— Madame Brookes.

Durand s'est tourné vers Winnie.

— Les preuves retenues contre vous sont… accablantes. Vous n'échapperez pas à un long enfermement. Estimez-vous heureuse que la peine de mort ait été abolie en France. Vous recevrez une peine de quarante ans de réclusion à cause de l'absence de préméditation. Une longue peine, je sais, mais préférable à la perpétuité. Il vous restera quelques belles années à vivre.

Winnie en restait sans voix. La proposition n'avait rien d'alléchant, mais les paroles de Durand trouvaient un écho en elle. Les preuves qui pesaient contre elle étaient effectivement très lourdes. Dans ses rêves les plus fous, jamais elle n'avait imaginé recevoir une offre quelconque de la part de l'accusation.

— Quant à vous, madame Elliot, a poursuivi Durand en se tournant vers moi.

J'ai pris ma respiration.

— Vous avez refusé de coopérer avec nous, sans pour autant avoir tiré sur ces deux hommes ou mis au point les détails du meurtre. Vous recevrez une peine de vingt ans, pour votre manque de coopération.

J'ai fait non de la tête.

— Vous n'avez aucune autorité pour…

— Vous me promettez une peine de dix ans ? m'a interrompue Bryah.

— Je vous le promets, a répliqué Durand sans me quitter des yeux. Et vous, madame Elliot ? Vous croyez sincèrement que je n'ai aucune autorité ? Je représente les services secrets. L'autorité, c'est *moi*.

Il a consulté sa montre.

— Il est 2 heures du matin. Je vous donne jusqu'au lever du soleil pour prendre votre décision. Passé ce délai, mon offre expirera.

Il a signalé à ses deux sbires de le suivre et le trio a franchi le seuil de la pièce.

— Ah ! Un dernier détail ! a-t-il précisé en glissant un œil à travers les barreaux de la porte. Il s'agit d'une offre globale. Compris ? Vous l'acceptez toutes, ou bien vous la refusez toutes.

La porte s'est refermée avec un *bang* métallique et il a disparu dans le couloir.

55

Nous sommes restées un long moment sous le choc. Avions-nous rêvé ? S'agissait-il d'une farce cruelle, d'une plaisanterie sadique ? Non. Le gouvernement français souhaitait clore ce procès au plus vite, avant que se multiplient les alertes à la bombe, les manifestations ou les tentatives d'assassinat. « Les événements d'aujourd'hui leur ont fait l'effet d'une gifle », m'avait prévenue Dan Ingersoll. Bien entendu. Ils souhaitaient des aveux, une condamnation rapide, et l'oubli définitif de toute cette histoire.

— Je suis prête à accepter, nous a annoncé Serena.

— Ah oui ?

Winnie a bondi sur ses jambes.

— Je croyais qu'on t'avait « piégée » en te faisant signer cette déclaration ? Tu es donc prête à me jeter aux fauves, c'est ça ?

Serena a explosé à son tour :

— Parce que c'est moi qui ai entraîné les autres dans cette boîte de nuit ? Parce que c'est moi qui avais un rendez-vous secret avec mon petit ami ? Parce que c'est moi qui ai oublié de préciser à mes copines que le petit ami en question était le président français ?

— La belle affaire ! De toute façon, tu étais trop occupée avec Luc pour t'en inquiéter. Comme si j'étais reponsable de toute cette histoire !

— Ah non ?

Serena a fait un pas en avant.

— Qui nous dit que ce n'est pas toi qui les as *vraiment* tués pendant qu'on dormait, Winnie ? Qui nous le dit ? Après tout, j'ai cru comprendre que ton petit copain le président avait décidé de te larguer !

— Tu me crois sincèrement capable de…

Winnie, la main crispée sur sa poitrine, n'a pas pu achever sa phrase. Il était temps d'intervenir.

— Les filles. Arrêtez un peu. C'est exactement ce qu'ils veulent.

J'en étais intimement persuadée. Durand était mieux placé que quiconque pour savoir que nous n'avions jamais eu l'occasion de nous reparler depuis le jour de notre arrestation. Nous avions toutes des rancœurs, et voilà qu'on nous donnait brusquement l'occasion de les exprimer. Durand nous obligeait à nous entendre, d'une façon ou d'une autre, sachant que l'offre faite à Bryah et Serena était si tentante qu'elles ne la laisseraient jamais passer, et qu'elles feraient le maximum pour forcer la main de Winnie comme la mienne.

— Moi aussi, j'accepte, a décidé Bryah en se postant à côté de Serena. Craig n'a que quatre ans. Je dois penser à lui. Winnie, que tu sois coupable ou innocente, ils te tiennent, et tu as de la chance d'en prendre seulement pour quarante ans.

— Comme c'est charmant ! s'est exclamée cette dernière en s'avançant, les poings serrés. À propos, Bryah, je ne sais pas si tu as remarqué, mais tu es curieusement épargnée par toutes ces histoires de sang, d'ADN et d'empreintes digitales.

Je me suis interposée.

— Arrêtez !

— Qu'est-ce que tu sous-entends ? a crié Bryah.

— Rien du tout, ma chérie. Je remarque simplement que ça tombe bien pour toi. Nous avons toutes l'air d'être coupables, sauf toi…

— Ça tombe bien ?

Bryah a giflé Winnie de toutes ses forces.

— Ça tombe bien ? Parce que tu trouves peut-être que tout ce qui nous arrive tombe b…

Winnie s'est jetée sur Bryah. Elle l'a frappée à l'épaule avant de l'agripper par les cheveux.

Emmêlées dans une folle empoignade, elles se sont écrasées contre le mur avant que je parvienne à les séparer.

— Arrêtez tout de suite !

Je les tenais à bout de bras.

— Vous battre ne réglera rien du tout.

— Il est temps qu'elle accepte de regarder la réalité en face, Abbie, a répliqué Bryah, tout essoufflée. Si elle refuse ce deal, personne ne pourra en profiter.

— Tout est de ta faute, Winnie, a renchéri Serena en tendant vers elle un index accusateur. Tu as fichu nos vies en l'air en nous présentant ces gens.

Winnie a ouvert la bouche pour se défendre avant de s'arrêter net. Elle a dévisagé successivement Serena et Bryah, ses meilleures amies, et puis elle s'est écroulée. Prise de sanglots incontrôlables, elle criait comme un animal blessé en frappant le béton de ses poings, le corps comme secoué par des secousses électriques.

Serena a levé les yeux vers moi.

— Tu dois la convaincre, Abbie. Tu es la seule qu'elle ait jamais écoutée.

La crise de Winnie a duré une éternité, jusqu'à ce que ses cris se transforment en gémissements et qu'elle s'immobilise en position fœtale, les yeux hagards. Je n'ai pas eu besoin de la convaincre de quoi que ce soit.

— Je… je n'en peux plus, a-t-elle prononcé d'une voix éraillée, dépourvue de toute émotion. J'accepte leur offre.

J'ai baissé la tête, honteuse de ce que nous étions devenues. Winnie se délitait sous nos yeux, en même temps que notre amitié. Terrifiées à l'idée du sort qui nous attendait, nous étions incapables de trouver une issue à ce cauchemar. À défaut d'avoir une porte de sortie, nous avions le choix entre une solution merdique et une possibilité presque aussi terrible.

Vingt ans. Une proposition acceptable, à condition d'examiner la situation avec un minimum d'objectivité. Mon avocat serait ravi.

Mais quelle vie m'attendrait à ma sortie de prison ? Si j'en sortais vivante ?

— Alors nous sommes d'accord ? a demandé Serena.

Durand nous avait bien précisé qu'il s'agissait d'une offre groupée.

Trois votes pour, et j'étais la dernière à m'exprimer.

L'espoir. Je passais mon temps à en parler à Richie et à Elena. Une lueur à la sortie du tunnel, même si ce tunnel devait durer vingt ans. Voir mes enfants s'épanouir dans l'âge adulte. Gâter mes petits-enfants…

J'ai pris ma respiration et laissé retomber ma nuque contre le mur. Les yeux rivés au plafond, peut-être étais-je à la recherche d'un signe.

D'une preuve que je m'apprêtais à commettre la plus grosse bourde de toute mon existence.

— Je suis désolée. Je ne suis pas d'accord avec leur proposition.

56

Je me retrouvais seule à présent, plus seule que jamais, au terme de trois heures durant lesquelles mes amies avaient désespérément tenté de me faire changer d'avis. Elles m'avaient suppliée. Elles m'avaient culpabilisée. Elles m'avaient menacée. Elles avaient même voulu m'acheter.

À l'aube, lorsque Durand était revenu, Serena et Bryah l'avaient imploré de m'exclure de sa proposition afin qu'elles puissent l'accepter. Il s'était montré intraitable. Le but de la manœuvre consistait à mettre un terme au procès, ce qui était impossible tant que je refusais d'avouer.

Son offre ne tenait que si je l'acceptais aussi.

— Tu n'as pas le droit de nous infliger ça ! hurlait Serena lorsque les gardiens sont venus la chercher.

— Je t'en prie, Abbie ! Réfléchis ! m'implorait Bryah tandis qu'on l'emmenait de force.

Les autres ont été reconduites dans leurs cellules et je suis restée seule dans cette pièce, la tête entre les mains, alors que les heures s'écoulaient. Jusqu'au moment où l'épuisement a remporté son combat contre le stress. Je me suis allongée à même le sol en béton.

J'ai dû m'assoupir quelques minutes à deux ou trois reprises, mais j'ai essentiellement fixé le mur en me demandant comment j'avais pu en arriver là, terrifiée devant l'avenir qui m'attendait.

J'ai relevé la tête en entendant des pas dans le couloir. Mon estomac se rappelait à mon bon souvenir, signe qu'il devait être midi, sans que j'en sois certaine.

Mon mari m'a rejointe dans ma cellule. Le garde qui l'accompagnait a refermé la porte derrière lui avant de s'éloigner.

— La nuit a été rude, m'a dit Jeffrey.

J'ai acquiescé. Je me suis relevée péniblement, le dos en marmelade.

— Abbie. J'ai vu ce Durand. Il m'a dit qu'il te laissait une dernière chance d'accepter.

Je me suis frotté les yeux, histoire de m'éclaircir les idées.

— Je ne peux pas.

— Comment ça, tu ne peux pas ? Bien sûr que si.

J'ai détourné le regard.

— Pense à tes amies…

— Arrête, Jeffrey. Je refuse qu'on me rende responsable de ce qui leur arrive. Ce n'est pas moi qui leur ai fait cette proposition ridicule.

— Alors pense à nos enfants, Abbie.

Je me suis tournée vers lui. Comment osait-il avancer un argument pareil ? À quoi croyait-il que je jouais ? Il n'avait donc pas compris que je pensais *uniquement* à mes enfants, justement ? Même au pire moment de notre relation, quand j'avais appris qu'il me trompait, jamais le fossé qui nous séparait n'avait été aussi profond qu'à cet instant précis. On aurait pu croire que Jeffrey Elliot ne me connaissait pas.

— Jeff, comment pourrai-je jamais regarder Richie et Elena dans les yeux si j'avoue un crime que je n'ai pas commis ? Comment pourrai-je leur inculquer les vertus de l'intégrité et du courage si je renonce à mes principes à la première bourrasque ?

Il s'est avancé d'un pas.

— Tu n'as qu'à leur expliquer que tu l'as fait pour sortir un jour de prison. Pour pouvoir passer du temps plus tard avec eux et avec *leurs* enfants. Enfin, Abbie !

Il a joint les mains en signe de supplication.

— Tu crois peut-être que tes enfants se porteront mieux si leur mère passe le reste de sa vie dans une vacherie de prison française au nom de ses principes ?

Je me suis passé la main sur le visage, décidée à rester calme.

— Ils sauront que leur mère a eu le courage de se battre au nom de la vérité. Ça ne compte pas, ça ?

— Abbie…

— Et comment se fait-il que personne ne cherche à comprendre ce qui s'est vraiment passé, Jeffrey ? Pourquoi ne passez-vous pas vos jours et vos nuits, avec Jules, à retourner la moindre pierre pour savoir qui a commis ces meurtres ? L'idée ne t'a jamais effleuré ?

Jeffrey a pris sa respiration.

— Tu es injuste, Abbie. Tu sais très bien que nous avons tenté l'impossible.

— Neuf mois ! Neuf mois se sont écoulés, et vous n'avez pas l'ombre d'une piste !

— Ce n'est pas la question. Ce n'est *plus* la question.

J'ai enfoui les doigts dans mes cheveux en retenant mon souffle. J'étais au bord de l'implosion. C'était trop. J'ai fini par me reprendre, le temps de réfléchir une dernière fois.

— Je suis désolée. J'en suis incapable.

— Oh putain ! a gémi Jeffrey en écartant les bras. Elle va vraiment refuser cette offre.

— Jeffrey…

Pour éviter de tomber, il s'est appuyé contre le mur d'une main en secouant violemment la tête.

— Jeffrey. J'ai besoin de ton soutien. Je ne peux pas y arriver toute seule. Tout le monde…

Les mots se sont coincés dans ma gorge. J'ai dégluti avant de tenter à nouveau ma chance d'une voix rauque :

— Tout le monde est contre moi. J'ai besoin que tu sois avec moi. *Je t'en prie.*

— Non.

Il a secoué la tête d'un air décidé.

— Je ne suis pas d'accord. Je ne peux pas. Tu sacrifies tes enfants, tes amies, et moi avec.

Il a levé les mains.

— Et tout ça pour quoi ? Au nom d'un principe ? Au nom de la vérité ?

J'ai pris ma respiration en scrutant longuement le visage de celui que je considérais comme mon mari. À cet instant précis, j'avais le pressentiment qu'il ne le resterait pas longtemps.

J'ai opiné.

— Exactement, Jeffrey.

Le visage cramoisi, Jeffrey s'est approché de moi à me toucher.

— Écoute, tu dois bien comprendre que tu es responsable de la suite. Que ça te plaise ou non. Winnie, Bryah et Serena. Nos enfants. Leur sort à tous est lié à ta décision. Tout dépend de toi, et de toi seule. Tu te sens vraiment prête à jouer aussi gros d'un seul coup de dés ?

À vrai dire, je n'étais prête à rien de ce qui m'arrivait. Et ce n'était pas une partie de dés. Je m'efforçais tant bien que mal de garder la tête hors de l'eau.

J'avais déjà tant perdu… Mon intimité, ma réputation, ma vie normale. Il ne me restait plus qu'un atout : mon intégrité. Je ne pouvais pas les laisser me la prendre aussi.

Jeffrey avait raison. Que ce soit juste ou non, je prenais cette décision seule. La violence de cette brusque prise de conscience me coupait le souffle, mais je n'avais pas le choix.

J'allais devoir traverser cette épreuve entièrement seule.

57

Du ciel, à bord de l'hélicoptère où j'avais pris place, la pointe ouest de l'île de la Cité ressemblait à une zone occupée. Le Pont-Neuf, le pont Saint-Michel et le pont au Change étaient interdits à la circulation, bloqués par des véhicules blindés. L'accès au secteur, placé en quarantaine, était interdit aux citoyens ordinaires, et des soldats en armes patrouillaient les rues voisines du palais de justice, à l'exception du quai de la Corse où avait été dressé un poste de contrôle dont les occupants repoussaient sans états d'âme les véhicules non autorisés.

Les récentes émeutes avaient laissé des traces visibles : des réverbères avaient été arrachés, de grandes traînées noires marbraient la chaussée là où avaient éclaté les cocktails Molotov, et les vitrines brisées des restaurants, des cafés et des magasins victimes de dommages collatéraux étaient bardées de planches. Le coût des dégâts avait été estimé à plusieurs millions d'euros.

— Tout ça à cause de nous, ai-je marmonné alors que l'hélicoptère amorçait sa descente.

L'appareil judiciaire français avait hésité à délocaliser le procès dans des installations militaires avant de camper sur ses positions, sans doute pour ne pas donner l'impression de céder sous la pression des manifestants. Il n'empêche, mes compagnes et moi-même passions désormais nos nuits dans un centre de détention militaire, et les troupes de la République occupaient le périmètre du palais de justice. Les seuls civils autorisés à pénétrer dans cette zone interdite étaient les représentants des médias, à condition de pouvoir justifier d'une accréditation en bonne et due forme et d'accepter de franchir le poste de contrôle à bord de véhicules blindés.

L'hélicoptère s'est posé sous bonne garde dans la cour du palais de justice, au pied du prestigieux bâtiment abritant la plus haute juridiction française. Ma sortie de l'hélico tenait de l'exercice militaire. Une haie de soldats m'attendait au pied de l'appareil afin d'assurer ma protection, au milieu des cris et des ordres, jusqu'aux portes du bâtiment.

Nous nous sommes retrouvées toutes les quatre dans l'antichambre de la salle d'audience. Serena et Bryah m'ont regardée avec des yeux brillants de larmes, décidées à jouer leur va-tout.

— Tu n'as pas le droit de nous infliger ça, a recommencé Serena. Je t'en prie.

Et puis les gardiens nous ont fait signe, et nous sommes entrées dans le tribunal en file indienne.

J'étais appelée à témoigner ce jour-là.

58

Assis derrière la table qui lui servait de tribune au milieu des autres juges, le président était rouge de colère. Il s'agissait de la première audience depuis les émeutes et le magistrat souhaitait exprimer sa position.

— Rien ne saurait arrêter la justice dans ce tribunal. Rien ne saurait la retenir, rien ne saurait freiner son cours.

Il me fixait en s'exprimant, comme si j'étais responsable des événements récents. Comme si j'avais fourbi un plan savant pour lui échapper le temps d'une journée. Il a continué sa diatribe :

— J'entends mener ce procès à son terme avec toute la rigueur voulue, et sans délai. Je ne me laisserai pas distraire de ma mission un jour de plus. Les citoyens de notre grande République réclament que justice soit rendue, il est de notre devoir de répondre à cette exigence avec toute la célérité requise.

La cour a approuvé d'un air grave et tous les regards se sont tournés vers moi.

— Madame Elliot, a repris le président. Êtes-vous prête à témoigner ?

Je me suis levée dans le box en m'avançant jusqu'au micro.

— Oui, monsieur le président.

— Continuez-vous à nier les charges qui pèsent contre vous ?

La question était pour le moins étrange. Il faisait manifestement allusion à mon refus d'accepter la proposition du colonel Durand.

— Oui, monsieur le président.

— Vous m'en voyez déçu.

Déçu ?!!

— Monsieur le président, je n'ai rien à me reprocher, de sorte que…

— Nous avons déjà entendu vos dénégations, je crois.

Le président a saisi à deux mains l'énorme dossier posé devant lui et l'a laissé retomber avec un bruit sourd.

— Si je ne me trompe, vous avez livré votre témoignage au juge d'instruction.

— En effet.

— Vous comptez donc camper sur vos positions ?

— Jusqu'au bout.

— Jusqu'au bout, a répété le président en dévisageant les autres membres de la cour.

— Monsieur le président, la cour a eu l'occasion d'entendre d'autres témoignages figurant au dossier. Je demande respectueusement que le même droit me soit accordé…

— La cour n'a pas de leçons de procédure à recevoir de vous, madame Elliot.

J'ai repris ma respiration.

— Si vous me per…

— La cour a examiné avec la plus grande attention vos déclarations au magistrat instructeur. Ses membres n'ont aucune question à vous poser. Si vous tenez à sa disposition des déclarations additionnelles, la cour est disposée à les entendre, mais vos protestations d'innocence lui sont déjà connues.

Sa position me rendait perplexe.

— Êtes-vous prête à nous livrer des informations complémentaires, madame Elliot ?

— Monsieur le président, je… je ne suis pas certaine de savoir comment m'y prendre.

— Il vous suffit de répondre à ma question. Avez-vous des éléments nouveaux à nous communiquer ?

J'ai respiré lentement de façon à me calmer. J'étais cramoisie.

— Monsieur le président…

— Êtes-vous en mesure d'apporter la preuve de la malveillance d'un tiers ? Êtes-vous en mesure de nous révéler l'identité de la ou des personnes en possession des informations et des moyens nécessaires à la mise en œuvre de la machination dont vous affirmez être victime ?

— Je… non, je ne suis pas en mesure de vous communiquer un nom précis.

— Dans ce cas, vous n'avez rien d'autre à nous offrir que vos dénégations. Nous en tiendrons compte lors de nos délibérations.

Le président a cherché du regard l'approbation de ses collègues, histoire de confirmer que la cour était unanime.

— Nous ne voyons pas l'utilité d'entendre votre témoignage.

— Comment ? Vous refusez de me laisser témoigner ? Mais c'est une plaisanterie !

Jules a bondi de sa chaise.

— Monsieur le président, je demande à pouvoir m'entretenir brièvement avec ma cliente.

Le président a posé sur moi un regard mauvais avant de se tourner vers mon avocat :

— Puisque vous le jugez utile, je vous accorde une minute. Je n'ai pas l'intention de suspendre la séance.

Jules s'est approché de l'hygiaphone dont disposait le box des accusés. Je l'ai imité de l'autre côté de la vitre tout en couvrant le micro de la main.

— Abbie, a-t-il murmuré. Vous devez accepter leur proposition. En espérant qu'il ne soit pas trop tard.

— Non.

— Je suis persuadé qu'ils ont reçu des pressions pour conclure ce procès au plus vite. Ils vous feront payer les pots cassés si vous les obligez à poursuivre les débats jusqu'au bout.

— Non.

— Abbie, écoutez-moi. C'est fini. Tout l'indique dans leur comportement. Je suis désolé, mais c'est fini…

— Non !!!

J'ai secoué la tête avec virulence, puis je me suis tournée vers la cour en retirant ma main du micro.

— C'est honteux ! J'ai le droit de témoigner au même titre que n'importe qui d'autre. Je n'ai rien à me reprocher et je me fiche de vos menaces et de vos moyens de pression. Je refuse de reconnaître un crime que je n'ai pas commis. Vous n'avez pas le droit ! *Vous n'avez pas le droit !*

Le président a glissé quelques mots à l'huissier et mon micro a été coupé. Mais rien n'aurait pu m'arrêter et j'ai continué d'invectiver les juges. Les gendarmes m'ont alors ordonné de me rasseoir. Face à mon refus, ils m'ont attrapée par le bras et m'ont poussée de force sur ma chaise.

J'ai arraché mes écouteurs, tremblante de rage. Mon cœur battait si fort que ma vision commençait à se brouiller. Cela ne m'a pas empêchée de voir Jeffrey, installé au premier rang, se couvrir le visage de honte. Serena, Bryah et Winnie étaient en larmes, conscientes que leur sort était définitivement scellé. Le président continuait de m'admonester d'une voix tremblante de colère. Je ne savais pas ce qu'il me disait, faute de pouvoir entendre la traduction simultanée, mais je n'en avais cure.

J'avais compris. Le dernier espoir auquel je me raccrochais venait de s'envoler définitivement. Mon orgueil, mon entêtement, ma naïveté m'avaient empêchée de le comprendre plus tôt. Plus rien n'avait d'importance. Les regrets n'étaient plus de mise. L'espoir se trouvait désormais sur une planète lointaine, hors d'atteinte.

Tout était consommé.

59

— Écoutez-moi.

J'ai caressé tendrement la joue mouillée de larmes de ma fille. Ses épaules s'agitaient au rythme des hoquets qui lui secouaient la poitrine. Incapable de me regarder dans les yeux, elle s'efforçait de maîtriser ses émotions, consciente de l'importance de cet instant.

J'ai posé mon autre main sur l'épaule de Richie. Lui aussi tremblait. Il ne disait rien, mais le rictus qui tordait ses traits le rendait méconnaissable.

— Écoutez-moi. Vous devez comprendre que j'ai voulu me battre au nom de la vérité. Je ne pouvais pas agir autrement. Ils ne pouvaient pas m'obliger à mentir. L'intégrité, la dignité et l'honneur ne sont pas négociables. Jamais. Pour personne. Vous comprenez ?

Mes deux enfants ont acquiescé, la gorge nouée.

J'ai pris longuement ma respiration.

— Vous savez ce qui compte le plus à mes yeux ? Que vous réussissiez dans la vie. Vous possédez tous les talents, je sais déjà que toutes vos entreprises seront couronnées de succès. Quelles qu'elles soient. Je me fiche que vous vous lanciez dans la physique nucléaire, que vous choisissiez l'enseignement, ou que vous deveniez éboueurs. Je veux que vous me promettiez d'aimer le métier que vous choisirez, et de vous y consacrer avec passion.

« Vous accomplirez des miracles. Vous vous ferez des amis pour la vie. Vous tomberez amoureux, j'espère que vous aurez des enfants qui vous donneront autant de bonheur que… que vous m'en donnez.

J'ai prononcé les derniers mots dans un souffle.

Je les ai pris dans mes bras et nous sommes restés soudés ensemble. En dépit de tout ce que j'avais vécu depuis des mois, je n'arrivais toujours pas à comprendre ce qui m'arrivait. Comment ma vie avait-elle pu m'échapper à ce point ?

J'ai fermé les paupières, portée par leur respiration. Je me suis forcée à croire que l'instant se figerait à jamais si je refusais de laisser partir mes enfants.

60

On m'a reconduite dans l'antichambre où j'ai retrouvé les trois autres. On leur avait également accordé le droit de dire adieu aux leurs, ce que confirmaient leurs yeux rougis et bouffis, leurs mines défaites. Elles n'avaient même plus la force de me haïr. Pour l'heure, en tout cas.

Le procès était terminé. Il avait duré à peine plus de trois semaines. Les experts et les enquêteurs engagés par nos soins avaient eu tout le loisir de témoigner. La cour leur avait concédé ce droit sans les écouter pour autant. Il s'agissait de sauver les apparences, de dire qu'ils avaient été entendus.

La cour a délibéré à huis clos pendant deux jours. Je ne comprends d'ailleurs pas pourquoi il leur a fallu si longtemps. Sans doute avaient-ils du mal à s'accorder sur la sentence, puisqu'ils étaient d'accord sur le verdict.

Les maris de mes trois compagnes avaient choisi d'assister au dernier acte du procès avec leurs enfants, contrairement à Jeffrey qui s'était éclipsé du palais de justice en compagnie de Richie et d'Elena, direction Orly où les attendait un vol à destination de la Suisse.

Sur ma requête. Je ne voulais pas qu'ils me voient dans cet état.

Le président a réglé son micro en se raclant la gorge.

— Aujourd'hui s'achève un moment de notre histoire, alors que s'en ouvre un autre. La perte d'un président apprécié de tous restera à jamais l'une des heures les plus douloureuses de notre République. À terme, portés par l'esprit de résistance qui caractérise notre nation, nous finirons par découvrir, avec le temps, que cette épreuve a également révélé le visage le plus lumineux de ce pays. Nous avons su afficher nos convictions tout en faisant preuve de compassion. Nous avons su afficher notre courage tout en faisant preuve de prudence. Et c'est avec la certitude d'agir au nom d'une justice sans faille que cette cour unanime prononcera son verdict.

« Je demanderai aux accusées de se lever.

« Winnie Brookes, la cour vous juge coupable des crimes qui vous sont reprochés. En conséquence, elle vous condamne à la réclusion criminelle à perpétuité incompressible.

« Bryah Gordon, la cour vous juge coupable des crimes qui vous sont reprochés. En conséquence, elle vous condamne à trente ans d'emprisonnement.

« Serena Schofield, la cour vous juge coupable des crimes qui vous sont reprochés. En conséquence, elle vous condamne à trente ans d'emprisonnement.

« Et Abbie Elliot, la cour vous juge coupable des crimes qui vous sont reprochés. En conséquence, elle vous condamne à la réclusion criminelle à perpétuité incompressible.

« Les prisonnières sont confiées à la garde du ministère de la Justice et des Libertés, à charge pour lui de les incarcérer au sein d'une institution pénitentiaire pour femmes.

« La cour, dans un verdict unanime, déclare clos le présent procès.

Les individus réagissent tous différemment, ce qui s'est confirmé ce jour-là. La plupart des présents ont salué bruyamment la décision de la cour. Maryse Ballamont a serré la main de ses adjoints. Winnie n'a pas esquissé un mouvement. Serena a failli s'effondrer, ses jambes ne la portaient plus. Bryah a été la seule à pleurer.

Quant à moi, ma réserve de larmes s'était tarie. J'avais épuisé la palette des émotions dont j'étais capable. Aussi me suis-je contentée de voir en spectatrice mes compagnes, menottées, embrasser une dernière fois leurs maris et leurs enfants. À présent que tout était consommé, les journalistes se sont précipités et nous ont mitraillées à distance, retenus par un cordon de gendarmes, en s'intéressant prioritairement aux adieux déchirants de Bryah, Winnie et Serena avec les leurs.

Mon mari et mes enfants avaient déjà disparu. À jamais. Étrangement, je ne trouvais pas l'énergie de hurler ou de pleurer. J'ai laissé tomber ma tête en arrière et mon regard s'est perdu dans le plafond, loin de cette salle d'audience.

Et puis, j'ai éclaté de rire.

ACTE III

Avril 2011

61

Des écharpes de brouillard défilaient de l'autre côté des vitres de l'autocar qui roulait sur l'A20 en direction de Limoges. Un brouillard gris, au diapason de l'hiver froid et sec qui s'était chargé de ternir le paysage de cette partie de France. À l'image du monde décoloré qui avait pris possession de mon âme.

Quatre voitures de police escortaient l'autocar dans sa course. Un hélicoptère volait au-dessus de nous, dont le bourdonnement se mêlait au grondement du moteur lancé à pleine vitesse.

Nous étions trente-quatre en tout, réparties sur vingt rangées de sièges séparées par une allée centrale. Un peu moins de trois douzaines de femmes fraîchement condamnées, ou en cours de transfert. La lie de l'humanité. Des meurtrières, des terroristes, des délinquantes sexuelles, des trafiquantes de drogue. Un mélange harmonieux de visages noirs, bruns et blancs. Des femmes au visage dur et aux yeux amers, le dos raidi par l'appel de la violence.

Nous étions enchaînées au niveau des poignets et des chevilles. Chaque rangée de sièges était séparée des autres par un grillage censé prévenir tout contact avec les détenues assises devant, derrière l'allée, ou de l'autre côté. Nous étions encagées comme des poulets en route pour l'abattoir, au milieu d'une odeur plus suffocante que celle d'un poulailler. Des effluves de crasse, de transpiration et de peur.

— *Maman ! Papa !* s'est écriée en français une femme deux rangées plus loin, de l'autre côté de l'allée. *Où sont mes parents ?*

Elle secouait la tête dans tous les sens en gémissant entre deux pleurnichements.

À l'avant du bus, Winnie regardait le paysage d'un œil éteint. Son visage défait et ses épaules voûtées trahissaient sa détresse. Ses avant-bras et ses poignets étaient si maigres que ses menottes la retenaient à peine. Ses cheveux, plats et ternes, étaient ceux d'une femme que l'on aurait tirée du lit après plusieurs journées passées à dormir.

J'ai lancé un coup d'œil par-dessus mon épaule. Serena, silencieuse à l'arrière du bus, avait l'expression fermée de ceux qui tentent de se blinder. L'ancienne championne olympique refaisait surface. Elle se préparait, mentalement et physiquement, à l'épreuve de la prison. Elle avait entendu à ce sujet les mêmes rumeurs que moi.

Bryah avait pris place sur la même rangée que moi, de l'autre côté de l'allée. On aurait dit une petite fille en plein cauchemar. Les yeux écarquillés, elle examinait les autres passagères avec effroi, affolée à l'idée du sort qui nous attendait dans l'établissement de haute sécurité où l'on nous conduisait. Personne n'aurait pu croire qu'elle avait trente-deux ans tant sa silhouette était fragile, son visage enfantin, son attitude passive. Un petit poisson au milieu d'un gang de requins.

Elle s'est tournée vers moi.

— Je n'y arriverai pas. Je ne pourrai jamais tenir trente ans.

Elle s'exprimait d'une voix si faible, j'avais du mal à la comprendre à travers le bruit du moteur et de l'hélicoptère. À défaut de distinguer ses mots, je les devinais dans ses yeux apeurés, dans sa bouche qui tremblait. Elle était sur le point de décrocher.

— Il ne s'agit pas de tenir trente ans, mais de tenir un jour à la fois.

— *Maman ! Papa !* a recommencé la même femme. *Où sont mes parents ?*

— *Eh*, a chuchoté la fille assise derrière Bryah. *Eh, toi !*

Personnellement, je l'aurais ignorée. Mon expérience des prisons françaises m'avait appris à éviter les provocations, mais Bryah s'est retournée.

Une fille grosse et sale, avec des bajoues, des yeux minuscules et des sourcils qu'on aurait cru peints sur son front. Elle s'exprimait dans un anglais correct, avec un accent marqué.

— Celle qui… qui réclame ses parents ? a-t-elle expliqué. Elle les a *tués*. Elle a mis le feu à leur maison.

— Oh, mon Dieu…, a balbutié Bryah en se couvrant la bouche de ses mains menottées.

— Et moi ? T'as envie de savoir… qui j'ai tué ?

Je l'ai arrêtée d'une voix ferme.

— Non. Elle n'a aucune envie de le savoir. Laisse-la tranquille.

— J'ai tué la fille qui partageait ma cellule… à Rennes. Elle ronflait.

Bryah a éclaté en sanglots, les épaules agitées de tremblements.

— Et toi… tu ronfles ? a insisté la fille en collant son front contre le grillage qui la séparait du siège de Bryah.

— Ta gueule !

Mais la fille se fichait bien de mes avertissements.

— C'était une Black. Comme toi, a-t-elle glissé à Bryah. J'adore les Blacks.

— Ne l'écoute pas, Bryah.

— T'as envie de partager ta cellule avec moi, la Black ?

Bryah s'est roulée en boule en grelottant de peur.

— Je ne peux pas ! s'est-elle écriée. Je veux rentrer chez moi ! Abbie, je veux rentrer chez moi !

— Allez, ma chérie ! Tiens bon. Tu verras, ça va aller.

Je criais pour être certaine qu'elle m'entende, les doigts accrochés aux mailles du grillage. J'aurais aimé lui parler d'une voix calme et rassurante. Ce n'était pas le moment qu'elle perde les pédales. Si jamais elle arrivait dans notre nouvelle prison dans cet état, elle serait une proie facile pour tous les requins assoiffés de sang.

Bryah, pliée en deux, a vomi par terre. Une clameur a traversé le bus. Les filles criaient, poussaient des hourrah, ridiculisaient Bryah en qui elles avaient reconnu le maillon faible de la chaîne darwinienne que nous formions à l'intérieur de ce concentré d'enfer.

La grosse fille de derrière en a profité pour insister, encouragée par la vulnérabilité de Bryah. Elle a tambouriné de toutes ses forces contre le grillage qui les séparait.

— Une belle fille comme toi ! Tu risques d'avoir du succès, ma jolie ! l'a-t-elle raillée en français.

J'ai secoué le grillage à mon tour, ajoutant à la confusion qui régnait dans le bus.

— Ta gueule !

— Tu peux toujours te trancher la gorge avec tes menottes, a-t-elle conseillé à Bryah.

Le temps de comprendre, mon sang n'a fait qu'un tour. Ce monstre était en train de donner à Bryah la meilleure recette pour éviter les trente ans de prison qui l'attendaient.

— De toute façon, t'as tué le président ! a hurlé la fille obèse pour que tout le monde l'entende. Ce sera bientôt ton tour.

— Ta gueule ! Bryah ! Bryah ! Regarde-moi !

— Tranche-toi la gorge ! hurlait la grosse, son slogan aussitôt repris en chœur par les autres.

— Tranche-toi la gorge ! Tranche-toi la gorge !

Ces monstres avaient trouvé un nouveau jeu. C'était à qui ferait craquer l'une des nouvelles.

Bryah, le visage entre les genoux, ses mains menottées sur la nuque, tentait désespérément de leur échapper, de tout oublier. Je ne crois même pas qu'elle entendait mes encouragements au milieu du torrent de sifflets et d'invectives qui pleuvait sur elle.

Elle allait avoir besoin d'aide dans la prison. Comme nous toutes, car la grosse fille avait raison.

Criminelles ou non, la plupart de ces femmes se sentaient françaises, et nous avions assassiné leur président. Il ne faisait guère de doute qu'elles tenteraient un jour ou l'autre de nous le faire payer.

62

L'autocar a quitté l'A20, ralenti au niveau du rond-point de sortie, et s'est engagé sur une petite route. Nous approchions de notre destination et les gardiens, sagement retranchés derrière une porte blindée à l'avant du bus, ont exigé le silence.

Bryah n'avait pas bronché depuis de longues minutes, le corps agité d'un tremblement convulsif. Elle regardait droit devant elle, les yeux vitreux.

Le lourd véhicule s'est arrêté devant un grand portail ouvragé, héritage d'un autre temps. D'une petite guérite installée à trois mètres de hauteur, tel un péage sur des échasses, une surveillante a adressé un signe de tête au chauffeur avant de commander l'ouverture des portes en appuyant sur un bouton. En me retournant, j'ai vu les portes se refermer dans notre dos. Une nouvelle ère venait de commencer pour moi.

Le bus a traversé un espace dégagé : la cour de la prison, entièrement recouverte de macadam. On aurait dit un trottoir géant, vaste comme la moitié d'un terrain de football américain, occupé par une centaine de détenues agglutinées par petits groupes, la plupart une cigarette à la main. Quelques-unes s'amusaient avec un ballon de football tandis que d'autres flânaient le long des hauts grillages.

La prison elle-même était un bâtiment en brique de quatre étages. L'établissement était réparti en quatre blocs affublés d'une lettre, de A à D. Le bus s'est arrêté au pied de l'un d'eux et nous avons été accueillies par une pluie d'ordures lancées par les détenues de fenêtres munies de barreaux. Certaines agitaient des chiffons dans notre direction.

Les quatre gardiens ont quitté leur refuge. Deux d'entre eux sont descendus du véhicule tandis que leurs collègues déverrouillaient la porte blindée avant de nous délivrer, rangée après rangée. La descente s'est effectuée sans incident dans un air frais et sec. Une forte odeur de cuisine flottait dans l'air. Un bouillon de poule, apparemment.

On nous a dirigées en file indienne vers le bâtiment principal, sous les cris assourdissants des détenues enfermées dans leurs cellules. Je ne comprenais quasiment rien de ce qu'elles disaient, soit parce qu'elles parlaient trop vite, soit parce qu'elles s'exprimaient en argot, voire dans des langues inconnues. J'ai néanmoins saisi au passage les mots *meurtrières*, *président*, et *Monaco*. Il ne faisait guère de doute que nous étions les stars du nouveau contingent.

Nous avons traversé une petite cour intérieure en direction d'une bâtisse anonyme qui aurait pu abriter n'importe quelle administration. Debout au milieu du troupeau, j'ai fait halte devant la porte en attendant que les filles qui me précédaient en franchissent le seuil. Les surveillantes qui nous accompagnaient nous toisaient, bien décidées à nous intimider. Certaines d'entre elles étaient plus masculines que la plupart des hommes croisés dans ma vie. Armées de matraques et de bombes lacrymogènes, elles portaient un uniforme bleu marine sur des bottes noires. Au-dessus de nous, les détenues continuaient de nous abreuver d'insultes et de détritus, sous l'œil indifférent des gardiennes. Je les soupçonnais de jouir du spectacle, ravies que les anciennes remettent les nouvelles à leur place.

Devant moi, la fille du bus a recommencé à appeler ses parents avant de s'effondrer. Personne, parmi les filles, n'a levé le petit doigt pour la relever, à l'inverse des surveillantes. L'une d'elles s'est précipitée, matraque levée.

— *Où sont mes parents ?*

Elle avait à peine achevé sa phrase que la gardienne la frappait dans le dos. La fille est retombée sur le sol goudronné en sanglotant. Deux matonnes se sont acharnées sur elle à coups de pied. La poitrine de la fille rendait un son creux abominable chaque fois qu'une botte s'enfonçait dans ses côtes. Loin de s'arrêter en entendant leur victime gémir, les gardiennes la frappaient de plus belle alors qu'elle ne bougeait plus. Je ne pouvais pas les laisser continuer sans réagir.

— Arrêtez !

— En quoi ça te regarde ?

J'ai sursauté. Une surveillante que je n'avais pas entendue arriver derrière moi m'a craché au visage une haleine chargée de nicotine.

— Que… comment ?

— En quoi ça te regarde ?

Mon interlocutrice avait un visage épais, une fine cicatrice au coin de l'œil droit et un nez tordu.

— Cette femme risque…

Elle m'a fait taire d'un coup de matraque dans les côtes. Malgré tous mes efforts, je suis tombée par terre, pliée en deux, le souffle coupé. Au-dessus de nos têtes, les détenues ont hurlé leur joie.

La matonne a crié un ordre que je n'ai pas compris au milieu du brouhaha ambiant. Au moment où je relevais la tête, elle a relevé sa matraque. Incapable de respirer, j'ai tenté de chasser les papillons noirs qui volaient dans mon champ de vision. J'ai rassemblé mes forces et je me suis relevée. La matraque s'est abattue sur ma colonne vertébrale et je suis retombée en me cognant le menton contre le macadam.

La gardienne hurlait de plus belle en me donnant des ordres que je ne comprenais pas. Quoi que je fasse, j'étais perdante. Si je restais à terre, elle me frapperait à nouveau. Si je me relevais, elle me frapperait. Il a suffi que je fasse mine de redresser la tête pour que sa matraque s'abatte à nouveau sur moi.

Elle se donnait en spectacle, aiguillonnée par les filles qui l'encourageaient à grands cris de leurs cellules. Elle jouait avec moi comme un chat avec une souris, me frappant successivement le dos, les bras, les jambes, les côtes.

Ses bottes noires au bout usé en ligne de mire, j'ai accepté mon sort jusqu'à ce qu'une autre surveillante m'aide à me relever.

— Ne me regarde pas ! a hurlé mon bourreau en me postillonnant au visage.

J'ai enfin compris. Il n'était pas recommandé de soutenir son regard.

Elle s'est plantée devant moi, si près que son nez touchait ma joue.

— *Ici, tu es en France et tu parles français !*

— *Je... je comprends.*

C'est tout juste si j'arrivais à respirer. Ne jamais regarder les gardiennes dans les yeux, et ne leur parler qu'en français.

Je n'étais pas près d'oublier la leçon. De toute façon, elles se seraient chargées de me rafraîchir la mémoire.

63

À l'intérieur du bâtiment, je me suis rangée comme les autres le long d'une ligne rouge tracée au sol. J'ai décliné mon identité à une surveillante assise derrière un guichet, et l'on m'a dirigée vers une pièce. Je marchais péniblement. Mes côtes à vif m'empêchaient de respirer, mes reins me lançaient, mais j'ai résisté. La pièce, peinte en blanc, était meublée d'un petit bureau. Une gardienne munie d'un bloc à pince m'a fait signe d'y pénétrer.

J'ai eu un sursaut en apercevant une détenue prostrée dans un coin. J'ai reconnu la fille qui réclamait ses parents, passée à tabac quelques minutes plus tôt.

— *Tu parles français, Elliot ?* m'a demandé la surveillante.

Je lui ai répondu dans sa langue.

— *Cette femme a besoin d'un médecin.*

Elle n'a pas daigné lever les yeux de son bloc.

— *Tu as une alliance ?*

— *Je vous dis que cette femme a besoin d'un médecin.*

— *Ne t'inquiète pas, elle va bien. Tu as...*

— *Non, je n'ai pas d'alliance.*

Les alliances sont autorisées en prison, mais j'avais peur qu'on me la vole et j'avais préféré la donner à Elena, en prévision du jour où elle se marierait.

La blessée a remué légèrement. Elle a levé vers nous un œil tuméfié. Un filet de sang lui coulait de la bouche.

— *Aidez-la !*

J'ai voulu accompagner ma supplique d'un geste du bras qui m'a fait grimacer de douleur.

— *Une montre ?* a poursuivi la gardienne. *Oui, je vois que t'as une montre. Ça ira.*

Ma codétenue a croisé mon regard.

— *Où sont mes parents ?* a-t-elle marmonné.

— *Allez, déshabille-toi*, m'a ordonné la gardienne.

— *Non.*

J'ai reculé d'un pas.

— *Cette femme souffre d'une maladie mentale et elle est blessée. Je refuse de me déshabiller tant que vous ne lui porterez pas secours.*

La gardienne a relevé la tête pour la première fois.

— *Tes vêtements*, a-t-elle répété.

J'ai secoué la tête, refusant de céder.

Mon interlocutrice a tiré de sa poche un sifflet dans lequel elle a soufflé deux coups rapides. Trois de ses collègues ont fait irruption dans la pièce.

— *Elle refuse de se déshabiller*, a expliqué la première gardienne.

Je n'ai pas eu le temps de dire ouf.

— *Non !* ai-je protesté en me protégeant des mains.

Cette fois, elles ont laissé les matraques accrochées à leur ceinture, préférant se servir de leurs poings. J'ai bien tenté de les repousser, de leur échapper, mais, à moins de leur envoyer des coups de pied ou de les griffer, ce qui me paraissait hautement déconseillé, je n'avais aucune chance en face d'elles. Elles m'ont obligée à m'allonger par terre en m'immobilisant les bras. L'une d'elles a tiré ma chemise à deux mains jusqu'à ce que le coton se déchire au niveau du col. Elle a achevé de la réduire en charpie avant de s'attaquer à mon soutien-gorge, puis à mon pantalon. Après quelques essais infructueux, elle a arraché ma culotte et je me suis retrouvée nue.

Leur mission achevée, les surveillantes m'ont relevée et se sont écartées en me laissant, prostrée, à côté de mes habits en lambeaux. La porte de la pièce était restée ouverte, de sorte que toutes celles qui attendaient leur tour derrière moi avaient pu assister à la scène.

— Bon, a fait la gardienne munie d'un bloc. À présent que tu es déshabillée, relève-toi.

Je me suis mise debout avec difficulté.

— Lève les bras.

J'ai obtempéré et elle a poursuivi la fouille rituelle.

— Écarte les doigts. Soulève le pied.

Elle a enfilé une paire de gants en caoutchouc.

— Ouvre la bouche.

Sans enthousiasme, elle a introduit une canule entre mes dents afin d'explorer le dessous de ma langue et mes joues. J'ai cru étouffer plus d'une fois.

Elle m'a ensuite passé les doigts dans les cheveux. Faute d'avoir découvert le moindre objet interdit dans ma bouche et mes cheveux, sous mes bras et mes pieds, il ne lui restait plus qu'une cachette à explorer.

— Tourne-toi et penche-toi en avant.

J'ai pris ma respiration, tendu les bras jusqu'à mes orteils, entièrement nue, ce qui lui a permis d'examiner mon anus à l'aide d'une lampe de poche.

Dans son coin, la détenue blessée ne bougeait plus.

— Tousse, m'a ordonné la gardienne.

J'ai fait de mon mieux, toujours pliée en deux, sous le regard amusé des gardiennes qui murmuraient entre elles en riant sous cape. Elles m'ont obligée à rester dans cette position impossible pendant une dizaine de minutes, exposée à la vue de tous. Si mon anus possède une particularité anatomique extraordinaire, personne ne me l'avait jamais dit en quarante-deux ans. À moins que l'une des surveillantes ait ambitionné de devenir proctologue, il était clair qu'elles avaient décidé de me donner une leçon.

En m'humiliant et en violant mon intimité, elles asseyaient leur autorité auprès des nouvelles arrivantes.

64

On m'a tendu une chemise jaune et un pantalon vert. Le temps de m'habiller, je ressemblais à une patiente dans un hôpital pour daltoniens. J'ai ensuite répondu aux questions d'un fonctionnaire de la prison à qui j'ai dû assurer que je n'étais pas enceinte et que je n'avais ni sida, ni hépatite, ni tuberculose. Après avoir demandé à travailler à l'infirmerie, j'ai ouvert un compte de cantine. Contrairement à ce que laisse croire son appellation, il ne s'agit pas du réfectoire, mais du magasin où s'approvisionnent les détenus.

Une surveillante a réuni six d'entre nous et nous a fait franchir successivement trois portes blindées, distantes de quelques mètres les unes des autres. Une sonnerie a retenti et la première porte s'est écartée. La gardienne a ouvert la voie et nous l'avons suivie dans un sas. La porte s'est refermée derrière nous, la deuxième s'est écartée, nous avons pénétré dans un second sas, et la deuxième porte s'est refermée. Au même moment, la première porte s'ouvrait à nouveau afin de laisser passer un autre groupe de détenues. Jamais deux portes ne restaient ouvertes en même temps, une mesure préventive destinée à empêcher les plus énervées de devenir agressives.

Le groupe de six que nous formions avançait en file indienne. Chacune tenait dans ses bras ses draps, sur lesquels reposait un sachet transparent contenant quelques objets de toilette. La dernière porte franchie, nous avons pénétré dans un immense espace et mon cœur s'est mis à battre plus vite.

Je découvrais pour la première fois le bloc D.

Des deux côtés, sur quatre niveaux, s'alignaient des cellules fermées par des portes en bois. Des gardiennes patrouillaient le long de coursives protégées par de hauts garde-fous peints en vert. Plusieurs passerelles de fer reliaient entre elles les coursives opposées d'un même niveau, tandis que des escaliers permettaient de circuler d'un étage à l'autre. Une tour de garde accueillant deux surveillantes se dressait au milieu du bloc. L'endroit était mal éclairé, il y régnait la même odeur âcre que dans le pavillon des singes du zoo de Washington, visité un jour avec mes enfants.

Le chahut a repris de plus belle. Les détenues sentaient l'odeur de la chair fraîche. Elles se collaient contre les portes des cellules et criaient à travers les petites ouvertures recouvertes de grillage fin. Quand bien même j'aurais possédé le vocabulaire nécessaire pour comprendre leurs invectives, la cacophonie de leurs cris m'en aurait empêchée.

J'ai rassemblé mon courage et suivi notre guide en direction d'un escalier. L'une des surveillantes a conduit deux détenues jusqu'à leurs cellules du premier étage, puis nous avons gravi les marches jusqu'au deuxième où l'opération s'est répétée. Quelques minutes plus tard, j'atteignais la cellule du quatrième étage qui m'était affectée.

Sans doute avait-on choisi pour moi un étage élevé afin que je bénéficie de la vue.

Au lieu de plaisanter intérieurement, j'aurais été mieux inspirée de croiser les doigts.

Un 413 usé avait été tracé au pochoir à la peinture noire sur la porte en bois. Un murmure me parvenait de l'autre côté du battant. À travers la fente, j'ai entrevu deux silhouettes.

La gardienne a tourné une clé dans la serrure et écarté le battant de ma nouvelle demeure.

Le mot *Seigneur* s'est échappé de mes lèvres.

65

L'odeur qui a envahi mes narines à l'ouverture de la porte, au-delà de celle de cigarette rance, était une puanteur de moisi. De pourriture.

L'image de ma fille s'est imprimée dans mon esprit. Ma fille dont la chambre dans notre maison de ville à Berne avait approximativement la taille de cette cellule. Des lits métalliques s'étageaient de part et d'autre de la pièce. Un plateau servant de table sortait d'un mur, en dessous d'une étagère sur laquelle étaient alignés des boîtes de conserve, un pain, et quelques livres. Une petite penderie se dressait dans un coin, une cuvette de WC et un lavabo crasseux dans un autre.

Il y avait là six femmes. Deux d'entre elles étaicnt assises sur la couchette du haut côté gauche, les jambes pendantes. Deux autres leur faisaient face sur le lit inférieur, côté droit. La cinquième avait pris place sur un tabouret et la dernière s'était réfugiée sur la cuvette des toilettes.

À moins d'avoir beaucoup perdu en calcul mental, six plus une faisait sept. J'ai balayé à nouveau la pièce du regard. Quatre lits, sept femmes. Sans être prix Nobel de maths, je voyais mal comment la division pourrait tourner à mon avantage.

Les murmures entendus du couloir s'étaient tus lorsque la porte s'était ouverte. Six paires d'yeux m'ont observée en silence tandis que la gardienne me poussait dans la pièce et refermait la porte dans mon dos. Toutes mes codétenues étaient blanches. À l'exception de l'une d'elles, elles étaient minces. Je devrais même dire maigres, il ne faisait aucun doute qu'elles étaient sous-alimentées. Cinq brunes et une blonde.

Le verrou s'est refermé avec un claquement sec. J'ai hésité à esquisser un sourire avant de me reprendre. À quoi bon ? J'ai cherché ostensiblement des yeux un endroit où poser mes draps, ma couverture et mes affaires de toilette avant de me décider pour la couchette inférieure gauche.

L'une des deux filles assises sur le lit du haut, une fille coiffée à la garçonne, les yeux noirs, des bras musclés mis en valeur par une chemise dont elle avait découpé les manches, m'a fait non de la tête avec un claquement de langue.

— *Où, alors ?*

Personne ne m'a répondu. Les autres filles semblaient décidées à suivre l'exemple de leur copine coiffée à la garçonne.

— *C'est l'Américaine qui riait*, a commenté en français l'une des filles assises en face, en référence à la photo de mon éclat de rire à l'énoncé du verdict, parue à la une du *Monde* le lendemain du procès. Sous un titre choc, LES MAMANS TUEUSES, on me voyait rire à gorge déployée dans le box des accusés, à côté de Serena et de Bryah serrant leurs enfants dans leurs bras. Un cliché, détaché de son contexte, qui donnait à penser que la meurtrière du président chéri des Français était très contente d'elle.

— *PQ*, a dit en français la fille installée sur la cuvette de WC, le pantalon sur les chevilles, en m'adressant un geste de la main.

— *Du papier ! Du papier toilette, quoi !* s'est-elle énervée en me voyant perplexe.

J'en avais un rouleau dans mon sac de toilette. Je l'ai sorti du sac en plastique en jonglant avec les draps qui m'encombraient.

L'une des filles installées sur le lit du bas, à droite, a bondi sur ses jambes et s'est approchée. Elle avait des poches noires sous les yeux et un teint maladif. Je me tenais prête à me défendre, mais je n'ai pas été assez rapide. Elle a plongé la main dans le sac plastique dont elle a exhumé un tube de dentifrice. Elle l'a brandi en prononçant en français une phrase qui m'a échappé, puis elle est retournée s'asseoir d'un air triomphal.

Je n'allais pas passer la journée debout, avec mes affaires dans les bras, alors je les ai posées dans un coin. Un sol en béton, marbré de crevasses, d'une saleté repoussante. Les murs, couverts de vert-de-gris, ne valaient guère mieux. Les lézardes avaient été bouchées à l'aide de lambeaux de T-shirts et de morceaux de papier.

— On se doutait bien qu'on allait nous refiler l'une d'entre vous, m'a dit en anglais la fille assise à côté de la garçonne, la seule blonde du lot.

J'ai été soulagée de constater qu'une de mes codétenues, au moins, parlait ma langue. La garçonne n'a pas eu l'air d'apprécier qu'on me parle sans son autorisation, mais la blonde s'est empressée de lui rendre le coup de coude qu'elle venait de recevoir.

— C'est toi qui riais, dans le journal. On espérait que ce serait toi qui viendrais ici.

— Pourquoi ?

— Parce que…

Elle a levé une main à l'horizontale à hauteur de son épaule.

— T'es plus petite que les autres.

Donc plus facile à caser dans cette pièce minuscule.

— *T'auras qu'à dormir par terre*, a décrété la garçonne, qui dirigeait la chambrée.

Le sol en béton était couvert de taches. Je n'ai pas eu le temps de me demander pour quelle raison : un énorme rat gris, plus proche du chien que du rongeur, est sorti de sous l'un des lits avant de se glisser dans une fente, au pied du mur. J'ai fait un bond, provoquant l'hilarité de mes compagnes.

Même la blonde n'a pu refréner un sourire.

— Je te présente Iggy.

Super. Le rat avait même un nom.

— *Elle s'habituera aux rats, comme tout le monde*, a lâché la plus grosse en français.

Sans doute avait-elle raison, et ce n'était pas le plus rassurant.

La vie qui m'attendait ici allait devenir mon quotidien.

66

Mes codétenues me voyaient à la fois comme une star et comme une paria. Elles feignaient d'ignorer ma présence, une forme de rituel sans doute réservé aux nouvelles. Seule la blonde acceptait de m'adresser la parole. Je soupçonnais les autres de ne pas parler un mot d'anglais.

La blonde s'appelait Linette. Elle avait été emprisonnée pour vol de voitures. Condamnée pour la troisième fois quelques années plus tôt, elle purgeait une peine de cinq ans. Elle avait de jolis yeux bleus et un visage juvénile, gâché par une mauvaise peau et un nez de travers.

Elle a jeté par terre les deux matelas supplémentaires et m'a fait signe de m'asseoir à côté d'elle sur l'une des couchettes inférieures. Elle a ouvert une grande boîte en plastique ornée d'un long numéro de matricule et m'a proposé des biscuits. J'en ai grignoté quelques-uns. Ils avaient un goût rance, mais c'était mieux que rien. On ne m'avait rien donné pour le dîner. Ni pour le déjeuner. Mon estomac commençait à se plaindre.

— Ne leur dis pas que je t'ai donné de la nourriture, m'a avertie Linette.

— Pourquoi ?

Elle a longuement hésité avant de me répondre.

— Ne leur dis pas, a-t-elle fini par répéter.

J'ai préféré ne pas insister. Linette était la seule à m'avoir traitée en être humain.

Elle a examiné la chemise et le petit pantalon qui constituaient ma prestigieuse garde-robe.

— C'est des fringues pour… *les pauvres*, a-t-elle achevé en français, par facilité sans doute.

Elle faisait allusion aux prisonniers qui n'avaient pas les moyens de fournir leurs propres vêtements. Je n'étais pas pauvre, pourtant. Simplement têtue, et naïve.

— Pourquoi t'as contredit les matonnes ? T'as tort, tu sais.

— *Extinction des feux dans dix minutes !*

La voix d'une surveillante, annonçant l'arrivée prochaine du couvre-feu, a grésillé dans le haut-parleur installé près de la porte. J'ai regardé ma montre. 19 h 50.

Il était temps de trouver une solution pour le couchage. Sept détenues. Quatre lits, deux matelas supplémentaires. De toute évidence, j'étais la grande perdante de ce jeu de chaises musicales.

Linette a retiré la couverture posée sur la couchette supérieure où elle dormait et l'a posée dans le seul coin de la pièce encore libre, une fois les deux matelas étalés par terre. Elle a déployé mon drap sur la couverture, me laissant la mienne en guise de couette.

— Faut jamais contredire les matonnes, a-t-elle insisté.

— À chaque jour suffit sa peine.

Les lumières se sont éteintes, plongeant la pièce dans l'obscurité.

— Sauf que la journée n'est pas terminée, m'a glissé Linette dans un murmure.

67

Je ne sais pas quelle heure il était. Aux alentours de 2 ou 3 heures du matin, sans doute. Je n'arrivais pas à dormir, minée par l'angoisse et le dégoût à force d'écouter les rats courir à travers la pièce tout près de moi, de chasser les mouches, d'écraser un insecte qui s'attaquait à ma jambe.

Tout est allé très vite. Des coups sonores à la porte. Une clé qui tourne. Deux gardiennes ont pénétré dans la cellule en hurlant mon nom et m'ont obligée à me relever.

Elles m'ont entraînée dans les escaliers jusqu'au rez-de-chaussée, nous avons franchi en sens inverse les deux sas du bloc D avant d'enfiler un couloir interminable et de descendre un escalier en colimaçon jusqu'au deuxième sous-sol. Je sentais monter vers moi une chaleur moite à mesure que nous dévalions les marches étroites. Il faisait sombre et mes yeux étaient fatigués par le manque de sommeil. Sans parler de mes côtes, de mes jambes et de mon dos meurtris.

L'eau chaude qui gouttait des tuyaux accrochés au plafond me tombait sur le crâne. Nous avons débouché dans une cave mal éclairée et l'une des gardiennes m'a ordonné de m'arrêter. Elle a saisi ma main droite, l'a enfermée dans une menotte dont elle a attaché l'autre extrémité à l'un des tuyaux qui couraient au plafond, puis elle a fait de même avec le poignet gauche. Le tuyau se trouvait à plus de deux mètres de hauteur, ce qui m'obligeait à me tenir sur la pointe des pieds. Je me suis brûlée en touchant le tuyau. Il était bouillant.

Les matonnes m'ont abandonnée au milieu des jets de vapeur, les cheveux, le visage et le cou détrempés par les gouttes d'eau chaude qui ruisselaient de la plomberie. Les mollets me lançaient et mon dos, affaibli par les coups, ajoutait à mon supplice. Le peu de répit que j'accordais à mes mollets me contraignait à me brûler contre les tuyaux ou à m'écorcher les poignets à l'intérieur des menottes.

J'ai serré les dents, refusant de leur accorder le plaisir qu'elles attendaient par des plaintes ou des gémissements. Elles voulaient m'entendre souffrir.

Après ce qui m'a semblé durer un siècle, les mollets en feu, le dos, le cou et les épaules complètement bloqués, j'ai entendu des pas approcher sur le sol en béton du couloir. Un raclement caractéristique de bottes, ponctué de chuintements humides chaque fois que leur propriétaire traversait une flaque d'eau tiède.

Une silhouette s'est encadrée sur le seuil de la cave. La gardienne qui m'avait passée à tabac dans la cour à mon arrivée. J'ai soigneusement veillé à ne pas croiser son regard. Dans la pénombre, la cicatrice qui lui marbrait le coin de l'œil était presque phosphorescente.

— *Je m'appelle Sabine*, s'est-elle présentée en français.

— *Ici, c'est moi le chef. T'as compris ? Allez ! Dis-le !*

J'ai refusé de répondre. Elle pouvait me dire ce qu'elle voulait, rien ne m'obligeait à l'accepter.

— *Tu feras tout ce que je te dis.*

Je me suis entêtée dans le silence.

— *Dis-le !* a-t-elle insisté.

Avant que j'aie pu réagir, elle m'avait enfoncé l'extrémité de sa matraque dans le ventre. Le souffle coupé, mue par un réflexe, j'ai voulu me plier en deux, ce que ma position rendait impossible. Je me suis brûlé les poignets contre le tuyau en voulant me redresser. Je ne tiendrais pas longtemps. Mes jambes ne me soutenaient plus.

— *Allez, dis-le ! Fais ce que je te dis.*

Je peinais à retrouver une respiration normale. Elle voulait m'entendre reconnaître sa supériorité. Rien d'autre. Je me suis éclairci la gorge en repensant au conseil de Linette. Ne jamais contredire les gardiennes.

Alors j'ai décidé de ne pas contredire Sabine. Je lui ai craché au visage.

Elle a manifesté sa désapprobation en me martelant les côtes à trois reprises à l'aide de sa matraque. Mes jambes m'ont lâchée, ma tête est retombée en arrière. Mon corps brisé pendait du tuyau, les poignets largement entamés par l'acier des menottes. Sabine a donné un ordre et une autre gardienne a détaché l'une de mes mains, puis l'autre, et je me suis écroulée sur le sol de béton en m'abîmant l'épaule.

— *On t'a donné à manger ?* m'a demandé Sabine.

J'ai fait non de la tête.

— Personne… ne m'a… rien donné.

— *Tu veux manger ?*

— *Oui.*

J'en avais besoin.

— *Tu veux une douche ?*

— *Oui.*

Sabine a donné des instructions, j'ai compris les mots *douche* et *nourriture*, et d'autres sont arrivées. J'ai relevé la tête. J'aurais voulu me mettre en position assise, mais j'en étais incapable. Mes bras étaient sans force et chaque centimètre de mon corps me faisait souffrir le martyre. Aucune importance. Avant même que j'aie pu lever le coude, je me suis retrouvée aspergée d'un liquide épais qui poissait mes cheveux et ma chemise.

L'odeur m'a fait comprendre.

De la soupe. Le bouillon de poule dont j'avais senti l'odeur à mon arrivée.

— Non !!!

Les gardiennes m'ont relevée sans ménagement et menottée à nouveau au tuyau brûlant, un poignet après l'autre.

— *Bonne nuit, Elliot*, m'a souhaité Sabine.

Mes muscles ne m'étaient plus d'aucune utilité. Suspendue au tuyau, je servais de mangeoire aux mouches, aux moustiques et autres insectes attirés par l'odeur du sang sur mes poignets à vif et celle du bouillon sur mes cheveux et ma chemise.

L'écho de mes cris a longtemps résonné entre les murs de la cave.

Je m'appelle Abbie Elliot, et je vis en enfer.

68

Je ne sais pas combien de temps je suis restée là. Mon cerveau se trouvait dans l'incapacité d'analyser le peu d'informations qui me parvenaient dans ce sous-sol entièrement coupé de la lumière du jour. Mon crâne était à la limite de l'implosion, à force de secouer la tête dans l'espoir de me défendre contre les bestioles qui m'assaillaient. Du moins la manœuvre me permettait-elle de préserver mon visage de leurs attaques. Il n'en était pas de même du reste de mon corps. À cause de mes muscles paralysés et de mes bras engourdis, les insectes avaient tout le loisir de se repaître de mes membres et de mon torse. J'étais devenue une *piñata* humaine, figurine prête à être cassée, immobile et sans défense, pendue par les bras à une conduite d'eau brûlante.

J'étais éveillée quand elles sont venues me rechercher. Je ne sais même pas si j'ai dormi. Passé un certain stade, il devient impossible de distinguer un cauchemar vivant d'un mauvais rêve.

Elles ont été obligées de me porter jusqu'à ma cellule où j'ai trouvé mes codétenues en train de prendre leur petit-déjeuner dans les gamelles de fer-blanc qu'on nous donnait. Il n'y a pas de réfectoire dans les prisons françaises. On vous apporte les repas à l'aide d'un chariot qui circule de cellule en cellule, et dans lequel on puise la nourriture à la louche avant de la déposer dans la gamelle de chaque prisonnier.

Les filles ont toutes eu le même mouvement de recul en me voyant. Ou, plutôt, en me sentant.

— Vous pourriez au moins lui permettre de prendre une douche, a râlé Josette, la garçonne.

J'ai bien compris qu'elle agissait moins par compassion que par intérêt personnel. Je crois que j'aurais eu la même réaction si l'on avait reconduit dans ma cellule une loque puante telle que moi.

Personne n'avait envie que je m'approche de son lit, alors je me suis allongée par terre. J'avais l'impression d'avoir des nouilles molles à la place des bras. Restait à savoir si j'en garderais des séquelles. Mes poignets s'étaient transformés en viande hachée à l'endroit où les menottes avaient dessiné des plaies profondes, sous le poids de mon corps. Le reste était si douloureux que je ne parvenais pas à trouver de position confortable. Ma peau, rougie et enflée, était couverte de morsures d'insectes. Chaque centimètre carré de mon épiderme me démangeait, mais j'évitais d'y penser, incapable de me gratter avec des mains et des bras complètement inertes.

Deux des filles se sont approchées sans un mot, après avoir reçu l'autorisation muette de Josette. La première était Linette, la seule à m'avoir adressé la parole à mon arrivée, sans doute parce qu'elle était la seule à parler anglais. La seconde s'appelait Lexie, comme me l'avait révélé Linette la veille. C'était elle qui m'avait volé mon dentifrice. Lexie, un tout petit bout de femme, avait mis le feu à une librairie du Quartier latin. Elle avait été condamnée à sept ans de prison et il lui en restait deux à tirer. J'avais cru comprendre que Lexie n'avait pas quitté la cellule 413 depuis dix-huit mois, qu'elle s'exprimait dans un français incompréhensible, et que n'importe quel médecin l'aurait déclarée folle.

Lexie a silencieusement mis en boule mes draps et ma couverture de façon à m'improviser un coussin. J'ai bien cru que j'allais fondre en larmes en la voyant me sourire, bouleversée par son geste. Linette m'a proposé du jus de pomme qu'elle m'a versé directement dans la bouche comme si j'étais une enfant.

— *¿Tienes hambre ?* m'a demandé une fille, assise sur l'une des couchettes inférieures.

Une jeune brune au teint mat prénommée Penelope, originaire de Séville, qui avait tué son petit ami dans leur appartement de Lyon trois ans plus tôt. Ainsi que me l'avait expliqué Linette, Penelope affirmait que son copain la violentait. Les juges avaient refusé de la suivre sur ce terrain, et elle avait récolté une peine de vingt-deux ans.

Elle s'exprimait en espagnol, une langue que je connaissais nettement mieux que le français pour l'avoir étudiée à la fac. Elle voulait savoir si j'avais faim. Une question piège, depuis mon expérience avec Sabine. En outre, je ne pensais pas être capable de digérer quoi que ce soit en dehors d'un peu de jus de fruits.

Josette a sauté de son lit et lavé sa gamelle dans le lavabo. Sa vaisselle terminée, elle a traversé les quelques mètres qui nous séparaient dans cet univers minuscule. Elle affichait une moue et une posture à l'unisson de sa coiffure masculine : tout chez elle trahissait la colère rentrée. Quatre ans plus tôt, elle avait tué une femme dans un bar au cours d'une bagarre. D'après Linette, elle avait assommé sa victime à coups de cannette de bière, avant de lui trancher la gorge avec le tesson quand la bouteille s'était brisée. Tout ça parce que l'autre avait fait mine de flirter avec la petite copine de Josette.

La leçon n'était pas perdue pour tout le monde. Inutile de flirter avec Josette, au cas où elle aurait une petite amie sur place.

J'ai compris qu'elle me faisait subir un test en me toisant longuement. J'avais réussi à avaler quelques gorgées de jus de pomme, dans une position relativement confortable (j'insiste sur la relativité de cet état), et voilà que la caïda de la cellule venait se mesurer à moi.

— *Alors ?* m'a-t-elle demandé. *Qu'est-ce que tu penses de la prison, jusqu'ici ?*

Elle me provoquait d'une voix morne en posant sur moi un regard froid. Les autres ont jugé plus prudent de reculer. Quand Josette prenait la parole, personne ne mouftait.

J'ai décidé de lui répondre en français.

— *Le bouillon de poule est délicieux.*

Ses yeux ont papilloté de perplexité, puis elle s'est tournée vers Linette. J'aurais été incapable de dire si c'était bon ou mauvais signe.

Soudain, Josette a éclaté de rire. Les autres l'ont imitée, faisant retomber la tension. Elles riaient de si bon cœur qu'elles ont même réussi à m'arracher un sourire. Josette a reporté son attention sur moi. Elle a hoché la tête d'un air approbateur.

Je venais de gagner mes premiers galons. Un début prometteur.

69

Les surveillantes sont venues me chercher après le petit-déjeuner, sans que je sache pourquoi. Elles m'ont conduite jusqu'aux douches, désertes à cette heure. Elles m'ont donné l'ordre de me déshabiller et ma peur a refait surface.

J'avais tort, personne n'avait décidé de me violer ce matin-là. Le temps de me débarrasser de mes vêtements, et j'ai passé à peine deux minutes sous un mince filet de douche à me récurer à l'aide du savon qu'elles m'avaient donné. Je me suis séchée avec une serviette de la taille d'un tapis de bain avant d'enfiler une tenue carcérale propre. J'avais fait de mon mieux pour me débarrasser de la poisse du bouillon de poule avec des bras qui commençaient tout juste à répondre présents.

Les surveillantes m'ont entraînée dans un bâtiment séparé des quatre blocs. Une fois franchie une longue suite de portes blindées électroniques, nous avons remonté un grand couloir. Nous nous sommes finalement arrêtées devant une porte. Une pancarte sur laquelle figurait le mot DIRECTEUR m'a expliqué la raison de ma présence là.

Le responsable de l'établissement disposait d'un bureau spacieux et soigneusement rangé. Les récompenses, les diplômes et les photos à sa gloire en disaient long sur la haute opinion qu'il avait de lui-même. On le voyait en compagnie de dignitaires de tout poil, notamment le défunt président Henri Dévereux.

Antoine Boulez, le directeur de la prison, avait tout de l'autocrate : des cheveux bruns lissés en arrière, un onéreux costume trois-pièces dont il avait retiré la veste, un gilet sur une chemise blanche soigneusement amidonnée à laquelle une cravate de satin jaune apportait une note de couleur. Ses mains soigneusement manucurées jouaient machinalement avec une montre à gousset en or tandis qu'il m'observait de la tête aux pieds. Il ne m'a pas fallu cinq secondes pour le détester.

— Bienvenue, a-t-il déclaré, comme s'il m'accueillait à la descente du bus avec une guirlande de fleurs hawaïenne.

J'ai préféré ne pas répondre.

— Ah ! Les premiers jours sont généralement les plus difficiles, a-t-il poursuivi en accompagnant sa devise d'un geste de la main. La plupart des gens finissent par s'habituer à leur nouvelle vie. D'autres pas. Tout est question de choix, madame Elliot.

Il ne m'avait pas proposé de m'asseoir, par souci de mieux affirmer son autorité. Il n'avait pas grand mérite, étant donné les circonstances.

Boulez a soupesé sa montre.

— Vous avez le choix. Soit vous vous montrez coopérative, soit vous en décidez autrement. Auquel cas, votre séjour ici pourrait bien se révéler… pénible.

— À l'image de ce qui s'est passé cette nuit ? Est-ce un exemple de la pénibilité à laquelle vous faites allusion ?

Il m'a adressé un clin d'œil. *Ce connard m'avait adressé un clin d'œil !*

— Vos amies se sont montrées coopératives, elles. Du coup, elles ont passé une bonne nuit dans leur cellule.

J'ai jugé plus prudent de ne pas répondre, au cas où j'aurais été incapable de me maîtriser. Les dix mois passés dans les prisons françaises m'avaient appris à refuser de me laisser malmener. Appelez ça de l'entêtement ou de l'orgueil si vous le souhaitez, c'est ma nature profonde. Que ces gens-là ne comptent pas sur moi pour les aider à briser ma force de résistance. *Excusez-moi de vous demander pardon...* ce genre de formule n'appartient pas à mon vocabulaire.

— Votre comportement rétif, madame Elliot, ne peut que se révéler nuisible. Pour vous, comme pour vos amies. Sauf erreur de ma part, j'ai cru comprendre qu'elles devaient leurs lourdes condamnations à votre obstination.

Il n'avait pas besoin de me le rappeler. Je n'arrêtais pas d'y penser.

— C'est essentiellement à votre gouvernement qu'elles doivent ces condamnations.

Quand on me prête, je rends. Ce type-là n'aurait pas raison avec moi. Il n'en avait d'ailleurs pas besoin.

— Vous avez le choix, a-t-il répété. Nous vous offrons une chance unique de... quel est le mot anglais, déjà ?... de corriger vos erreurs.

Il faisait allusion à l'appel que nous avions interjeté. La juridiction chargée de conduire le nouveau procès serait constituée de juges, comme en première instance, et je ne me faisais guère d'illusions sur la suite des événements. Jules, mon avocat, m'avait précisé que la cour d'appel se prononcerait essentiellement à partir du jugement rendu par les magistrats précédents, sans auditionner de nouveaux témoins. La justice française n'avait aucune envie de rouvrir des plaies encore sensibles.

Jules me l'avait dit sans ambages : nos chances de gagner étaient nulles.

Et voilà que Boulez revenait sur ma condamnation. À condition de passer aux aveux, il me laissait sous-entendre que les juges pourraient alléger ma peine.

— Une confession écrite, a-t-il précisé. À vous de décider.

— Je suis innocente.

Un grand sourire aux lèvres, il m'a montré à quel point ma réponse l'amusait. Soudain, il a repris son sérieux.

— Avouez, et vos conditions de détention ici seront… meilleures.

Quand bien même ses tortionnaires m'auraient enfoncé la tête dans une cuvette de WC, je n'aurais pas été plus mal lotie que la nuit précédente.

— En sécurité, a-t-il insisté. Vous serez protégée, sans compter que vous bénéficierez d'une recommandation personnelle de ma part afin de bénéficier d'une peine moins lourde. Comprenez-moi, je me trouve dans une position délicate.

Boulez s'est levé. Il a décroché du mur la photo qui le représentait en compagnie du président Dévereux. Il l'a examinée avec respect.

— Je considérais Henri Dévereux comme un ami personnel.

— Reste à savoir si la réciproque était vraie.

Ma réflexion a produit sur lui l'effet d'une gifle.

— Qu'avez-vous dit ?

J'ai tendu l'index en direction de la photo.

— Cette photo a visiblement été prise lors d'une cérémonie quelconque dont tous les participants voulaient être photographiés avec le président. Je parierais qu'il a pris la pose une centaine de fois ce soir-là. Vous avez remarqué la façon dont ses épaules se tournent loin de vous ? Dont ses yeux regardent ailleurs ? À mon avis, c'était la première fois qu'il vous voyait de sa vie et il se contrefichait de vous recroiser un jour.

Bien joué, Abbie. Tu as le don de te faire des copains. Il faut avouer que j'en avais ma claque de ce connard.

Boulez est devenu écarlate. Il avait beau ne pas vouloir m'accorder le plaisir d'une réaction, je l'ai vu serrer les mâchoires et il m'a fusillée du regard. J'avais tapé en plein dans le mille, et nous le savions tous les deux.

J'ai enfoncé le clou.

— Très bien. Puisque ça vous plaît de le croire, vous étiez très amis, tous les deux.

Boulez a mis un moment à reprendre la main. Il s'est enfoncé dans son fauteuil, les mains en pointe. Un sourire ironique aux lèvres, il a fait signe aux surveillantes plantées de chaque côté de moi.

— Mme Elliot aura besoin d'un peu de temps pour réfléchir à ma proposition. Veillez à ce qu'on lui accorde tout le temps nécessaire.

70

J'avais dans la bouche un goût amer de sang tiède. De mon front dégoulinaient des perles de sueur qui me piquaient les yeux, la bouche et les oreilles avant de s'égoutter de mon menton. Mes cuisses et mes reins me faisaient abominablement souffrir. Je m'efforçais de contrôler ma respiration en me vidant les poumons par petites bouffées. Avant tout, je luttais contre l'évanouissement.

Le dos au mur, les cuisses à angle droit, parallèles au sol, je me trouvais en position assise. Sans chaise. Arc-boutée contre la paroi, je tentais désespérément de ne pas glisser jusqu'au bas du mur.

La matonne chargée de me surveiller s'appelait Lucie. De l'avis unanime, elle était plus sadique encore que Sabine, sa chef. À ma grande désolation, elle me ressemblait furieusement, à quelques centimètres et dix kilos de muscles près. Sans parler de son sourire terrifiant. Mes codétenues l'avaient affublée d'un surnom, elles l'appelaient mon *horrible sœur*.

— Tu en as marre ? m'a-t-elle demandé en français en allumant une cigarette.

Si j'en avais marre ! Comment pouvait-elle en douter ? Le supplice durait depuis près d'une demi-heure. Mes jambes tremblaient, je grimaçais de douleur, mais je n'avais pas l'intention de donner à Lucie la satisfaction d'une réponse. Je savais déjà qu'elle m'ordonnerait de rester dans cette même position une demi-heure de plus.

C'était la sixième nuit que je passais en sa compagnie. Le premier soir, elle avait renouvelé le supplice de la veille en me menottant à la conduite d'eau chaude. Le lendemain, elle m'avait obligée à rester debout douze heures d'affilée en écartant les bras, dans la position de *l'épouvantail*, comme elle l'appelait. Mes chevilles étaient tellement enflées le matin que je ne pouvais plus marcher. Une autre nuit, elle m'avait laissée dormir à même le sol en béton en me réveillant toutes les demi-heures avec un seau d'eau jeté en pleine figure.

J'ai senti mon dos glisser contre le mur. Mes cuisses étaient en feu.

Lucie m'observait en tapant machinalement l'extrémité de sa matraque contre sa cuisse.

Je me suis écroulée en me faisant mal au coccyx contre le sol de ciment. J'en ai profité pour étendre les jambes en gémissant avant de cracher du sang.

— Je ne t'ai pas donné l'autorisation de t'asseoir, a-t-elle réagi, le poing crispé autour du manche de sa matraque.

Je m'attendais au pire. Pour l'instant, mes tortionnaires avaient soigneusement évité de me frapper au visage, se limitant à la poitrine, au dos, aux jambes.

— Lève-toi, m'a ordonné Lucie.

Elle m'en savait parfaitement incapable.

Un jet d'aérosol s'est écrasé contre ma joue gauche, juste en dessous de l'œil. Les bombes de défense au poivre, je l'avais appris à mon corps défendant, n'ont pas besoin d'atteindre directement l'œil pour handicaper gravement la victime.

En quelques secondes, mon visage était en feu. Mes yeux se sont fermés tout seuls, j'étouffais, prise de quintes de toux inextinguibles. À quatre pattes par terre, je suffoquais, ma figure implosant sous la douleur.

Je haletais, je m'étranglais, je hurlais. Je savais déjà que les effets de la bombe mettraient une demi-heure ou trois quarts d'heure à se dissiper complètement, après quoi Lucie m'obligerait à me remettre en position assise contre le mur, si elle ne m'aspergeait pas à nouveau de lacrymo.

— La nuit va être longue, m'a prévenue mon horrible sœur.

Elle avait raison. Une nuit interminable de plus m'attendait.

71

Linette prit dans la sienne la main de Giorgio et la caressa. Le jeune homme lui rendait visite un dimanche sur deux dans le grand parloir réservé aux proches des détenues. Linette et Giorgio passaient le plus clair des deux petites heures qu'on leur accordait à se regarder, à se tenir les mains, à se caresser réciproquement le front au-dessus de la table qui les séparait. Ce jour-là, la première heure avait été occupée par les potins d'usage. Sophie, la meilleure amie de Linette, s'était séparée de son petit copain. La mère de Linette essayait d'arrêter de fumer pour la vingtième fois. Noise Pollution, le groupe de rock de Giorgio, était à deux doigts d'obtenir un engagement à l'Élysée Montmartre qui pouvait lui ouvrir les portes du succès.

Linette adorait ce type. À vingt-huit ans, il avait deux ans de moins qu'elle. Un grand Italien avec des yeux doux et un sourire qui la liquéfiait. Il avait réussi à décrocher. Comme elle. Les vols de bagnoles, les trafics de chaînes hi-fi, les vols à l'arraché, ils avaient fait assez de conneries à cause de la coke pour comprendre qu'il était temps d'arrêter. Ce chapitre de leur vie était clos. Giorgio avait deux boulots – coursier pour un cabinet d'avocats et barman au Baxo –, et poursuivait son rêve de vivre un jour de sa musique en jouant le soir et le week-end. Il écrivait des paroles dans un petit carnet qui ne le quittait jamais et se baladait rarement sans sa précieuse Les Paul qu'il grattait à longueur de temps en fredonnant entre ses dents.

Elle l'aimait avec une force qui lui faisait monter les larmes aux yeux et lui nouait la gorge. Plus que deux cent six jours à tirer avant d'être définitivement réunis. Ils avaient déjà prévu de se marier sur un coteau au-dessus des vignes, dans le Bordelais.

— *Alors ?* lui demanda-t-il en français.

Giorgio s'était mis à l'anglais en écoutant des disques, mais il était loin d'atteindre le niveau de Linette. S'il leur arrivait de converser dans la langue de Shakespeare, il finissait immanquablement par revenir au français.

— *Parle-moi d'elle, un peu.*

Linette haussa les épaules.

— Si je devais la définir en un mot, je dirais qu'elle est costaud.

— Allez, Linette. Tu pourrais m'en dire plus. Si tu savais comme les copains sont dingues à l'idée que tu partages ta cellule avec une de ces filles.

Elle fronça les sourcils.

— C'est une chouette nana. Incroyablement costaud. À ce qu'on dit, les matonnes ont reçu l'ordre de l'obliger à avouer. Sabine l'a mise entre les griffes de Lucie.

— Lucie ? Putain…

— Comme tu dis. Une vraie pourriture. Les matonnes l'emmènent tous les soirs pour la tabasser. Elles lui ont fait le coup de la douche le premier soir. Depuis, c'est leur cinéma habituel : elles l'obligent à rester dans des positions invraisemblables ou elles l'empêchent de dormir. Sauf qu'Abbie refuse d'avouer. Elle accepte son sort sans broncher. Elle ne se plaint même pas à nous, tu vois le genre.

Linette lança un regard circulaire autour d'elle. Les deux rangées de tables débordaient de maris, de fiancés, de parents et d'enfants qui voulaient profiter au maximum du temps qu'on leur accordait en condensant des semaines, des mois ou des années d'amour en cent vingt minutes bimensuelles. Pas un d'eux ne ressortirait de là indemne, le cœur léger.

— Je me fais du souci pour elle, en fait, reprit Linette.

— C'est pour ça que je t'aime, ma puce.

Giorgio lui caressa amoureusement le visage. Tout geste plus appuyé risquait d'attirer l'attention des surveillantes. Le contact minimal était de règle lors des visites, à l'exception des enfants de moins de douze ans, autorisés à s'asseoir à côté de leur mère, ou sur ses genoux.

— T'inquiète, la rassura-t-il. Ça s'arrangera avec le temps.

— Tu veux dire que ça risque d'empirer avec le temps. Pour l'instant, elle ne craint rien à cause des médias. Elle reçoit constamment des demandes de visites de journalistes, le directeur sera bien obligé d'accepter un jour. Tu t'imagines qu'ils peuvent pas montrer Abbie aux photographes avec le nez pété ou un énorme cocard. Mais, une fois que les médias passeront au prochain gros scandale, Abbie n'aura plus personne pour la protéger contre Lucie et Sabine.

— Tu verras qu'elles obtiendront ce qu'elles veulent, prédit Giorgio qui avait lui-même séjourné derrière les barreaux.

— Si elle continue à refuser d'avouer, ils finiront par la tuer. On la retrouvera suicidée, comme d'habitude.

Un enfant pleurait sur les genoux de sa mère à la table voisine. La détenue tentait de le calmer, mais il était inconsolable.

Linette secoua la tête en soupirant.

— Tôt ou tard, ils finiront par gagner. Ils gagnent toujours.

72

19 h 30. Je comptais les minutes. 19 h 40. 19 h 50. L'annonce de l'extinction des lumières a grésillé dans le haut-parleur.

Les autres prenaient leurs quartiers de nuit, ou alors elles fumaient du hasch à la fenêtre. La 413 tenait de la cour des miracles. Une voleuse de voitures, Linette, et deux meurtrières : Penelope et Josette. Une pyromane mentalement dérangée, Lexie, ainsi que Camille, condamnée pour trafic de cocaïne alors que tout chez elle indiquait qu'elle devait consommer plus couramment que vendre : ses cheveux filasse, son teint terreux, ses mains qui tremblaient, les cigarettes qu'elle fumait à la chaîne. Camille était en désintoxication, mais son traitement lui réussissait mal. Elle passait son temps à parler dans sa barbe en se rongeant les ongles jusqu'au sang. On aurait pu croire qu'elle s'était battue avec un chat tant ses avant-bras étaient griffés.

Sans oublier Mona, une grosse fille originaire de Rouen, méchante comme une teigne, dont le seul tort était d'être sortie avec un Saoudien accusé de terrorisme, à ce que croyait savoir Linette. Mona avait été inculpée pour association de malfaiteurs et cela faisait trois ans qu'elle se trouvait enfermée là, dans l'attente de son procès.

À part Linette, les autres me parlaient peu. Josette, la responsable officieuse de la cellule, m'avait expliqué en termes non voilés que mes problèmes n'avaient pas à rejaillir sur mes codétenues. Si l'entraide n'était pas exclue en cellule, je ne devais pas compter sur elles à l'extérieur.

Ma journée n'avait pas été trop dure. J'avais effectué mes heures à l'infirmerie, où j'occupais les fonctions d'aide-soignante. J'avais même contribué à sauver une fille qui avait tenté de se suicider. Sinon, j'avais joué au gin rami avec d'autres filles dans la salle de jour, et j'avais mangé une côte de porc à peu près comestible pour le dîner. Camille, ma codétenue toxico, m'avait montré des photos de son petit garçon, Grégory, et je l'avais aidée à réaliser un collage qu'elle avait scotché au mur. Je venais de passer une journée de rêve dans ce qui était désormais mon quotidien.

Aux journées de rêve succédaient souvent des nuits de cauchemar. Je ne pouvais jamais le savoir à l'avance. Les matonnes avaient arrêté de me sortir de ma cellule tous les soirs. Qui sait, peut-être Lucie en avait-elle assez des horaires de nuit ? À moins qu'elle n'ait décidé, d'un commun accord avec Sabine, qu'il était plus efficace de me rendre dingue. Que l'attente était pire que la torture. Ce en quoi elles ne se trompaient pas. Je ne dormais jamais que d'un œil, à l'affût des pas dans le couloir, à me demander ce qui m'attendait : la douche, l'épouvantail, ou la chaise. La matraque ou la bombe lacrymo. Le manque de sommeil ou les entendre m'agonir d'injures toute la nuit.

Il suffisait qu'elles ne viennent pas un soir pour que je me torture toute seule en faisant des cauchemars plus effroyables encore que la réalité. Je rêvais de sang, de viol et de chair arrachée en présence de mes enfants qui m'appelaient en sanglotant.

Lucie et Sabine m'accompagnaient même en leur absence. Elles ne le savaient que trop bien. Les nuits où elles me laissaient en paix, elles s'arrangeaient pour passer dans le couloir, s'arrêter devant la porte de ma cellule et triturer la serrure. Je transpirais instantanément à l'idée qu'elles puissent entrer. Rien de plus facile que de transpirer quand il fait trente degrés dehors, et près de quarante à l'intérieur d'une cellule surpeuplée.

Cela faisait six semaines que j'étais là et j'étais en train de changer, sans pouvoir préciser exactement depuis quand. Je me repliais sur moi-même. J'avais beau assister quotidiennement autour de moi aux ravages des privations, de la peur et de l'abattement, je trouvais de plus en plus difficile de m'intéresser à quiconque en dehors de moi. J'étais en passe de perdre tout ce qui avait fait de moi un être humain jusque-là.

La veille, j'avais vu Penelope, ma codétenue espagnole qui souffrait d'une infection dentaire carabinée, réclamer un dentiste à cor et à cri pour la cinquième journée d'affilée. J'en étais arrivée à penser que son problème était bénin par rapport aux miens. J'avais vu la grosse Mona, incarcérée sans procès pour avoir entretenu une relation avec un Saoudien, tousser comme une damnée, et mon unique souci avait été de ne pas attraper ses microbes. Ce qui tenait du vœu pieux, dans une telle promiscuité.

Je n'étais plus Abbie. Abbie avait cédé la place au matricule D-11-0215. Onze deux quinze, dans le jargon de la prison, c'est-à-dire la deux cent quinzième admise au bloc D en 2011. Le cadre rouge qui entourait mon badge me signalait comme *détenue à risque d'évasion élevé*.

Josette et Mona avaient allumé quelques minutes plus tôt un joint qu'elles se repassaient en veillant à recracher la fumée à l'extérieur à travers les barreaux. Elles savaient que les surveillantes, si elles venaient me chercher, ne passeraient que beaucoup plus tard. Quand bien même, les joints ne les dérangeaient pas, et pour cause : c'était très probablement elles qui fournissaient les détenues en hasch. Ou bien alors elles fermaient les yeux lors des visites quand une boulette de shit passait d'un visiteur à une détenue. En prison, fermer les yeux se paye, comme tout le reste.

Rien n'était gratuit dans ce trou à merde où la propriété faisait loi. Les détenues négociaient tout ce qu'elles pouvaient posséder : une cigarette, un peigne, un livre, un verre de jus de pomme. Personne n'obtenait jamais rien sans rien. Le troc reste la plus ancienne forme de commerce au monde. Tout servait de monnaie d'échange, à commencer par les cigarettes et le sexe, mais aussi les produits de toilette, une radio, des vêtements, du papier à lettres. Mona, par exemple, qui n'était pas la plus courageuse ni la mieux organisée du lot, avait autorisé Penelope a partager son joint la veille à condition qu'elle lui fasse son lit pendant une semaine. Sachant que personne n'est autorisé à quitter la cellule si son lit n'est pas fait, ce qui n'était pas un souci pour moi puisque je n'avais pas de lit.

Les lumières se sont éteintes. Josette et Mona, signalées par l'extrémité incandescente de leur joint, continuaient de fumer. Penelope lisait un magazine de mode à l'aide de sa liseuse. Lexie, la pyromane dérangée, fredonnait en écoutant de la musique au casque.

Une heure s'est écoulée, puis deux, et bientôt trois. Je lisais et relisais les lettres de Richie et d'Elena à la lueur de ma propre liseuse de poche. Je les sentais heureux d'avoir retrouvé le Connecticut et leurs amis. L'encre avait dégouliné sur la page à force de se dissoudre sous l'effet des larmes qui coulaient à flots. Quand je pleurais. C'est-à-dire une fois les lumières éteintes et les autres endormies. Je refusais que quiconque me voie pleurer.

Des bruits de pas ont retenti dans le couloir aux alentours de minuit. Je guettais la fente de lumière sous la porte, m'attendant à ce qu'une ombre vienne la masquer. Un bruit de bottes qui s'arrêtent à hauteur de la cellule. Le grincement de la serrure. Je retenais mon souffle, le cœur battant. Une partie de ma tête s'était préparée mentalement à une nouvelle nuit de sévices. Une autre suppliait muettement les monstres de s'en aller, de me laisser en paix.

Laissez-moi en paix. Je vous en prie, laissez-moi en paix ! Rien qu'une nuit !

Je n'avais pas encore hissé le drapeau blanc, mais je sentais bien que l'ennemi avait gagné.

73

J'ai préempté un siège et balayé du regard la grande salle de l'aile F. Les autres détenues pénétraient dans la pièce et s'asseyaient chacune à leur tour, parfois par petits groupes.

C'était soirée cinéma à la prison. La direction proposait un film différent chaque mois, qu'elle projetait plusieurs soirs de suite de façon à pouvoir accueillir les deux mille pensionnaires de l'établissement. Je m'étais inscrite ce soir-là parce qu'il s'agissait d'un film américain, *Sex and the City 2*, dont je n'aurais aucun mal à suivre l'intrigue malgré la barrière de la langue. Et plus encore parce que le moindre instant passé en dehors de ma cellule prenait des allures de sursis.

J'entretenais également l'espoir de croiser l'une de mes amies. Je n'avais plus revu Winnie, Serena ou Bryah depuis notre arrivée à la prison. Nous avions toutes été placées dans des blocs différents. La perspective de notre procès en appel fournissait au directeur un prétexte tout trouvé, puisque nous n'étions pas censées communiquer entre nous. La vérité était plus prosaïque : il souhaitait maintenir la pression. Sur moi en particulier. Dans l'espoir de m'arracher des aveux…

Je me suis levée en apercevant Winnie. Elle ne m'avait pas encore vue.

Ma gorge s'est nouée tant elle était méconnaissable. L'air hagard, elle avait fondu d'une façon effrayante qui creusait anormalement ses traits.

Son visage s'est éclairé lorsqu'elle m'a aperçue. Nous pleurions avant même de nous retrouver dans les bras l'une de l'autre. Tout ce que nous avions vécu au cours des semaines précédentes est sorti d'un coup. La terreur, la souffrance, le désespoir. Nous sommes restées serrées jusqu'à ce qu'une surveillante nous sépare gentiment. J'ai aussitôt remarqué que tout le monde nous observait. J'avais presque oublié à quel point nous faisions figure de vedettes dans cet endroit.

Nous nous sommes assises dans l'une des rangées du milieu, de façon à créer une distance avec les matonnes, installées pour la plupart au fond de la salle. Nous nous tenions par le cou, nous nous caressions les cheveux, nos têtes se touchaient. Les lumières se sont éteintes et les premières images du film ont défilé sur l'écran sans que nous y prêtions attention.

— Cette prison est un vrai cauchemar, pas vrai ? m'a-t-elle murmuré à l'oreille.

Un gémissement s'est échappé de mes lèvres.

— J'aime autant éviter d'en parler. Tu as pu voir les autres ?

— J'ai croisé Bryah une fois. Ils l'ont mise avec les Arabes.

J'étais au courant de la façon dont les détenues étaient séparées en fonction de leur origine ethnique. Dans la mesure du possible. Nous étions blanches pour la plupart, mais un quart de la population de la prison étant noire ou arabe, il avait été décidé de les réunir.

— Je l'ai vue à la bibliothèque, a précisé Winnie. Figure-toi qu'elle apprend l'arabe.

Nous avons ri. C'était du Bryah tout craché. Dieu que c'était bon de rire !

— Et Serena ?

Winnie a haussé les épaules.

— Je l'ai aperçue une fois. Elle se débrouille plutôt bien. Personne ne l'embête. Je suppose que son caractère la sert, tout comme son physique. Elle se trouve dans le bloc A où elle a droit à une cellule à deux, avec une femme âgée.

— Waouh.

Serena avait de la chance. À moins qu'elle ne se soit imposée dès le départ, à coups de poing. Quoi qu'il en soit, je m'en réjouissais pour elle.

— Bryah m'a raconté… il paraît qu'ils sont atroces avec toi. Ils cherchent à t'arracher des aveux ?

Je n'étais pas surprise que Bryah ait réussi à s'informer sur mon sort. Elle avait toujours été la reine des potins.

— Je suis une grande fille. À part ça, tu as vu Christien ? Tes enfants ?

Nous étions là depuis dix semaines. Les visites ayant lieu tous les quinze jours, elle avait dû voir son mari quatre ou cinq fois.

Winnie ne m'a pas répondu immédiatement.

— C'est… dur. C'est à la fois super et terrible. Tu comprends ?

Elle s'est tournée vers moi. Elle était sûrement au courant de mon différend avec Jeffrey.

— Et toi ? Tu as vu tes enfants ? a-t-elle demandé.

J'ai répondu non de la tête.

— Je ne sais pas si je supporterais qu'ils viennent ici, qu'ils voient cet endroit. Quant à Jeffrey… j'ai cru comprendre qu'il venait la semaine prochaine. On s'écrit.

— Christien m'a annoncé que Jeff retournait aux États-Unis. C'est vrai ?

Oui, c'était vrai. Les jours de Jeffrey à l'ambassade des États-Unis en Suisse étaient comptés depuis l'annonce de mon arrestation, et plus encore depuis que son aventure avec l'ambassadrice avait été rendue publique. Ils n'avaient pas été jusqu'à le renvoyer au plus fort de la crise, mais à présent que le procès était terminé, les dés étaient jetés. Jeffrey retournait à Georgetown. D'un côté, il serait plus près de Richie et d'Elena, qui avaient réintégré leur internat du Connecticut. D'un autre côté…

— Il sera loin…, a chuchoté Winnie.

Je me suis penchée vers elle.

— Je pense que ça lui convient, Win. Si tu vois ce que je veux dire.

Ellc a poussé un soupir douloureux.

— Mon Dieu. Si tu savais ce que je m'en veux de tout ça, Abbie. Toute cette histoire est de ma faute…

— Chut !

Mais Winnie était inconsolable. Elle a éclaté en sanglots, silencieusement, tout contre moi. J'ai savouré sa chaleur, les yeux fermés. La crise a duré une bonne demi-heure. Je me fichais que ma chemise soit trempée. C'était tellement bon d'être à nouveau réunies…

Ses tremblements ont fini par se calmer, mais elle restait silencieuse. Elle a soudain approché sa bouche de mon oreille.

— Je n’en peux plus. Je ne tiendrai plus très longtemps.

74

Installée à l'une des tables du parloir, j'observais le manège des détenues avec leurs enfants, leurs frères et sœurs, leurs conjoints. J'avais mal au cœur en voyant ces couples, réduits à la règle du *contact minimal*, qui ne pouvaient pas se toucher vraiment alors qu'ils en avaient tant envie ; c'est tout juste si on les autorisait à s'embrasser furtivement en début et en fin de visite. J'avais mal au cœur en voyant ces mères que l'on arrachait à leurs petits à l'heure du départ. J'avais mal au cœur en entendant les cris des plus jeunes qui ne comprenaient pas pour quelle raison on refusait à leur maman de rentrer à la maison.

Ces femmes avaient une vie dure. La grande majorité d'entre elles étaient enfermées pour des problèmes de drogue, ou bien à cause de leur compagnon. La plupart n'avaient jamais été au-delà du collège. Beaucoup étaient illettrées. Bien peu sortiraient de prison avec la possibilité de s'en tirer, elles retomberaient dans la dope ou commettraient un nouveau crime, parfois les deux.

Mon visiteur ayant pris du retard, je me suis replongée dans la lecture du journal posé devant moi. Nous recevions la presse française avec un jour de retard, et les journaux américains deux ou trois jours après leur publication. Les détenues s'en fichaient. La presse était le seul moyen de nous maintenir au courant de l'actualité et l'information, même réchauffée, nous suffisait.

Le *USA Today* vieux de trois jours que j'avais entre les mains consacrait un article à quelqu'un que j'avais connu autrefois, un certain Damon Kodiak.

Damon essayait désespérément de vendre un film à Hollywood depuis plusieurs années. *Der Führer* risquait fort de provoquer la controverse, pour ne pas dire plus. Ce portrait d'Adolf Hitler s'intéressait essentiellement à son enfance, à ses amis, à sa relation avec Eva Braun. En résumé, il s'agissait d'un portrait bienveillant consacré à une personne que l'Histoire considérait avec une bienveillance pour le moins limitée.

Hollywood avait refusé sèchement la proposition de Damon. Persuadé de tenir une idée originale, il s'était entêté à réunir les fonds nécessaires. À force de s'adresser à des investisseurs privés, il était parvenu à ses fins et signait avec ce long-métrage sa toute première réalisation, dont il était également la vedette. Écrit, réalisé et interprété par Damon Kodiak. Il espérait tenir sa *Passion du Christ*, à moins que l'échec ne soit au rendez-vous, ce qui était peu probable.

Der Führer était sorti le week-end précédent aux États-Unis avec un record de soixante-douze millions de dollars au box-office. Damon enregistrait le plus gros lancement de sa carrière, et pouvait espérer renaître de ses cendres à quarante-huit ans. La sortie du film était très attendue en Europe où l'on attendait une affluence record dans les salles.

Nos existences respectives avaient pris un tour bien différent depuis la nuit passée ensemble à Monaco.

— Désolé d'être en retard.

Joseph Morro, le correspondant du *New York Times* à Londres, a posé sur la table son sac dont il a tiré un bloc.

— Merci d'avoir accepté cette interview.

— J'ai accepté de vous parler.

Morro n'a pas perçu la nuance. Il a posé les yeux sur le journal que je lisais.

— Je vois que vous prenez des nouvelles de votre petit ami.

Il ne cherchait nullement à dissimuler son sarcasme. Il l'avait d'ailleurs clairement laissé entendre dans le blog qu'il alimentait pendant le procès. À l'image de tout le monde, il avait du mal à croire qu'une fille telle que moi puisse passer une nuit sur un yacht avec Damon.

— Je suis innocente et j'ai la ferme intention d'en apporter la preuve lors de l'appel. J'y laisserai ma peau s'il le faut, mais je retrouverai le vrai coupable.

Il a penché la tête de côté.

— Super. Maintenant que c'est dit, on peut commencer l'interview ?

— Je n'ai pas accepté de vous accorder une interview. J'ai accepté de vous parler.

— Vous avez accepté…

Morro s'est arrêté, le temps de repasser ma phrase dans sa tête.

— Vous ne m'autorisez pas à vous poser des questions ?

— Je vois que vous comprenez vite, Joe. Vous n'aurez qu'à rapporter à vos lecteurs ce que je viens de vous dire : je suis innocente et je compte en apporter la preuve en appel. Je n'aurai de cesse de retrouver le vrai coupable.

Je me suis levée.

— Bon retour.

— Abbie, s'il vous plaît ! Je n'ai pas de quoi rédiger un article avec ça !

Je savais bien qu'il publierait quand même son article. Les gens étaient avides de nouveaux détails sur l'affaire des Maîtresses de Monaco. Morro tenait une entrée en matière parfaite pour l'article qu'il ne manquerait pas de consacrer au procès d'appel. La moisson était mince, mais ses confrères n'avaient rien à se mettre sous la dent.

J'avais accompli ma mission.

75

Ce n'était pas le genre d'appel que le directeur de la prison pouvait recevoir sur le téléphone posé sur son bureau. Ou même sur son portable professionnel. Un appel de cette importance était forcément réservé au portable privé d'Antoine Boulez.

— J'imagine que vous devinez la raison de mon appel, fit une voix à l'autre bout du fil.

— Oui, je crois.

L'article signé Joseph Morro, le correspondant du *New York Times* à Paris, s'affichait sur l'ordinateur de Boulez, sous un titre choc :

ELLIOT SE LÂCHE :
« JE RETROUVERAI LE VRAI COUPABLE »

Abbie Elliot, plus résolue que jamais, clamait son innocence à la une du *Times* et menaçait d'en apporter la preuve en appel.

— Comment avez-vous pu ? demanda la voix.

— Je ne peux pas l'empêcher de rencontrer des journalistes, encore moins contrôler ce qu'elle leur raconte, se justifia Boulez dans un murmure.

— Bon sang, Boulez ! C'est vous qui dirigez cette prison, oui ou non ? Vous avez *tous* les pouvoirs ! Alors arrangez-vous pour la contrôler.

Boulez balaya du regard les photos à sa gloire accrochées au mur. On le voyait notamment recevant une médaille des mains du garde des Sceaux. Il détourna les yeux en apercevant son reflet dans le verre du cadre.

— On a tout essayé. Elle se montre particulièrement résistante… et rétive.

— Particulièrement résistante ? ricana son interlocuteur. Alors montrez-vous particulièrement convaincant.

— Je vais… revoir nos méthodes. Peut-être…

L'inconnu ne le laissa pas achever sa phrase :

— Peut-être y a-t-il une autre solution, en dehors des aveux. Histoire qu'on n'entende plus jamais parler d'Abbie Elliot.

Boulez hésita. Il y avait déjà pensé, évidemment.

— Maintenant ? s'inquiéta-t-il. Après cette déclaration fracassante à la presse ? Personne ne croirait à une coïncidence s'il lui arrivait quelque chose aujourd'hui. Un suicide ne serait guère plus plausible.

L'inconnu garda le silence quelques instants.

— Elle doit s'en douter. C'est bien pour cette raison qu'elle s'est confiée à ce journaliste. Elle cherche à se protéger.

— C'est possible, concéda Boulez. Elle est très maligne.

— À vous de vous montrer plus malin qu'elle, Boulez.

Le directeur soupira lentement.

— Il reste deux mois avant le procès en appel.

— Je n'ai pas deux mois à ma disposition, Boulez. Vous non plus, par conséquent. Je compte sur vous pour trouver une solution sans attendre. J'exige des aveux immédiatement. À défaut, arrangez-vous autrement.

L'inconnu mit brutalement fin à la communication. Boulez se pinça l'arête du nez. Abbie n'avait ni craqué, ni avoué, ni renoncé à interjeter appel, et le temps pressait.

Il devait bien y avoir une solution.

76

— La suite formait un immense carré.

Je m'adressais à Linette, assise sur l'un des lits de l'infirmerie. Léonore, l'infirmière, avait fini de soigner la coupure qu'elle avait au bras et bandait la plaie.

— Je partageais avec Winnie la chambre avec vue sur la mer, Bryah et Serena dormaient dans la chambre donnant sur l'arrière, près du balcon.

— Combien de temps tu crois qu'il leur fallait ? m'a interrogé Linette.

J'ai réfléchi quelques instants avant de répondre.

— Notre chambre était la plus facile d'accès, puisqu'elle se trouvait à côté de l'entrée. Le temps de récupérer dans la poubelle un vieux Kleenex de Winnie, un coton-tige dont je m'étais servie, des cheveux sur nos brosses, un objet quelconque portant nos empreintes. Deux ou trois minutes. Idem avec l'autre chambre, celle de Bryah et de Serena.

— Dans ce cas, pourquoi n'avoir pas prélevé l'ADN de Bryah, mais uniquement celui de Serena ?

J'ai haussé les épaules. Ce détail restait inexplicable, mais le fait est que Bryah avait été épargnée.

— Peut-être qu'ils se sont contentés de visiter la première chambre, a suggéré Linette. Celle que tu occupais avec Winnie. Ils ont pu avoir peur d'être surpris s'ils restaient trop longtemps.

Pourquoi pas, après tout ? À ceci près que cette hypothèse présentait un sérieux défaut.

— Tu as raison, ça expliquerait l'absence d'éléments incriminant Bryah. Mais comment analyser la présence sur la scène de crime de choses appartenant à Serena ?

Linette a secoué la tête d'un air perplexe. Pas plus que moi, elle n'avait de réponse à cette énigme.

Par sa taille, l'infirmerie me rappelait le gymnase de mon lycée, à condition d'oublier son plafond très bas. La pièce était incroyablement lumineuse, au point que je plissais les paupières chaque fois que j'y pénétrais. Le contraste avec l'atmosphère sinistre de la prison me faisait le plus grand bien.

Vingt-cinq lits s'alignaient face au box servant de salle d'attente aux détenues malades. À l'extrémité de la grande salle s'ouvrait la porte de la pharmacie où étaient stockés médicaments et matériel médical. Du côté opposé se trouvait la chambre de cinq lits où je me trouvais avec Linette. Une pièce blindée habituellement réservée aux détenues dangereuses, ou à celles atteintes de maladies contagieuses. Nous l'utilisions comme annexe les jours d'affluence, ce qui était le cas ce jour-là.

L'œil noir d'une caméra nous surveillait en permanence. La pièce, isolée de la grande salle par une baie vitrée équipée de stores vénitiens, aurait constitué un refuge discret sans la présence de cette caméra. Et même une véritable forteresse, à bien y réfléchir.

— Abbie, j'aurais besoin d'ampicilline, a réclamé Léonore, occupée à traiter une détenue souffrant d'une infection urinaire.

Elle pratiquait un anglais acceptable, nos conversations lui servaient d'exercice.

— Tu peux en recevoir une boîte pour moi, s'il te plaît ?

— *Récupérer* une boîte, Léonore.

Elle a éclaté de rire et m'a tendu la clé de la pharmacie, ce qui était strictement interdit par le règlement. En théorie, seuls les médecins et les infirmières diplômées étaient autorisés à y pénétrer, mais dans la pratique Léonore aurait dû multiplier les allers-retours si elle n'avait pas délégué cette tâche à ses assistantes. L'infirmerie manquait cruellement de personnel, nous avions de la chance les jours où nous avions deux infirmières. Quant au médecin, il venait au maximum un jour sur deux. Les détenues en attente d'un traitement faisaient la queue jusque dans le couloir. Aussi le personnel médical n'hésitait-il pas à recourir aux assistantes les plus fiables.

Cette dernière condition était pourtant vitale. Confier à un détenu la clé d'une pharmacie, c'est un peu comme introduire un cambrioleur dans le sous-sol d'une banque. Léonore me montrait sa confiance en me réservant une telle mission.

En prison, les marques de respect sont suffisamment rares pour qu'on les apprécie.

J'ai rapporté l'ampicilline à Léonore, attendu qu'elle n'ait plus besoin du flacon en plastique que j'ai ensuite remis à sa place dans la pharmacie en remplissant le registre des médicaments, le tout sous le regard inquisiteur des caméras de surveillance. Ma tâche achevée, j'ai rejoint Linette dans la chambre blindée.

Son pansement terminé, elle a agité le doigt dans ma direction.

— *Tu vas devoir comprendre pourquoi il y avait des pièces à conviction impliquant Serena, et pas Bryah*, a-t-elle conclu en français.

77

Sauf exception, chaque détenue devait regagner sa cellule tous les jours à 17 heures, afin d'y rester enfermée jusqu'au lendemain matin. Nous attendions ensuite l'appel, debout au garde-à-vous pour que les gardiennes puissent nous compter à travers le judas. Il n'était pas rare qu'elles se trompent, ce qui les obligeait à recommencer.

Quand nous étions fois comptées et recomptées, il ne nous restait plus qu'à attendre le dîner. Ce soir-là, j'observais avec indifférence le manège d'un rat de la taille d'un chihuahua. Il a passé un œil sous l'une des couchettes avant de battre en retraite. Lui aussi attendait l'heure du dîner.

— Lexie, a crié Josette.

Je ne sais pas comment Josette avait pris la direction de la cellule, mais personne ne remettait en cause son pouvoir. Elle aussi avait aperçu le rat et attendait de Lexie, la pyromane folle, qu'elle découvre et comble le trou par lequel le rongeur avait pénétré dans la cellule. La fente, à l'endroit où le mur rejoignait le sol, était bouchée à l'aide de vieux magazines, voire de sous-vêtements ou de T-shirts roulés en boule.

Lexie a sauté de sa couchette, pris un journal dans la poubelle, et rampé sous le lit. Lexie avait peur de son ombre et ne quittait jamais la cellule, mais les cafards et les rats ne l'inquiétaient nullement.

— *Où est Mona ?*

Son absence me surprenait d'autant plus à l'heure du dîner, qu'elle mangeait comme quatre, au point de finir nos gamelles.

— *Elle est à la bibliothèque*, m'a expliqué Josette.

Une nouvelle cargaison de livres entraînait une réorganisation de la bibliothèque et la mise au rebut d'anciennes revues.

Les détenues les mieux traitées – c'est-à-dire les dealeuses – étaient chargées de « porter » la nourriture dans chaque cellule à l'aide d'un chariot. Elles frappaient à la porte, et chacune recevait dans sa gamelle une ration de viande et de légumes, accompagnée d'un quart de pain, d'un jus de fruits ou d'eau et, pour celles qui en avaient passé commande, un joint ou des pilules.

Josette a pris son shit sans même se cacher de nous et je me suis isolée dans un coin avec mon festin : unc viande de nature indéterminée, des haricots, et une matière brune dont je n'aurais pas su dire s'il s'agissait de patates douces ou de fayots.

*

La porte s'est ouverte brusquement à minuit, et mon cœur a fait un bond dans ma poitrine. Lucie. Une nouvelle nuit de tortures en perspective.

Nous avancions en silence, Lucie à distance respectable derrière moi. Je n'étais pas menottée, mais elle m'avait fouillée, comme toujours. Elle savait donc que j'étais inoffensive.

Elle fredonnait un air guilleret, ravie. Parvenues au rez-de-chaussée, nous avons franchi plusieurs portes blindées jusqu'au bâtiment central avant de nous diriger vers l'aile H.

Le programme avait donc changé, puisque nous ne descendions pas au sous-sol.

L'entrée de chacune des ailes de la prison était gardée par une surveillante. Si l'aile concernée disposait d'une autre issue, ce qui était le cas de l'aile H puisqu'elle donnait sur la cour centrale, une autre surveillante y montait la garde dans une guérite en verre blindé, équipée d'un véritable arsenal.

Lucie a tiré la bombe lacrymo de sa ceinture et l'a tendue à sa collègue, en même tant que ses menottes. Une nouvelle entorse à la routine. C'était bien la première fois que je voyais Lucie se séparer de ses accessoires de prédilection.

Je commençais à m'interroger sur notre destination.

Il régnait dans le couloir une chaleur étouffante et moite, la température à l'extérieur avait battu des records ce jour-là. Je commençais à m'inquiéter. Non pas que la perspective de la chaise, de l'épouvantail ou d'un jet de gaz poivre dans les yeux me séduise particulièrement, du moins savais-je à quoi m'attendre. Faute de connaître le sort qu'on me réservait, je n'en attendais rien de bon.

Lucie m'a ordonné de m'arrêter devant une porte sur laquelle s'affichait le matricule H-11. Le battant s'est écarté et j'ai découvert une couchette et une table où étaient posés trois gobelets en carton et une bouteille de vodka.

Sabine, la surveillante chef, debout dans un coin de la pièce, m'observait en souriant.

78

Lucie m'a poussée brutalement à l'intérieur de la pièce. Je me suis rattrapée de justesse en évitant de tourner le dos à Sabine et à Lucie. L'instant d'après, je me collais prudemment contre le mur.

— Déshabille-toi, m'a ordonné Sabine en français.

Les surveillantes avaient le droit de procéder à des fouilles au corps à n'importe quel moment, ce qui m'interdisait de refuser.

— Non.

La fenêtre à barreaux donnait sur la cour que nous avions découverte en descendant de l'autocar le premier jour, lorsque Sabine s'était acharnée sur moi pour la première fois. Lucie a refermé la porte, rabattu le judas, et nous nous sommes retrouvées toutes les trois dans la pièce.

Les deux femmes ont échangé un regard. Sabine serait la première. Je craignais déjà le pire.

Lucie a rempli de vodka deux des gobelets en carton, pour Sabine et elle. Elle m'a proposé de me joindre à elles, mais je suis restée sans réaction, les poings serrés le long de mon corps sous l'effet de la tension.

Les deux femmes ont levé leurs gobelets, santé, et les ont vidés. Puis Sabine s'est assise sur la couchette en dégrafant sa ceinture.

— Tu vas gentiment t'occuper de nous, m'a ordonné Lucie en français. Tu commenceras par Sabine.

Elles ont compris mon refus en constatant que je ne bougeais pas.

Sabine a retiré son pantalon et s'est allongée, son ignoble petite tête posée sur l'oreiller. Lucie s'est avancée vers moi, tel un prédateur, la matraque à la main.

— Tu n'as pas le choix, ma belle.

J'ai répondu non de la tête. Lucie a fait voler sa matraque. Elle souhaitait uniquement m'intimider, mais la matraque a heurté violemment mes doigts alors que je tentais de me défendre avec la main. J'ai reculé machinalement en la voyant s'avancer. Notre étrange chorégraphie nous entraînait vers la couchette sur laquelle m'attendait Sabine, sa culotte au niveau des chevilles.

— Tu n'as pas le choix, a répété Lucie. Sinon, tu ne marcheras plus jamais comme avant.

Sa matraque a volé à nouveau en s'écrasant cette fois sur mon poignet. Je me suis retrouvée acculée contre le mur, telle une souris prise au piège. J'ai senti monter en moi un vent de panique.

— Non !

— Lucie, a fait la voix de Sabine.

Du coin de l'œil, j'ai remarqué qu'elle remontait sa culotte et son pantalon.

— Il est grand temps de lui apprendre la politesse.

Un frisson m'a parcouru le dos en la voyant se relever et rejoindre sa collègue. Lucie lui a tendu sa matraque afin de garder les mains libres. Elle m'a fondu dessus et attrapée par les cheveux tout en arrachant ma chemise. Nous avons roulé par terre, j'aurais voulu crier, mais aucun son ne sortait de ma gorge. Je multipliais les coups de pied dans l'espoir vain de la repousser. Elle était beaucoup plus forte que moi, et sa rage dominait ma peur.

Le visage immobilisé par son avant-bras, je n'ai pas pu l'empêcher de descendre mon pantalon de force. J'ai bien tenté de surmonter ma terreur en retrouvant ma voix, mais à quoi bon hurler dans cette pièce isolée ? Personne ne m'entendrait. Si brutales qu'aient pu être les tortures physiques dont j'avais été victime jusque-là, elles n'étaient rien à côté de ce viol, de cette profanation de…

— Arrête de bouger ! a grondé Lucie, son visage tout contre le mien.

À moitié nue, j'ai vu Sabine s'approcher, la matraque à la main.

Le regard brouillé de larmes, le cerveau vrillé par le tocsin de mon désespoir, j'ai cru que mon cœur allait imploser. NON, JE VOUS EN SUPPLIE…

Une alarme s'est déclenchée à cet instant précis. Une véritable alarme, dont le hululement grave faisait vibrer les murs de la prison. Figées sur place, Lucie et moi avons échangé un regard. Un vent de panique s'est emparé d'elle.

La sirène répétait inlassablement son appel sur un rythme lancinant. Trois courtes, une longue. Trois courtes, une longue. Sans l'avoir jamais entendu, je savais très bien à quoi correspondait ce signal.

Une tentative d'évasion.

79

Je me suis rhabillée en toute hâte et Lucie s'est empressée de me menotter au montant de la couchette avant de quitter précipitamment la pièce avec Sabine en verrouillant la porte derrière elles. J'ai traîné la couchette jusqu'à la fenêtre dont j'ai ouvert le volet de ma main libre.

Je ne l'aurais pas cru si je n'avais moi-même été témoin de la scène. Les phares de toit étaient tous allumés. Le projecteur installé dans la cour de la prison balayait le ciel à la recherche de l'hélicoptère survolant l'établissement.

De l'hélico bleu à bandes blanches s'échappait une corde qu'escaladait péniblement une silhouette féminine, gênée par les soubresauts de l'appareil. Une rafale s'est échappée de l'hélico en direction de la cour, en riposte aux surveillantes postées dans les miradors, de part et d'autre de la grille d'entrée, qui avaient ouvert le feu. La fuyarde poursuivait tant bien que mal son ascension. Très corpulente, une queue-de-cheval, on aurait dit…

— Mona !

La femme qui était en train de s'évader était l'une de mes codétenues. Je me suis souvenue qu'elle était censée travailler tard ce soir-là à la bibliothèque, dans un bâtiment donnant sur l'arrière.

Les coups de feu en provenance du mirador le plus proche ont cessé. L'une des gardiennes avait-elle été blessée ? Impossible de le savoir. Leurs collègues continuaient à tirer depuis la seconde tour, les balles qui frappaient de plein fouet la carrosserie de l'appareil faisaient jaillir des gerbes d'étincelles. Le pilote s'efforçait d'échapper aux tirs en multipliant les manœuvres, compliquant d'autant l'ascension de Mona.

Elle se trouvait à mi-hauteur lorsque l'hélico a brusquement repris de l'altitude. Le pilote préférait s'éloigner avec Mona cramponnée au cordage plutôt que d'être descendu en flammes.

Une décision sage, mais trop tardive. Une boule de feu a enveloppé l'arrière de l'appareil qui s'est mis à tournoyer follement sur lui-même. Il s'est élevé de quelques dizaines de mètres, puis a soudainement basculé à gauche en direction de la cour en perdant de l'altitude.

J'ai fermé les yeux, mais il était trop tard. J'ai eu le temps de voir Mona lâcher l'échelle de corde et faire un vol plané avant de s'écraser la tête la première dans la cour. Son crâne a littéralement explosé sous le choc. Quelques instants plus tard, l'hélicoptère s'écrasait à son tour à une vingtaine de mètres du corps de Mona et s'embrasait instantanément.

La chaleur de l'explosion m'a caressé le visage en me picotant les yeux. Je me trouvais tout près du lieu de l'accident, à une trentaine de mètres tout au plus.

Les gardiennes ont continué à tirer sur la carcasse de l'appareil en attendant l'arrivée des pompiers, une vingtaine de minutes plus tard. Les soldats du feu ont copieusement arrosé les débris incandescents et les épais nuages de fumée jusqu'à ce qu'il ne reste de l'hélico qu'une masse métallique informe.

J'ai repoussé le volet en voyant la fumée se diriger vers moi. Je me bouchais le nez afin d'échapper à cette odeur d'essence qui me rappelait celle des cocktails Molotov, le jour des émeutes qui avaient marqué le procès. Ce jour-là, je m'en étais tirée vivante.

Ce n'était pas le cas de Mona Mourcelles.

80

Menottées toutes les six, debout dans le couloir à hauteur de la cellule 413, nous attendions que les surveillantes terminent leur fouille. L'administration les autorisait à inspecter nos cellules à tout moment, à la recherche de produits illicites. Elles sondaient les matelas, feuilletaient les livres, fouillaient les boîtes rectangulaires dans lesquelles nous gardions nos objets personnels : bonbons, cigarettes, CD, tout ce que nous étions en droit d'acheter à la cantine.

Les gardiennes sont ressorties avec un certain nombre de prises de guerre avant de nous conduire au sous-sol afin de nous interroger. On nous a déshabillées, passées au jet d'eau et vaguement questionnées tout en nous arrosant de coups de matraque. Il s'agissait moins d'un interrogatoire que d'un moyen pour elles de se passer les nerfs.

Mona et les deux Saoudiens qui avaient pris place à bord de l'hélicoptère, des amis de son compagnon, avaient péri lors de la tentative d'évasion. Plus grave, l'une des gardiennes postées dans les miradors avait été tuée par une rafale. Les matonnes venaient de perdre l'une des leurs et il fallait bien que quelqu'un paie l'addition. Autant que ce soit les codétenues de Mona, dont aucune n'était pourtant au courant de ses projets, à ma connaissance.

Recroquevillées à même le sol toutes les six, transies sous l'effet des jets d'eau glacée que les matonnes nous infligeaient à intervalles réguliers, nous nous protégions du mieux que nous pouvions des coups de matraque qui pleuvaient sur nous. Lexie, à côté de moi, était littéralement terrorisée. C'était la première fois que je la voyais quitter l'abri de la cellule. Depuis vingt mois qu'elle avait été incarcérée, jamais elle n'en était sortie.

— *Qui était au courant de cette évasion ?* nous répétaient inlassablement nos bourreaux.

Plus nous tardions à répondre, plus les matonnes devenaient enragées. Elles avaient perdu tout sang-froid et nous frappaient sans relâche. Les pieds, les chevilles, le ventre, et même la tête. En dépit de mon expérience, je n'avais jamais assisté à un tel déchaînement de haine.

— *Je vous jure, elle ne nous avait rien dit !* a protesté Linette en redressant le torse.

Répondre aux gardiennes n'était pas vraiment une bonne idée, même si c'était la vérité.

Une surveillante que je ne connaissais pas s'est approchée de Linette d'un air menaçant. Lucie l'a arrêtée d'un geste. Elle comptait mater personnellement l'effrontée. Elle m'a gratifiée d'un grand sourire, puis elle a saisi Linette par les cheveux et l'a entraînée hors de la pièce.

— Linette !

J'ai rampé au-dessus de Lexie, décidée à me lancer au secours de Linette, quand l'une des matonnes a laissé échapper un rugissement. L'instant suivant, la matraque s'abattait sur ma bouche.

Ma tête a volé en arrière, mes yeux se sont révulsés, et puis je me suis sentie happée par un trou noir.

81

J'ai repris connaissance sur un sol de béton couvert de taches. Ma mâchoire me lançait si fort que je l'ai crue fracturée. Mon visage était gonflé et j'avais le tournis, au point d'être incapable de tenir debout.

J'ai observé le décor qui m'entourait. La surface de la pièce ne dépassait pas les sept mètres carrés. Une ampoule nue descendait d'un plafond très élevé. Les murs, couverts de salpêtre et de graffitis, étaient maculés de traces sombres.

J'ai tout de suite deviné que je me trouvais en cellule disciplinaire. Le *mitard*, ainsi que le surnomment les détenus français.

J'ai rampé jusqu'au robinet, planté dans le mur à la façon de ceux que l'on trouve dans les jardins, et je l'ai ouvert. Un faible jet d'eau tiède s'en est échappé, que j'ai recueilli dans la paume de ma main afin de m'arroser le visage avant de boire. L'eau était potable, malgré un fort goût de fer. J'ai recraché du sang.

Un interphone, fixé en hauteur, a grésillé au-dessus de ma tête.

— Mets-toi dos à la porte et passe les mains par l'ouverture, m'a ordonné une voix.

Je me suis relevée péniblement sur des genoux raides, marbrés de sang et de crasse. Ma chemise était poisseuse de vomi. Chancelante, j'ai obéi aux injonctions de la surveillante en m'adossant contre le battant avant de glisser mes mains dans le trou. Une paire de menottes s'est refermée sur mes poignets.

— Éloigne-toi de la porte.

J'ai obtempéré cette fois encore, les mains entravées dans le dos. Une gardienne a pénétré dans la pièce et m'a obligée à sortir de la cellule en m'attrapant par les menottes.

— Qu'est-il arrivé à Linette ? lui ai-je demandé en français.

La matonne n'a pas daigné me répondre, se contentant de me reconduire à ma cellule. Ma tête résonnait comme une cloche et un sentiment de peur avait pris le pas sur ma nausée.

Elle a déverrouillé la porte et j'ai découvert la cellule ravagée à la suite de la fouille. Quatre des filles attendaient en silence, en état de choc : Josette la chef, Penelope l'Espagnole, Camille la toxico et Lexie la pyromane dérangée.

— Où est Linette ?

Seule Josette a relevé la tête, avec sur le visage une expression plus dure que jamais. J'ai bien vu qu'elle était au bord des larmes.

Elle a secoué la tête.

Il m'a fallu un moment pour comprendre et digérer sa réponse muette.

— Non !

Je me suis effondrée.

— Non !!!

Je tapais du poing sur le sol de béton en poussant des hurlements gutturaux, la gorge enflammée par l'angoisse, le cœur plein de haine. Mon estomac s'est soulevé et j'ai vomi à plusieurs reprises. De la bile, faute de mieux.

— Pas Linette !

Mes cris étaient vains. Linette à qui il restait à peine quelques mois à tirer. Linette qui allait épouser Giorgio, l'amour de sa vie.

C'est tout juste s'il me restait la force de hoqueter comme un animal enragé.

— Elles l'ont tuée !

Josette a levé les yeux au plafond.

— C'était un accident, a-t-elle fini par me répondre. Elle s'est cogné la tête en tombant après avoir glissé.

— Quoi ?!! Jamais de la vie. Il ne s'agit pas du tout d'un *accident*. C'est Lucie qui l'a tuée ! C'est Lucie qui l'a tuée !

— Non, a insisté Josette d'une voix qui tremblait. Je te dis que c'est un accident.

J'ai regardé les filles, les yeux écarquillés. Elles approuvaient toutes de la tête. J'ai soudain réalisé mon erreur : elles n'étaient pas en état de choc, elles étaient terrorisées. Même Josette, la dure de la bande, récitait la version officielle comme un perroquet : Linette avait glissé et s'était cogné la tête. Personne n'acceptait de reconnaître que Linette avait été battue à mort.

Elles savaient qu'à moins de marcher dans la combine, elles seraient victimes à leur tour d'un « accident ».

Je me suis relevée d'un bond.

— On ne va tout de même pas les laisser s'en tirer à si bon compte ! ai-je crié en anglais avant de le répéter en français.

Qu'importait la langue, elles n'avaient pas envie de m'entendre.

— On n'a pas le choix, a grommelé Penelope.

— Bien sûr que si !

Je me battais contre des moulins à vent. Aucun de mes arguments n'aurait pu les guérir de la peur panique qui s'était emparée d'elles.

Mon amie Linette. Notre amie Linette, car tout le monde l'appréciait au sein de la prison. Linette était morte, assassinée par Lucie, et nous allions fermer les yeux en accréditant la version d'une chute accidentelle.

Je me suis ruée sur le bouton de l'interphone en hurlant.

— Bande d'assassins !

Josette et Penelope se sont jetées sur moi pour me maîtriser. J'ai tenté de les repousser tout en appuyant comme une damnée sur le bouton sans que personne me réponde. Elles ont fini par m'immobiliser par terre et je suis restée là, secouée de hoquets, jusqu'à ce que les lumières s'éteignent à 20 heures.

82

— Je t'écoute, a laissé tomber Jeffrey, mon mari.

Six jours s'étaient écoulés depuis la mort de Linette. Six jours passés à regarder fixement les murs de ma cellule, à contempler le lit vide de la malheureuse, à manger du bout des dents, à me murer dans le silence quand je n'effectuais pas mon service à l'infirmerie. Au terme de son « enquête », la direction de la prison avait conclu de façon prévisible que Linette Gisèle Moreau était morte d'un choc à la tête après avoir glissé dans sa cellule. Quatre de ses codétenues corroboraient cette version. J'étais la seule à m'y opposer. Le rapport officiel signalait mon « manque de coopération », précisant que je refusais de « rapporter les faits de façon acceptable ».

Les surveillantes s'étaient montrées habiles. Elles estimaient que la mort était survenue entre 7 h 30 et 8 h 30 du matin, c'est-à-dire au moment du changement de service de 8 heures. On m'avait expliqué que c'était l'heure de prédilection chaque fois que survenait un « accident mortel » au sein de la prison. Quand bien même l'administration centrale aurait voulu lancer une enquête officielle, il aurait été quasiment impossible de désigner une surveillante en particulier, faute de savoir si le drame était survenu avant, ou après la prise de service de 8 heures.

— Dis-moi au moins ce que tu en penses, a insisté Jeffrey.

Mon mari, jean et chemise ouverte, confortablement installé en face de moi. C'était la première fois que Jeffrey me rendait visite, en plus de trois mois. Il avait multiplié les excuses : son retour aux États-Unis, son installation dans une nouvelle vie à Georgetown, les week-ends passés avec les enfants qui restaient traumatisés par toute cette histoire. Je pouvais compter sur Jeffrey pour inventer de bonnes raisons de ne pas venir me voir.

Il en était arrivé au point de ne même plus chercher d'excuses.

J'aurais eu mauvaise grâce à lui en vouloir. Après tout, nous nous étions quittés en mauvais termes, sans même parler des difficultés que traversait notre couple avant mon arrestation.

— Allez, Abbie. Réponds-moi.

Je l'ai gratifié d'un sourire glacial.

— Tu laisses passer une demi-douzaine d'occasions de me rendre visite, tu attends près de quatre mois avant de pointer le bout du nez ici, tu daignes enfin venir me voir, et tu n'es même pas là depuis dix minutes que tu m'annonces ton intention de divorcer. Et il faudrait que ce soit à *moi* de parler ?

— Abbie…

— Et si je te disais d'aller te faire foutre, tout simplement ? Ça te conviendrait, Jeff ?

Au fond de moi, je n'étais pas étonnée outre mesure. J'aurais dû lui être reconnaissante de ne pas m'avoir envoyé les papiers du divorce par la poste.

— Écoute, Abbie. On a tous les deux commis des erreurs…

J'ai éclaté de rire.

— Ne me dis pas que tu as préparé un petit laïus avant de venir ? Tu te fous de moi ?

Je me suis penchée vers lui.

— Oui, nous avons tous commis des erreurs. J'ai notamment commis l'erreur de renoncer à mon boulot et de m'installer avec toi en Suisse pour que tu puisses baiser tranquillement ton ambassadrice pendant que je jouais les ménagères…

— Je te répondrai que le *monde entier* est au courant de ton aventure, a-t-il persiflé.

Mon expression m'aura trahie, car il a enchaîné :

— Comment ? Tu ne t'es pas envoyée en l'air, toi aussi ? Pourquoi ? Ça ne compte pas quand il s'agit d'une star du cinéma ?

De façon improbable, c'était la première fois que le sujet arrivait sur le tapis. Nos deux « aventures », pour reprendre le terme choisi par Jeffrey, étaient devenues publiques lors du procès et s'étaient étalées à la une des journaux people du monde entier, mais nous n'en avions jamais parlé ensemble.

— Je te signale que tu t'étais déjà chargé de briser notre couple avec ta maîtresse. Je reconnais mes torts et je les assume, mais il ne s'agissait pas d'une histoire à répétition, soigneusement préparée et cachée grâce à une belle panoplie d'alibis. J'ai réagi sur le moment, après avoir bu plus que de…

— Je t'en prie, épargne-moi tes « réactions sur le moment », tu veux ? a réagi Jeffrey en balayant l'argument d'un geste, écarlate, le visage haineux. N'essaye pas de me convaincre que tu allais à Monaco pour une autre raison ! Il suffisait de voir ton comportement près de la piscine ce jour-là, on aurait dit une pouffe ! Tu riais comme une dinde en flirtant au bord de l'eau, avec ton mini-bikini…

Un garde a tapé sur la table du plat de la main.

— Calmez-vous, sinon je vais demander à votre mari de s'en aller.

— Excusez-moi, a répondu Jeffrey en soupirant.

Je restais pétrifiée sur ma chaise, les yeux rivés sur lui. Mon cerveau tournait à cent à l'heure, mon visage devait être livide.

— Je suis désolé de ce que j'ai fait, s'est excusé Jeffrey. Crois-moi, je l'ai payé très cher. En attendant…

Je me suis levée machinalement, incapable de rester une seconde de plus dans la même pièce que ce type.

— Tu auras ce que tu veux, je suis prête à divorcer.

À la vérité, je ne sais pas exactement quelles ont été mes paroles exactes. Je sais juste que je ne voulais plus le voir. J'avais besoin de réfléchir.

Il suffisait de voir ton comportement près de la piscine ce jour-là, on aurait dit une pouffe !

Tu riais comme une dinde en flirtant au bord de l'eau, avec ton mini-bikini.

— Je suis sincèrement désolé, a répété Jeffrey. Franchement, Abbie, tu devais t'y attendre.

M'y attendre ? Tout dépendait de ce dont il parlait.

Je m'étais attendue à ce qu'il demande le divorce un jour ou l'autre, bien sûr.

En revanche, la présence de Jeffrey à Monaco la veille du jour où le président Dévereux avait été assassiné était infiniment plus inattendue.

83

À 12 h 45, je me trouvais devant la porte de ma cellule, conformément au règlement chaque fois que les détenues sont amenées à se déplacer à l'intérieur de la prison. Travail, bibliothèque ou visite, quel que soit le motif, nous devions nous tenir prêtes quinze minutes avant qu'une gardienne vienne nous chercher. Je prenais mon service à l'infirmerie à 13 heures.

L'écho des propos lâchés par Jeffrey ce matin-là continuait de résonner dans ma tête. Je ne parle pas du divorce, mais de sa description de mon comportement à la piscine du Monte-Carlo Beach l'après-midi qui avait précédé le meurtre du président Dévereux. L'information lui avait échappé dans le feu d'une dispute entre mari et femme, de celles qui permettent à la vérité de s'exprimer. Jeffrey ne s'était aperçu de rien. Il n'avait aucune idée de l'importance d'une telle révélation.

Je repassais l'information inlassablement dans ma tête. Le procès avait bien montré que nous avions passé l'après-midi à la piscine de l'hôtel, mais pas une photo de cet épisode n'avait été produite. Il n'en existait pas. Personne n'avait mentionné le fait que nous avions flirté, ni que je portais un bikini. Personne n'avait avancé la moindre remarque sur notre comportement ce jour-là.

Une seule explication s'imposait : Jeffrey avait assisté personnellement à la scène.

Il se trouvait donc à Monaco ce jour-là.

Je m'interrogeais sur la meilleure façon d'exploiter une telle information. Que signifiait-elle réellement ? Jeff n'en avait jamais parlé à quiconque, c'était certain. Mieux, il m'avait menti. Quelle conclusion en tirer ? Pas une seconde l'idée ne m'avait effleurée que Jeffrey, mon *mari*, puisse… Non. Impossible.

Pourquoi pas, après tout ?

Une certitude s'imposait désormais à moi : certaines hypothèses, inenvisageables jusque-là, devenaient soudainement plausibles. Il me fallait impérativement en parler à Winnie.

On m'a escortée jusqu'à l'aile G, menottée, après la fouille de rigueur. J'ai récité mon matricule à la surveillante postée à l'entrée avant de poursuivre mon chemin, seule cette fois. La porte qui s'ouvrait sur ma droite, placée sous la surveillance d'une matonne dans sa guérite, conduisait au parking souterrain réservé au personnel de la prison. Elle était accessible uniquement à l'aide d'une carte magnétique. Je me suis arrêtée derrière la ligne rouge à la porte de l'infirmerie, gardée par une surveillante armée jusqu'aux dents dans un box blindé d'où elle surveillait les lieux grâce aux caméras installées à l'intérieur.

— Salut, Abbie.

Une dénommée Cécile, que j'aimais bien. L'une des rares qui nous traitaient avec courtoisie. Par compassion, ou bien parce qu'elle avait compris que nous étions plus dociles quand on faisait preuve d'un minimum de respect à notre égard.

La porte sur laquelle s'étalait le mot INFIRMERIE s'est écartée avec un soupir.

Mes yeux ont papilloté à cause de l'éclairage tandis que je me retenais de vomir en découvrant la puanteur habituelle, un mélange d'odeurs corporelles et de désinfectant. Un peu comme quelqu'un qui se serait frictionné à l'eau de toilette après une semaine sans se laver. Un peu comme l'odeur des taxis new-yorkais.

Plusieurs lits étaient occupés. Imaginez deux mille personnes confinées dans un espace prévu pour la moitié, et le virus le plus inoffensif se transforme en épidémie. Sans oublier qu'être malade permettait d'échapper à la routine de la vie en cellule. Pourtant, ce luxe n'était pas gratuit. À moins d'être réellement malade, se rendre à l'infirmerie coûtait de l'argent. Comme tout ici.

Winnie était occupée à bander le pied d'une détenue arabe au fond de la salle. Son service s'achevait. Le directeur ayant interdit toute forme de communication entre nous, les responsables de l'infirmerie avaient veillé à ce que nos services ne se recoupent jamais. Le système n'était pas parfait, puisqu'il nous autorisait parfois à nous croiser.

— Eh, m'a-t-elle glissé avec son délicieux accent britannique en m'effleurant les doigts. J'ai appris ce qui s'était passé. Ça va ?

Tout le monde était au courant de la mort de Linette.

— Le rêve. Et toi ?

Elle n'était pas d'humeur à plaisanter.

— Il y a cinéma ce soir, a-t-elle chuchoté. Je te garde un siège. Bisous.

La soirée cinéma. J'allais donc pouvoir lui parler aujourd'hui même de ce que Jeffrey m'avait révélé à son insu. À deux, nous pouvions essayer de comprendre.

— Bisous. Repose-toi.

Je me suis empressée de vaquer à mes occupations. Jamais je n'aurais tenu sans ce boulot, sans cette opportunité qui m'était donnée d'aider les autres. J'ai appliqué des pansements, nettoyé des plaies, cherché des médicaments à la pharmacie à la demande de l'infirmière. Une heure s'est écoulée ainsi, jusqu'au changement de service des gardiennes. Par la fenêtre, j'ai vu plusieurs voitures émerger du garage souterrain, s'arrêter devant l'entrée principale, leurs conductrices sortir leur carte magnétique en adressant un petit signe à la collègue postée en hauteur dans sa guérite fortifiée, avant de franchir la barrière qui leur ouvrait les portes du monde libre.

Une demi-heure s'était écoulée lorsque la porte blindée de l'infirmerie s'est ouverte brusquement. J'aidais l'infirmière à soigner une détenue qui avait reçu un coup de couteau au thorax quand le mot *urgence* a résonné dans mon dos.

Les urgences n'avaient rien d'exceptionnel dans une prison qui comptait en moyenne une tentative de suicide par semaine. En me retournant, j'ai vu les gardiennes pousser une civière sur laquelle était allongée une détenue.

— Mon Dieu ! Non !

J'ai lâché le morceau de gaze que je tenais à la main et je me suis précipitée avant même d'avoir vraiment compris. Je connaissais ces cheveux noirs qui s'échappaient de la civière. J'avais surpris le regard inquiet que m'adressait l'une des infirmières en se demandant si j'avais deviné. Tout le monde savait que nous étions quatre.

Un murmure s'est échappé de mes lèvres.

— Winnie...

Les gardiennes m'ont interceptée en voyant que je me précipitais. J'ai tenté de leur échapper tandis que le médecin s'acharnait sur le corps inerte de Winnie. J'ai poussé un hurlement lorsqu'elles m'ont plaquée au sol en me collant brutalement le front contre le carrelage.

C'était trop pour moi. Je craquais. Après Linette, Winnie. Non, pas Winnie.

Je me suis débattue en criant, en les suppliant de me lâcher. Le médecin s'est redressé, il a relevé à voix haute l'heure du décès, j'ai hurlé en me débattant de plus belle.

Une partie de moi-même venait de s'éteindre, que je ne retrouverais jamais.

84

J'ai pu reconstituer les faits dans les heures qui ont suivi.

Je me suis retrouvée au mitard, menottée à un anneau fixé au mur. Les poignets lacérés, les côtes labourées, j'avais dans la bouche un goût métallique de sang.

Mon premier réflexe a été de crier, avant de m'apercevoir que mes cordes vocales ne répondaient plus. De toute façon, j'avais assez crié. J'aurais pu noyer la Seine sous le torrent de larmes que j'avais versées. Le réservoir de mes pleurs s'était tari, et mon chagrin laissait place à un sentiment d'une autre nature : la peur.

Je me suis accordé un moment de répit, paupières serrées, en repensant à ma chère Winnie, côtoyée pendant tant d'années en Suisse. Je me souvenais de toutes les bouteilles de vin que nous avions partagées pendant les déplacements de nos diplomates de maris, de toutes les fois où j'avais mouché ses enfants. Winnie était davantage qu'une amie, c'était ma sœur. Elle avait commis son lot d'erreurs, c'est vrai, mais rien qui puisse mériter le sort que lui avait réservé le destin au cours de sa dernière année sur cette Terre. Je n'oublierais jamais son âme généreuse et sa bonne humeur contagieuse, alors que le reste du monde se souviendrait d'elle comme d'un monstre criminel, froid et calculateur.

J'ai fini par reprendre mes esprits après quelques heures de ce régime, à force de m'obliger à respirer normalement. Sans grand risque de me tromper, je savais déjà que mon sort était scellé, lui aussi.

À quoi bon pleurer Winnie si je mourais à mon tour ?

Alors j'ai mis à profit mon séjour au mitard pour réfléchir.

Ils avaient tué Winnie de la même façon qu'ils avaient tué Linette, au moment du changement de service. Le décès de Winnie avait été constaté à 14 h 40, mais il était clair qu'on l'avait empoisonnée plus tôt. L'enquête officielle situerait l'heure de sa mort aux alentours de 14 heures, au moment précis où les gardiennes se relayaient. Une fois de plus, les matonnes assuraient leurs arrières.

Deux meurtres en l'espace de six jours. Tout d'abord ma meilleure amie à l'intérieur de la prison, celle avec laquelle je parlais quotidiennement. À présent ma meilleure amie, tout court.

Il ne pouvait s'agir d'une coïncidence. C'était même tout le contraire. Le message qu'on m'envoyait était limpide. Ils souhaitaient recueillir mes aveux de toute urgence, à l'approche du procès en appel.

Ils ne pouvaient pas se permettre de nous tuer toutes les quatre. Winnie, peut-être, dans la mesure où elle portait ouvertement le poids d'une culpabilité qu'elle n'avait jamais vraiment niée. Tous ceux qui avaient suivi le procès avaient pu se rendre compte à quel point elle apparaissait fragile, défaite, désespérée. Le grand public n'aurait aucun mal à avaler son suicide. Il ne faisait guère de doute que ce serait la version officielle.

Mais Serena ? Et Bryah ? Les observateurs les plus blasés ne pourraient s'empêcher de hausser les sourcils s'ils voyaient les Maîtresses de Monaco tomber comme des mouches, les unes après les autres.

La porte s'est ouverte avec un grésillement et le connard en chef de la prison, Antoine Boulez, s'est avancé dans la cellule. J'aurais dû m'y attendre. Tiré à quatre épingles comme à l'accoutumée, il avait tout du politicard véreux.

— Inutile de perdre notre temps en civilités, m'a-t-il annoncé.

Voilà qui était rassurant.

— Dites-moi quel médicament vous avez utilisé, a-t-il poursuivi. Il nous suffira de dresser l'inventaire de la pharmacie pour savoir quel produit a disparu, mais votre confession nous fera gagner du temps à tous les deux.

J'ai craché du sang sur mon pantalon marron.

— Je ne vous poserai pas la question deux fois.

— Tant mieux, ça m'évitera de continuer à vous ignorer.

Toujours le même cirque. Je me suis mordu la langue pour ne pas hurler de rage. Pas question de donner satisfaction à Boulez en laissant éclater ma colère.

— Elle s'est suicidée ? a repris le directeur. Vous aviez toutes les deux accès au stock de médicaments. Soit elle s'est tuée, soit vous l'avez empoisonnée. Alors, Abbie ?

Le combat s'est poursuivi pendant quelques rounds sans que je concède un pouce de terrain à Boulez.

Il s'est approché de moi, rassuré de me voir attachée au mur, veillant à rester à distance prudente, au cas où il me viendrait à l'idée de lui lancer une ruade.

— Avouez le double meurtre, et je dirai que votre amie Winnie s'est suicidée, m'a-t-il proposé.

Ce crétin s'entêtait à trouver un point faible dans ma cuirasse. Une petite signature apposée au bas de mes aveux, et tous ses soucis s'envolaient. Autant le laisser s'enferrer, car je n'avais aucune intention d'avouer.

— Vous n'aurez pas le dernier mot, Boulez. Un jour, je sortirai d'ici.

Il a plissé les yeux, puis son sourire s'est élargi.

— J'en doute, chère madame. Vous êtes la meurtrière la plus célèbre de toute l'histoire de France. Vous ne quitterez jamais cet endroit.

Le message avait le mérite d'être clair. Il ne pouvait pas se permettre de tuer l'une des deux autres, pas plus qu'il ne pouvait empêcher mon procès en appel de s'ouvrir dans moins d'un mois.

Il ne lui restait plus qu'une solution : me tuer.

85

J'avais vu Giorgio Ambrezzi dix jours plus tôt, à l'occasion de la cérémonie organisée en mémoire de Linette. Un moment surréaliste, étant donné les circonstances de sa mort. Une centaine de détenues avaient assisté à l'événement. Ce jour-là, Giorgio avait paru brisé. Il devait bien se douter que Linette n'était pas morte accidentellement en glissant dans sa cellule, mais son chagrin avait temporairement pris le pas sur sa colère. Le moment était mal choisi de m'adresser à lui.

J'avais donc attendu.

Après la mort de Winnie, j'avais passé sept jours au mitard. Boulez m'avait menacée d'un isolement de trente jours. Il avait même parlé de quarante-cinq jours, ce qui était illégal. De toute façon, il bluffait. Je le savais pour une raison simple : il n'avait aucun moyen d'attenter à ma vie, tant que je me trouverais au mitard, sans rejeter la faute sur les surveillantes. Il avait donc besoin que j'en sorte au plus vite.

À présent que j'étais à nouveau « libre », une épée de Damoclès était suspendue au-dessus de ma tête. Ce n'était plus une question de semaines, mais de jours.

Les deux fois où j'avais croisé Giorgio avant la mort de Linette, il avait le visage ouvert de l'artiste insouciant. Il s'était montré d'excellente humeur et comptait les jours jusqu'au retour de celle qu'il aimait, bien décidé à repartir avec elle sur de nouvelles bases en laissant définitivement derrière eux la drogue et la délinquance.

Il avait à présent les traits creusés, le regard terne. Son menton mal rasé accentuait sa pâleur.

— J'ai su ce qui était arrivé à votre amie, m'a-t-il déclaré en français.

La mort de Winnie n'était pas passée inaperçue. Officiellement, elle s'était suicidée. On avait raconté qu'à peine de retour dans sa cellule, elle s'était injecté une très forte dose de méthadone, une substance habituellement administrée aux toxicomanes. Elle avait été découverte sur son lit, inconsciente. Le créneau horaire du drame avait été estimé entre 13 heures et 14 h 10. L'heure du changement de service des surveillantes.

Comme par un fait exprès, cette chère Lucie, ma matonne préférée, achevait sa journée à 14 heures ce jour-là.

On avait expliqué en haut lieu que Winnie ne supportait pas l'idée de voir son nom à nouveau livré à la vindicte populaire lors du nouveau procès. Une version somme toute plausible. Winnie était la seule de nous quatre à ne pas faire appel, ce qui rendait crédible sa réaction. Quelques rumeurs avaient bien circulé, mais personne n'avait sérieusement mis en doute la ligne officielle.

— Winnie ne s'est pas suicidée, ai-je expliqué en français à Giorgio. Et Linette n'a pas eu d'accident.

Il me regardait droit dans les yeux, les nerfs à vif. Il a cligné des yeux pour me signifier qu'il s'en doutait. Il avait fréquenté la prison, et savait personnellement que les matons font régner la loi en se serrant les coudes. Il savait aussi qu'on nous surveillait à cet instant précis et qu'il lui fallait maîtriser ses émotions.

— Pourquoi ? a-t-il réagi dans un murmure.

Sans doute connaissait-il déjà la réponse. J'ai posé un doigt sur ma poitrine.

— Elle est morte à cause de moi.

Le visage de Giorgio s'est déformé sous l'effet de la douleur. Ses yeux se sont remplis de larmes. Je lui répétais à l'envi à quel point j'étais désolée tout en pleurant comme une madeleine. Il a pris mes mains dans les siennes et les a serrées.

— Elle vous aimait beaucoup, vous savez.

Moi aussi, je l'aimais. Tout comme j'aimais Winnie. L'injustice de leur sort me bouleversait.

Je me suis raclé la gorge en m'efforçant de me reprendre. Je n'agissais pas uniquement pour moi, mais aussi pour Linette et Winnie.

— Giorgio, j'ai besoin de votre aide, mais ça pourrait être dangereux.

Le jeune guitariste s'est essuyé les yeux et m'a regardée longuement avant de me répondre en anglais :

— Tout ce que vous voudrez.

86

Ma décision était prise : il était temps de contre-attaquer.

Je me suis efforcée de dormir un peu afin d'emmagasiner des forces. Des rêves terrifiants ont troublé mon sommeil. Je croisais la route de spectres, d'animaux armés de crocs monstrueux. Je criais à l'aide en me noyant, à mesure que mon nez, ma bouche et mes poumons s'emplissaient d'eau.

Au matin, je me suis forcée à manger. J'avais besoin de sucres lents pour booster mon énergie. Les aliments n'avaient aucun goût, j'avalais par obligation.

Je prenais mon service à 8 heures ce matin-là. J'ai traversé l'aile G en passant devant la porte du parking des surveillants avant de me présenter devant la guérite installée à l'entrée de l'infirmerie. J'ai récité mon numéro de matricule à Cécile, la gardienne, et j'ai attendu que la porte s'ouvre en grésillant. J'effectuais mon travail mécaniquement : je faisais des pansements, je lavais les sols, sans oublier de jeter un coup d'œil par la fenêtre au moment du changement de service des matonnes qui s'arrêtaient en voiture devant le portail, adressaient un signe de la main à la collègue postée dans son mirador, passaient leur carte magnétique devant le lecteur, attendaient l'ouverture du portail et quittaient cet enfer le temps de quelques heures.

— Abbie…

Léonore, l'infirmière, m'a tirée de mes pensées en s'adressant à moi en anglais.

— J'aurais besoin de Ceftriaxone.

Si j'avais réussi à gagner la confiance des infirmières, je n'en étais pas moins soumise à des règles strictes. Ouvrir la porte grillagée de la pharmacie, la refermer derrière moi de façon que personne ne puisse entrer à ma suite. Prendre le flacon demandé sur son étagère en le notant sur le registre. Bien veiller à laisser les seringues dans leur enveloppe de cellophane et les apporter telles quelles au médecin ou à l'infirmière. Rendre les clés, avec les médicaments, à la personne qui vous les avait confiées.

La confiance n'était pas le seul garde-fou de ceux qui nous demandaient d'accomplir ces tâches. Nous étions épiées en permanence. L'une des quatre caméras de l'infirmerie se trouvait à l'intérieur de la pharmacie, deux autres surveillaient la grande salle, tandis que la dernière était installée dans la chambre blindée réservée aux malades contagieux.

Les médicaments faisaient l'objet d'un comptage quotidien, et vous étiez en première ligne s'il manquait quoi que ce soit, fût-ce une boîte d'aspirine. Enfin, nous faisions l'objet d'une fouille en règle à la sortie de l'infirmerie, de sorte qu'il était impossible de passer en fraude la moindre pilule ou seringue. Toutes celles qui avaient tenté leur chance l'avaient regretté.

J'ai pris la clé que me tendait l'infirmière et rejoint la pharmacie. La grille refermée, j'ai récupéré sur son étagère la Ceftriaxone dont avait besoin Léonore. D'une main sûre, je me suis emparée d'un second flacon.

J'ai alors pris deux seringues dans la réserve, l'une pour Léonore et l'autre pour moi.

La gardienne chargée de surveiller les écrans de contrôle, quand bien même elle n'aurait pas été occupée à somnoler, n'avait rien pu remarquer. Elle ne pouvait pas savoir combien de médicaments j'étais censée prendre. Deux seringues, deux flacons au lieu d'un, elle n'avait aucune raison de s'inquiéter.

En revanche, elle aurait pu s'étonner de me voir tourner le dos à la caméra. En un tournemain, j'ai sorti l'une des seringues de son emballage avant d'en retirer le capuchon protecteur. J'ai enfoncé l'aiguille dans l'obturateur en caoutchouc du flacon, actionné le piston, remis le capuchon et glissé le tout dans la ceinture de mon pantalon. Depuis plus de dix ans que j'administrais des piqûres antiallergiques à mon fils, la manœuvre relevait pour moi du jeu d'enfant.

J'avais agi avec tant de naturel, il était peu probable que la gardienne ait remarqué mon manège. Si c'était le cas, je ne tarderais pas à le savoir.

Tout était normal lorsque je suis sortie de la pharmacie. La surveillante assise dans un coin, peu vigilante, paraissait sur le point de s'assoupir.

Au même moment, la porte de l'infirmerie s'est ouverte avec un grésillement et Cécile, la gardienne postée à l'extérieur, a déboulé comme une furie.

87

J'ai retenu mon souffle tout en me dirigeant vers Léonore d'un air dégagé. La surveillante chargée de garder la salle, une femme déjà âgée prénommée Nadine, s'est levée en voyant Cécile se diriger vers moi.

Le cœur battant, j'ai tendu la Ceftriaxone à Léonore en m'adressant à elle en anglais, comme à mon habitude.

— Voilà le médicament.

Cécile est passée à côté de moi sans un regard. Je l'ai entendue apostropher deux détenues qui se disputaient au fond de la salle. Cécile, qui avait assisté à la scène sur son écran de contrôle, était furieuse que Nadine n'ait rien vu.

J'ai laissé échapper un soupir de soulagement. Léonore a pris la Ceftriaxone et la seringue sans remarquer l'autre flacon, enfermé dans mon poing. Elle ne m'a pas davantage demandé de soulever ma chemise. Pourquoi l'aurait-elle fait ? Elle était suffisamment occupée avec sa patiente qui souffrait d'une infection urinaire. Et puis elle m'accordait sa confiance, tout en sachant qu'il était impossible de sortir des médicaments de l'infirmerie.

Là résidait ma force : je n'en avais nullement l'intention.

Léonore a retiré la seringue de son emballage et l'a remplie. Une fois la malade piquée, elle a rebouché la seringue et me l'a tendue.

Je suis retournée à la pharmacie où j'ai reposé les deux flacons sur leur étagère avant de jeter la seringue usagée dans la poubelle murale prévue à cet effet.

J'ai ensuite trompé mon impatience en ramassant les serviettes éponge sales et en faisant du ménage, la seringue remplie d'un produit sédatif contre mon ventre.

Jusque-là, tout allait bien.

Une demi-heure s'était écoulée lorsque Léonore m'a renvoyée à la pharmacie où j'ai procédé à la même opération. Le stratagème avait fonctionné une fois, pourquoi pas deux ?

Je disposais à présent de deux seringues, dissimulées dans la ceinture de mon pantalon.

J'ai rejoint la pièce sécurisée, réservée aux patientes contagieuses et aux détenues à risque. Les cinq lits étaient inoccupés de sorte que la porte, habituellement fermée à clé, restait entrouverte.

On m'avait chargée de changer les draps. Tout en travaillant, je surveillais du coin de l'œil la caméra installée dans un coin. Une diode rouge sous l'objectif m'indiquait son bon fonctionnement. J'ai commencé par le lit le plus éloigné. Au moment de border les couvertures, je me suis mise à genoux en enfouissant mes mains sous le matelas. J'ai recommencé la manœuvre avec les lits suivants, de façon à endormir la méfiance de la gardienne. Même si elle surveillait mes mouvements, ce qui était peu probable, elle n'aurait aucune raison de s'inquiéter en me voyant répéter le même geste lorsque je borderais le dernier lit, le plus proche de la caméra, en m'arrangeant pour glisser deux seringues remplies de sédatif à l'endroit où se croisaient les deux barres métalliques du sommier.

Les six mois passés à observer le fonctionnement du dispensaire de la prison pourraient bien me sauver la vie.

Je ne tarderais pas à m'en assurer.

88

Mon avocat, Jules Laurent, s'est reculé sur son siège en plissant les paupières.

— Vous êtes sérieuse ?

J'avais dépassé le nombre de visites autorisées à la suite de celle de Giorgio, mais l'établissement acceptait les entorses à la règle lorsqu'il s'agissait des avocats, surtout quand un procès approchait. J'avais supplié Jules de venir me voir, il avait eu la gentillesse de tout laisscr tomber afin de prendre le premier train.

— C'est dans vos cordes, non ?

— Euh… oui. Ici, on appelle ça des *commissions rogatoires*. Vous êtes vraiment sûre de vous ?

— Tout ce qu'il y a de plus sûre.

— Ce sera… difficile, a-t-il soupiré. L'avocat général manifestera certainement son opposition et je ne peux pas vous garantir que le juge d'instruction acceptera d'accéder à ma requête.

J'ai acquiescé.

— Le meilleur moyen de le savoir, c'est encore d'essayer. Si le juge d'instruction refuse, ainsi soit-il. Ça ne coûte rien d'essayer.

— Ça ne coûte rien d'essayer ? a répété Jules en secouant la tête. Abbie, vous pourriez y perdre la vie.

— Je suis prête à prendre ce risque.

Jules s'est plongé dans ses réflexions. Il est finalement arrivé à la même conclusion que moi : nous n'avions rien à perdre.

— D'accord, a-t-il conclu en plaquant ses mains sur la table. Je m'occupe de rédiger la demande.

89

Je profitais de l'heure quotidienne qui nous était accordée à l'air libre, dans la cour de la prison. Je me tenais adossée au grillage de façon que personne ne puisse me surprendre par-derrière. Un peu plus loin, les détenues jouaient au foot ou discutaient par petits groupes.

J'étais convaincue que l'opération se déroulerait là. Deux raisons à cela. Tout d'abord, Boulez et ses sbires pouvaient facilement confier leurs basses œuvres à une détenue, chargée de me tuer en échange de faveurs diverses.

La seconde raison tenait aux caméras de surveillance. Il y en avait ici comme à l'intérieur des bâtiments, à une différence près : les caméras extérieures étaient mobiles. La matonne chargée de visionner les images en temps réel les actionnait à sa guise. Alors, quoi de plus simple que de diriger l'objectif ailleurs au moment précis où une autre détenue s'attaquait à moi ?

L'heure s'est écoulée sans que mon attention se relâche un seul instant. Je ne laissais personne m'approcher à moins de dix pas. Chaque fois que l'œil de la caméra se détournait, ma vigilance augmentait. Et si je restais collée au grillage, je veillais soigneusement à ne jamais me réfugier dans les coins, afin d'échapper le moins possible à la surveillance des caméras.

L'heure de la promenade terminée, il me restait à regagner le bloc saine et sauve. Nous avancions en file indienne. Rien de plus facile, pour quelqu'un de décidé, que de se glisser derrière moi, de me poignarder ou de me trancher la gorge à l'aide d'un objet coupant.

Deux de mes codétenues, Josette et Penelope, se trouvaient un peu plus loin dans la queue. Je me suis faufilée entre elles. La manœuvre ne les enchantait visiblement pas, mais elles n'ont pas osé protester.

Lucie, toujours elle, se trouvait dans le couloir lorsque nous avons regagné le bâtiment. Linette, affectée à des tâches administratives, m'avait expliqué peu avant sa mort que Lucie travaillait ce mois-là les après-midi et le soir, tout comme Sabine. Des horaires qui leur laissaient toute latitude de mettre à exécution le plan qu'elles me réservaient.

J'ai évité de croiser le regard de Lucie en remontant le couloir. J'avais échappé de justesse à la petite séance de viol qu'elles me réservaient avec Sabine. Depuis la mort de Mona le soir de sa tentative d'évasion en hélicoptère, suivie par celle de Linette qu'elles avaient battue à mort, Lucie et Sabine m'avaient laissée en paix. Elles jugeaient préférable de rester à distance en attendant leur heure.

Je suis arrivée indemne dans la salle commune, au rez-de-chaussée du bloc D. Chaque jour pendant trois heures, les détenues s'y retrouvaient pour discuter, jouer aux cartes ou regarder l'unique poste de télévision. S'il n'était pas impossible de me tuer là, la présence de nombreuses caméras de surveillance compliquait l'entreprise. Je me trouvais à peu près en sécurité dans ce lieu.

Bref, j'avais gagné un jour de plus.

Ma journée n'était pas terminée pour autant. Je devais encore passer un coup de téléphone.

Un coup de téléphone vital.

90

Je me suis assise dans l'un des box d'où nous étions autorisées à passer des appels. Les détenues étaient libres de téléphoner tous les jours, à deux conditions : avoir ouvert un compte, et obtenir de l'administration la validation des numéros appelés. Jeffrey s'était chargé de mon compte et je disposais de six numéros autorisés. Le premier était celui de mon avocat ; les deux suivants étaient le portable de Jeffrey et sa ligne fixe, les deux autres ceux des portables de mes enfants, Richie et Elena.

Le sixième et dernier numéro était celui de Giorgio, le fiancé de Linette. Je l'avais ajouté à mon compte deux mois plus tôt à la demande de cette dernière. Linette disposait de peu d'argent et je lui avais proposé de prendre en charge les appels passés à son petit ami. Linette pouvait ainsi le joindre chaque fois qu'elle en avait envie. Un bienfait n'est jamais perdu, et ce système allait m'être utile.

Une fois composé le code que m'avait attribué l'administration, j'ai appelé le numéro du portable de Giorgio. Il a décroché à la quatrième sonnerie, au moment où je grimaçais intérieurement, m'attendant à tomber sur sa messagerie.

— Allô ?

— Giorgio ? C'est Abbie.

— Bonjour, Abbie. Comment ça va ?

— Et vous ?

— Linette me manque terriblement.

Il était préférable de donner toutes les apparences d'un coup de fil ordinaire, sachant que l'administration se réservait le droit d'enregistrer les conversations. En théorie, seuls les appels à nos avocats restaient privés, même si nous étions nombreuses à penser que le directeur les enregistrait également. Ma conversation avec Giorgio serait très certainement surveillée, nous devions donc nous montrer prudents.

— Je voulais vous dire, Abbie. J'ai écrit une chanson pour elle, a poursuivi Giorgio, toujours en français.

J'ai retenu mon souffle en reconnaissant le signal convenu.

— C'est vrai ? Comment l'avez-vous appelée ?

— « Avec amour ».

— « Avec amour » ? C'est un joli titre.

Une expression facile à retenir, surtout. Conformément à un code déterminé à l'avance, je lui ai ensuite demandé s'il avait passé une bonne journée.

Giorgio est parti d'un rire triste.

— Figurez-vous qu'avec Linette, on avait un coffre avec des souvenirs et quelques objets de valeur. Quand j'ai voulu l'ouvrir aujourd'hui, je n'ai jamais réussi à me souvenir de la combinaison. Je me suis creusé la tête pendant des heures, sans succès.

— Je comprends votre agacement.

Une réponse banale, destinée à endormir la méfiance de quiconque nous aurait écoutés.

— Vous avez retrouvé la combinaison depuis, Giorgio ?

— Oui : trois-quatre-deux.

Pour mieux dépister l'adversaire, il était censé m'indiquer le chiffre à l'envers : 342 signifiait donc 243.

Avec amour 243.

Je l'ai interrogé ensuite sur l'enterrement de Linette. La cérémonie avait eu lieu dans l'intimité, Linette reposait désormais dans un petit cimetière au milieu d'un paysage vallonné. Les larmes aux yeux, j'ai dû me concentrer pour ne pas craquer car nous n'en avions pas encore terminé.

— Vous ne m'aviez pas dit que vous comptiez lire un poème ?

— Si, m'a-t-il répondu. J'ai récité cette chanson écrite à son intention.

— « Avec amour » ?

— Exactement.

J'ai répété la formule dans ma tête à plusieurs reprises, histoire de la mémoriser : Avec amour, 243, Avec amour. Merci Giorgio.

Nous avons continué à parler de Linette pendant quelques minutes avant d'évoquer brièvement mon procès en appel. À sa voix, j'ai senti que Giorgio était tendu. Il savait pertinemment le risque que je courais. Cette conversation pouvait très bien être la dernière.

91

À l'heure de la promenade, je me suis mise devant la porte de ma cellule en attendant qu'on vienne nous chercher, la gorge nouée.

La menace était permanente. Ils avaient fort bien pu décider de passer à l'action ce jour-là dans la cour de la prison. Ma mort pouvait difficilement être trop rapprochée de celle de Winnie, pour ne pas attirer l'attention, mais la date de mon procès en appel approchait à grands pas. Le temps leur était compté. Chaque jour qui s'écoulait sans incident me rapprochait de l'échéance.

Nous avons traversé en silence la salle de récréation et le bâtiment de l'administration avant de pénétrer dans l'aile H.

J'ai tout de suite remarqué la présence de Lucie dans le couloir. Elle faisait signe aux filles d'avancer.

J'ai senti monter en moi une bouffée d'adrénaline. Mon cœur s'est transformé en punching-ball sous les coups d'un boxeur invisible.

Mon horrible sœur, comme la surnommaient mes codétenues à son insu. J'avais toutes les raisons de haïr Lucie, à cause de tout ce qu'elle m'avait fait subir et, plus encore, pour avoir battu à mort Linette dans le seul but de m'atteindre.

Nos yeux se sont croisés. Elle m'a adressé un petit sourire supérieur.

Du tac au tac, je lui ai répondu par un clin d'œil.

Lucie s'est aussitôt renfrognée. Mon effronterie ne pouvait que l'inciter à sortir de ses gonds.

— Elliot ! Contre le mur !

J'ai quitté les rangs comme elle l'exigeait et je l'ai attendue près du mur, droite comme un I, le regard fixe, les bras le long du corps. Elle s'est plantée à côté de moi en m'observant de profil. Plus grande de quelques centimètres, elle avait la bouche à hauteur de mon oreille.

— Tu as un problème de vision ? m'a-t-elle demandé en français.

— Non.

— Alors interdiction de m'adresser des clins d'œil.

Le ricanement avec lequel je lui ai répondu l'a mise hors d'elle. Elle s'est approchée à me toucher.

— Linette n'a peut-être pas eu de chance, a-t-elle laissé tomber, mais au moins elle n'a pas eu le temps de souffrir.

Je suis restée sans réaction en continuant à regarder droit devant moi.

— Pas comme Winnie, a-t-elle ajouté dans un murmure. Winnie est morte très lentement.

Je soupçonnais déjà Lucie d'être responsable de la mort de ma meilleure amie. L'apprendre de sa bouche, savoir qu'elle l'avait empoisonnée avant de la regarder mourir, a achevé de me galvaniser.

— Tu as déjà vu quelqu'un étouffer lentement ? Je t'assure que c'est un spectacle atroce. Curieusement, ça m'a plutôt amusée dans le cas de Winnie.

Je me suis obligée à garder le silence, contre vents et marées.

— Tu n'as plus rien à dire, Elliot ? Tu fais moins la fière, d'un seul coup.

Du coin de l'œil, j'ai vu que la diode rouge brillait sous l'objectif de la caméra de surveillance.

— C'est tout, a conclu Lucie. Retourne à ta place.

Elle se trompait, ce n'était pas tout.

J'ai fait mine de regagner la longue file des détenues. Au dernier moment, j'ai fait volte-face et je me suis jetée sur elle.

92

Lucie était plus musclée et mieux entraînée que moi, mais j'ai bénéficié de l'effet de surprise. Elle a réussi à lever un bras, mais pas avant que mes doigts s'abattent sur sa joue gauche, juste en dessous de l'œil. Je l'ai griffée de toutes mes forces en lui labourant la peau profondément avec mes ongles sur plusieurs centimètres avant qu'elle ne parvienne à me repousser violemment.

Elle hurlait de douleur. L'alarme s'est déclenchée et plusieurs surveillantes se sont ruées sur moi. Aucune importance. Je me suis recroquevillée par terre en me couvrant le visage pour éviter les hématomes. Je me fichais des coups de matraque au ventre. Lucie a voulu se venger en me martelant les jambes à coups de botte. Elle a eu le temps de me frapper aux côtes avant que ses collègues, conscientes de la présence gênante de la caméra de surveillance, ne l'immobilisent.

— Espèce de salope ! a-t-elle hurlé dans ma direction, le visage en sang.

Les autres m'ont retournée sur le ventre et menottée sans que j'oppose de résistance.

Je me suis mise à crier de toutes mes forces :

— Je veux mourir ! Je n'en peux plus ! Je veux mourir !

Je m'écorchais la voix à force de pousser des hurlements. Une nuée de surveillantes avait envahi le couloir. En prison, la moindre dispute peut aisément tourner à l'émeute, et il ne fallait pas que ma crise donne des idées aux autres détenues.

Je ne cherchais d'ailleurs pas à provoquer une rixe générale, pas plus que je n'avais voulu mettre Lucie au tapis.

Mon unique intention était d'éviter la promenade, sachant que l'une ou l'autre de mes camarades m'attendait dans la cour de la prison avec un couteau de fortune ou un rasoir. Jamais les gardiennes ne me laisseraient sortir à présent que j'avais blessé l'une des leurs sous l'œil d'une caméra de surveillance. Il suffisait habituellement de répondre à une surveillante pour être privée de promenade, et je m'étais rendue coupable d'une attaque sauvage.

Avec la satisfaction supplémentaire de laisser une jolie cicatrice sur le visage de mon horrible sœur.

93

Boulez manifesta sa rage en tapant du poing sur la table. Abbie Elliot aurait dû être morte à cette heure, assassinée par une autre détenue dans la cour de la prison. La donne changeait du tout au tout depuis l'incident de l'après-midi.

— Où se trouve-t-elle ? hurla-t-il à l'intention de Sabine et de Lucie, plantées face à lui.

— Au mitard, répliqua la surveillante chef.

— Non, non, non ! s'énerva Boulez en tapant à nouveau du poing. Comment voulez-vous qu'on agisse là-bas ? Mais enfin, Sabine ! Réfléchissez un peu ! Comment pourrait-il lui arriver malheur au mitard sans que le personnel se retrouve accusé ? C'est l'endroit où elle est le plus en sécurité !

Sabine baissa la tête.

— Vous pouvez être certaine qu'elle n'est pas près d'être autorisée à la promenade, ajouta-t-il. Elle ne mettra pas le nez dehors pendant un mois. Nous n'avons pas un mois devant nous ! Ça devrait déjà être fait !

Boulez envoya voler une pile de dossiers d'un geste rageur. Il tenta de se calmer en maîtrisant sa respiration. La colère était mauvaise conseillère.

Il posa les yeux sur Lucie, dont la joue gauche se cachait sous un épais pansement maintenu à l'aide de sparadrap. La haine lui déformait le visage plus encore que sa blessure. Elle avait reçu une douzaine de points de suture. La surveillante, plutôt jolie en dépit de sa cruauté, était défigurée jusqu'à la fin de ses jours.

— L'infirmerie, suggéra la surveillante.

Boulez fronça les sourcils, intrigué par la proposition.

— Elle a été légèrement blessée quand on a voulu la maîtriser, expliqua Sabine.

— Elle hurlait qu'elle voulait mourir, ajouta Lucie avec un sourire. Plus d'une centaine de personnes peuvent en témoigner.

Boulez hocha la tête.

— Très bien. Va pour le suicide, dit-il à contrecœur.

Ils avaient usé du même stratagème avec Winnie Brookes. Le suicide d'une autre des quatre Maîtresses de Monte-Carlo en l'espace de trois semaines n'était pas la solution idéale, mais il n'avait plus le choix.

— Nous n'aurons qu'à l'enfermer dans la chambre blindée, insista Sabine. Il suffit de laisser traîner une sangle de lit quelconque, on la pendra avec.

Boulez se laissa tomber sur son siège.

— Jusqu'à quelle heure travaillez-vous ?

— Je termine mon service à 2 heures du matin, répondit Lucie.

— Moi aussi, fit Sabine.

— Attendez ! s'exclama Boulez en claquant des doigts. Que faites-vous des caméras de sécurité ?

— Ça fait des mois qu'on nous signale des dysfonctionnements sur ces satanés engins, suggéra Sabine.

— Elles sont encore tombées en panne la semaine dernière, enchaîna Lucie.

— Absolument, approuva Sabine.

Boulez poussa un grognement de satisfaction. Elles avaient raison. Les caméras de l'infirmerie étaient défectueuses depuis belle lurette. Les restrictions budgétaires avaient empêché d'en acheter de nouvelles, de sorte que les services techniques se contentaient de réparer les vieilles du mieux qu'ils le pouvaient. Le plan était loin d'être idéal, mais il pouvait fonctionner. Le comportement erratique d'Abbie, ses déclarations suicidaires comme sa crise de folie dans l'aile H contribueraient à accréditer la thèse officielle.

— Dans ce cas, veillez à ce que les caméras tombent en panne le plus tôt possible, recommanda Boulez. Il n'est pas question qu'elles cessent brusquement de fonctionner juste avant les faits. Compris ?

Les deux surveillantes acquiescèrent.

— Très bien, conclut Boulez en posant bruyamment ses deux mains sur le bureau. Tout ceci reste entre nous, évidemment. Je ne veux personne d'autre que vous deux sur le coup. C'est compris ? Personne.

— Je monterai la garde moi-même à l'entrée de l'infirmerie, décida Sabine. Je veillerai également à ce que personne ne soit en poste en G-3, ajouta-t-elle en faisant référence à la guérite du parking souterrain. De cette façon, je serai la seule à surveiller l'aile G.

— Parfait. Appelez-moi sur mon portable dès que vous en aurez terminé. Une dernière recommandation, mesdames, les rappela Boulez en les voyant se diriger vers la porte. Tout doit être consommé cette nuit.

94

Sabine surveilla étroitement Abbie tout l'après-midi. Elle l'observait régulièrement à la dérobée par le judas du mitard. Conformément à ce qu'on lui avait déjà rapporté, elle avait pu constater à quel point Abbie était en piteux état. Affalée par terre, elle passait son temps à pleurer et à gémir en multipliant les propos incohérents.

Sabine fit transférer la détenue à l'infirmerie peu après le changement de service de 20 heures. Toute fausse tentative de suicide à l'intérieur du mitard était condamnée d'avance, car rien ne permettait à ses occupantes de passer à l'acte. Les suicides avaient toujours lieu en cellule, ou bien à l'infirmerie. Et comment justifier que l'on renvoie purement et simplement dans sa cellule une détenue qui avait attaqué une surveillante ?

L'infirmerie constituait bien la seule solution. Lorsque l'on vint chercher Abbie, elle était molle comme une chiffe. Il ne fallut pas moins de quatre gardiennes pour l'emporter. On aurait pu la croire lobotomisée.

Du G-2, la guérite située à l'entrée de l'infirmerie, Sabine vit ses collègues conduire Abbie dans la chambre spéciale où elles la couchèrent sur le lit de droite, le plus proche de la caméra de sécurité, ainsi que le stipulait l'un des innombrables articles du règlement intérieur de l'établissement.

Les gardiennes observèrent Abbie pendant quelques minutes. Totalement inerte, la jeune femme ne réagissait à rien. Elles l'abandonnèrent à son sort en veillant soigneusement à verrouiller la porte derrière elles.

Abbie, seule dans la chambre blindée, regardait fixement le plafond, ses yeux vides posés quelque part entre l'horloge murale et la caméra de sécurité.

Sabine consulta sa montre. 21 h 41. Elle s'emplit les poumons dans l'espoir d'apaiser ses nerfs et attendit.

22 h 00.

22 h 15.

Le directeur avait bien recommandé de couper la caméra bien avant le suicide supposé d'Abbie. Il était impératif de signaler longtemps à l'avance que l'appareil était en panne.

22 h 35.

22 h 45.

23 h 00.

Si Sabine comptait passer à l'action peu avant le changement de service, c'est-à-dire juste avant 2 heures du matin, le moment était venu de « mettre en panne » la caméra.

Il était très précisément 23 h 06 lorsqu'elle l'éteignit en consignant l'incident sur le registre.

95

Lucie déverrouilla la porte de l'infirmerie à l'aide d'une clé. Pas question d'utiliser le système automatique, trop bruyant. Le grésillement électrique risquait d'attirer l'attention d'Abbie.

Cette dernière serait probablement plongée dans un profond sommeil. Elle dormait déjà vingt minutes plus tôt, à 1 heure du matin, lorsque Lucie s'était approchée à pas feutrés de la chambre blindée dans laquelle elle avait coulé un regard par la baie vitrée. Abbie était calme, les yeux fermés. Soit elle dormait, soit elle était plongée dans le même état second qu'au moment de son extraction du mitard, plus tôt dans la soirée.

Lucie lança un coup d'œil en direction de l'une des caméras de surveillance de la grande salle. La diode rouge était éteinte, comme prévu. L'horloge sur le mur indiquait 1 h 20. Elle avait besoin d'un quart d'heure, vingt minutes tout au plus, mais autant prendre son temps. L'essentiel était d'en avoir terminé à 2 heures, de façon à pouvoir quitter discrètement l'infirmerie et récupérer sa voiture dans le parking tout proche. Grâce au changement de service, un certain temps s'écoulerait avant que l'une de ses collègues ne vienne s'assurer que tout allait bien du côté de la patiente enfermée dans la chambre blindée. Au bout du compte, personne ne saurait jamais si Abbie Elliot s'était pendue avant ou après le changement de service.

L'arme au poing, Lucie rejoignit la chambre blindée sur la pointe des pieds. Elle glissa un œil par la baie vitrée. Le verre, à l'épreuve des balles, fournissait une excellente isolation acoustique. Abbie, allongée sur le dos, n'avait pas bougé depuis le passage précédent de la surveillante, vingt minutes plus tôt. Couverture remontée jusqu'à la poitrine, elle avait le bras droit sous le drap alors que le gauche pendait hors du lit. Ses paupières étaient closes.

Lucie introduisit la clé dans la serrure et la fit tourner tout en observant Abbie. Elle pénétra à l'intérieur de la chambre et s'approcha lentement, l'arme au poing.

Pas un mouvement.

Lucie donna un coup de pied dans le châssis du lit.

— Réveille-toi, ordonna-t-elle en anglais.

Abbie ne bougeait toujours pas.

Lucie lui secoua la jambe à travers les couvertures.

Abbie poussa un gémissement et ses yeux papillotèrent. Son regard s'arrêta sur la silhouette de Lucie. Elle vit l'arme de la surveillante sans manifester de peur. Son visage ne trahissait aucune émotion.

Lucie tira les menottes de sa ceinture et les jeta sur le lit où elles atterrirent sur le ventre d'Abbie.

— Attache-les, exigea-t-elle en anglais.

— Tue… tue-moi, marmonna Abbie.

Tu ne crois pas si bien dire, ricana intérieurement Lucie.

— Allez, attache-les, répéta-t-elle.

Abbie était clairement inoffensive, mais Lucie n'était pas le genre de femme à prendre des risques inutiles. Elle entendait menotter sa victime avant de la pendre à l'aide d'une sangle à l'un des crochets du plafond en l'obligeant à se hisser sur une chaise. Avant tout, les menottes…

— Mets-les ou je tire.

Elle pointa le canon de l'arme sur Abbie tout en contournant le lit.

La menace était vaine. Il n'était pas question de tirer sur Abbie, si elle voulait que son plan fonctionne.

Le regard d'Abbie errait sans but. Elle semblait ne rien voir.

Lucie jura entre ses dents, à bout de nerfs. Elle glissa le pistolet derrière la ceinture de son pantalon d'uniforme, au niveau des reins, saisit Abbie par le poignet gauche et l'enferma entre les mâchoires de l'une des menottes.

Et d'un.

— L'autre, maintenant, grommela-t-elle en français. Donne-moi ton autre main ! déclara-t-elle à voix haute dans son anglais approximatif.

Lucie tenait toujours Abbie par le poignet. Elle tendit le bras gauche en agitant les doigts dans un geste d'invitation.

— Allez, ta main. Ton autre…

La main droite d'Abbie jaillit des couvertures à la vitesse de l'éclair. Avant que Lucie ait pu comprendre ce qui lui arrivait, une seringue pleine s'enfonça dans son avant-bras tendu, dont Abbie lui injecta aussitôt le contenu.

Lucie regarda d'un air ahuri l'aiguille plantée dans son avant-bras. Elle se ressaisit aussitôt et voulut retirer la seringue de la main droite.

Ce geste instinctif allait lui coûter cher. La voyant sans défense, Abbie sortit les griffes et agrippa de toutes ses forces la joue bandée de son adversaire. Lucie poussa un hurlement de douleur, comprenant soudain la sombre vérité : à moitié penchée au-dessus du lit, la seringue dépassant de son avant-bras, la joue en feu, elle avait perdu toute maîtrise de la situation.

Sans lui laisser le temps de se reprendre, Abbie saisit Lucie à deux mains par les cheveux et lui envoya un coup de tête au niveau de l'arcade sourcilière.

Lucie, sonnée, voulut récupérer son arme, mais Abbie l'immobilisait en la serrant contre elle à l'étouffer. La gardienne sentit faiblir sa résistance. Elle avait eu le tort de sous-estimer la force d'Abbie. À moins que cet accès de faiblesse ne soit dû au liquide que l'Américaine lui avait injecté ?

— Fais de beaux rêves, espèce de salope, murmura Abbie à l'oreille de sa proie tout en augmentant encore la pression.

Lucie sentit ses dernières forces l'abandonner, son corps devenir tout mou. Elle se trouvait à la merci d'Abbie.

96

Sabine, enfermée dans sa guérite, regarda une nouvelle fois l'heure. Déjà 1 h 40. Que pouvait bien fabriquer Lucie ? Cela faisait plus de vingt minutes qu'elle s'était enfermée à l'intérieur de l'infirmerie.

Impossible de rebrancher la caméra pour voir ce qui se passait, la moindre image serait automatiquement enregistrée sur le disque dur. Il suffisait qu'elle la remette en route, fût-ce un instant, pour que l'on voie Lucie en train de pendre Abbie. Le meilleur moyen d'être prise la main dans le sac.

Sabine composa le numéro de Lucie sur son portable. Elles avaient convenu de communiquer par ce biais en cas d'urgence, faute de pouvoir se servir des radios. Il ne fallait pas que l'une ou l'autre de leurs collègues surprenne leur conversation.

Sabine compta impatiemment les sonneries.

À la quatrième, une voix essoufflée lui répondit.

— Allô ?

— Tout va bien ? s'inquiéta Sabine.

— Oui, mais il y a plein de sang partout, lui répondit son interlocutrice en français dans un murmure à peine audible.

— Du sang ? Du sang ?!! Qu'est-ce que tu as encore foutu, Lucie ? Tu n'étais pas censée la tabasser !

— Viens m'aider à tout nettoyer, répondit le murmure essoufflé.

— Comment ça, t'aider ?

Sabine consulta sa montre avec un soupir agacé. Il leur restait peu de temps pour agir. Dans moins de dix minutes, tout devait être terminé.

Elle quitta sa guérite en maugréant, actionna le mécanisme d'ouverture électrique de la porte de l'infirmerie. Jamais elle n'aurait dû confier cette vacherie de mission à Lucie. On n'est jamais aussi bien servi que par soi-même.

Elle s'approcha de la baie vitrée de la chambre blindée et constata que le lit d'Abbie était vide. Une silhouette féminine en uniforme, reconnaissable à l'épais pansement qui lui mangeait la joue gauche, épongeait le sol à l'aide d'une serviette de toilette. Sabine poussa précipitamment la porte de la pièce et découvrit par terre le corps inanimé d'une détenue.

— Quel cirque ! se plaignit-elle.

Elle s'apprêtait à demander à Lucie pourquoi elle n'avait pas encore pendu Abbie lorsqu'elle fut prise d'un doute.

Lucie flottait curieusement dans son uniforme, ses cheveux semblaient anormalement longs. À l'inverse, la tenue d'Abbie lui collait étrangement au corps.

Trop tard. Abbie, en uniforme de surveillante, un pansement sur la joue, bondit sur Sabine en la menaçant d'une arme.

L'uniforme de Lucie. Le pansement de Lucie.

Le pistolet de Lucie.

— Les mains sur la tête, lui ordonna Abbie en français. J'ai déjà tué Lucie, je n'hésiterai pas à te tuer au moindre geste.

— Je t'en supplie, geignit Sabine d'une voix affolée.

Déjà condamnée à perpétuité pour l'assassinat du président, Abbie Elliot n'avait plus rien à perdre. Pourquoi ne pas se payer le luxe de tuer la surveillante chef qui la torturait depuis des mois ?

— Tourne-toi si tu tiens à la vie, insista Abbie sur un ton sans réplique.

Sabine obtempéra, les mains sur la tête.

— Je t'en prie, ne me tue pas, gémit-elle.

Au même instant, elle ressentit une piqûre au niveau du cou. Elle retira précipitamment la seringue, mais Abbie avait eu le temps de lui injecter une dose d'un produit inconnu.

— Un simple narcotique, lui expliqua l'Américaine. Mais je n'hésiterai pas à tirer si tu esquisses un seul gestc.

Du coin de l'œil, Sabine constata que Lucie, inconsciente à ses pieds, respirait normalement. Abbie avait peut-être décidé de les laisser en vie.

— Laisse-moi te remercier, ma chère Sabine, la railla Abbie. Merci d'avoir planifié mon assassinat avec autant d'attention. J'étais sûre que tu attendrais l'heure du changement de service, en pleine nuit, quand toutes les filles sont enfermées dans leurs cellules et que la surveillance est à son minimum. J'ai eu la confirmation que tu avais décidé d'agir avec Lucie quand j'ai vu que tu avais « oublié » de poster une surveillante à l'intérieur de l'infirmerie. Je suis prête à parier que le reste du bâtiment est également désert.

Sabine, prise de vertige, commençait à ressentir les premiers effets de la drogue.

— J'en suis même sûre, poursuivit Abbie. Tu ne pouvais pas risquer de voir l'une de tes collègues arriver sans crier gare. Je me trompe ?

La surveillante chef sentit ses jambes ployer sous elle. Elle tomba à genoux, voulut se rattraper, et se retrouva à quatre pattes par terre, comme un animal.

— Pourquoi… pourquoi me remercier ? trouva-t-elle la force de demander.

Des points noirs dansaient devant ses yeux, elle ne tarderait pas à perdre connaissance.

Voyant Sabine inoffensive, Abbie mit un genou à terre et colla sa bouche tout contre l'oreille de sa victime.

— Pour une raison toute bête, lui chuchota Abbie. En voulant m'assassiner, tu me permets de m'évader.

97

J'ai regardé ma montre : 1 h 47. Plus que treize minutes avant l'heure de la relève. Qui sait si la surveillante censée relever Sabine à l'entrée de l'infirmerie ne se présenterait pas en avance à son poste ? Il n'y avait pas un instant à perdre.

J'ai regardé autour de moi, dopée par l'adrénaline. Les pensées se bousculaient dans ma tête. Pourvu que je n'aie rien oublié. Dans l'état de semi-panique qui m'agitait, je pouvais très bien commettre une erreur.

Tant pis, le sort en était jeté.

Je suis sortie en verrouillant derrière moi la porte de la chambre blindée, puis j'ai traversé la grande salle au pas de course. Jusque-là, l'absence de caméra m'avait simplifié la tâche. Ce ne serait plus le cas dès que j'aurais quitté l'infirmerie.

J'ai pris longuement ma respiration, histoire de me calmer, et j'ai ouvert la porte de l'infirmerie d'une main tremblante en priant le ciel de ne pas m'être trompée en pensant que Sabine avait renvoyé toutes les autres surveillantes. Le couloir était désert, la guérite de la porte conduisant au parking souterrain inoccupée.

Comme je m'y attendais, sans en avoir la certitude.

Les surveillantes qui terminaient leur service à 2 heures ne tarderaient pas à emprunter ce même couloir en regagnant leurs voitures.

J'ai ouvert la porte de la guérite dans laquelle était retranchée Sabine quelques minutes plus tôt et rebranché les caméras de sécurité. L'image en noir et blanc de la chambre blindée s'est affichée sur l'écran. Tout était normal.

J'avais pris la précaution de récupérer dans les poches de Lucie ses clés de voiture, ainsi que sa carte magnétique. Bien décidée à quitter les lieux au plus vite après m'avoir pendue, elle avait pris la précaution de passer auparavant par le vestiaire.

J'ai emprunté la porte menant au parking souterrain en passant devant la guérite vide. La guérite G-3, si mes souvenirs ne me trahissaient pas. Les matonnes qui passeraient par là quelques minutes plus tard risquaient de s'inquiéter en la trouvant déserte. Le règlement était formel sur ce point, l'ensemble des accès à la prison, y compris cette porte de parking, devaient être gardés en permanence. D'un autre côté, tout le monde ici était au courant du manque chronique de personnel. Nous étions en pleine nuit, les détenues étaient enfermées dans leurs cellules, quelle surveillante à moitié endormie aurait envie de provoquer des vagues au moment de quitter son service, à 2 heures du matin ?

Je n'avais plus qu'à espérer avoir raison.

J'ai passé la carte magnétique de Lucie devant le lecteur et la porte s'est ouverte. Mon cœur a tressauté dans ma poitrine.

Des voix me parvenaient déjà à l'autre extrémité du couloir. Les accents joyeux d'un petit groupe de gardiennes, si pressées de terminer leur service qu'elles devançaient l'heure de quelques minutes. Elles seraient là dans un instant.

J'ai dévalé les marches à toute allure. La liberté me donnait des ailes. Au pied de l'escalier m'attendait une porte grise, également munie d'un lecteur. J'ai glissé ma carte dans la fente et le mécanisme s'est débloqué.

Une forte odeur d'essence m'a accueillie dans le parking souterrain. Le lieu était vaste, mais une petite cinquantaine de véhicules stationnait là, du fait de l'heure tardive. Les voitures étaient éparpillées dans tous les coins, ce qui risquait fort de me compliquer la tâche.

Et merde.

Les matonnes entendues quelques instants plus tôt pouvaient débarquer d'un instant à l'autre, il me fallait trouver la voiture de Lucie au plus vite. Si jamais elles me surprenaient, j'aurais du mal à leur expliquer que j'avais oublié l'emplacement de ma voiture.

J'avais à la main les clés de Lucie. Pourquoi cette idiote ne s'était-elle pas acheté l'un de ces modèles qui s'ouvrent à distance en clignotant ?

Tablant sur la chance, je me suis dirigée en courant vers les véhicules les plus proches de l'entrée en cherchant des yeux l'auto de Lucie. Je n'avais pas la moindre idée du type de voiture qu'elle conduisait. Je ne pouvais pas courir le risque de demander à Giorgio de me le révéler au téléphone.

En revanche, notre conversation codée m'avait permis d'apprendre son numéro d'immatriculation, que Giorgio s'était procuré en faisant le guet à l'extérieur de la prison deux nuits plus tôt, à l'heure où Lucie terminait son service.

Je déchiffrais les plaques l'une après l'autre lorsque la porte du garage s'est ouverte et que des voix ont résonné sous la voûte en béton. Je me suis accroupie entre deux voitures de façon à rester invisible.

En glissant un œil, j'ai vu qu'elles étaient trois. Des gardiennes, qui plaisantaient entre elles en s'approchant.

Vite, m'éclipser. Si jamais elles m'apercevaient, tout était fichu.

Courbée en deux, je me suis éloignée sur la pointe des pieds. Les matonnes, prises par leur discussion, se sont dirigées vers la première rangée de voitures. Accroupie derrière un véhicule, je suivais le bruit de leurs bottes.

Elles se sont arrêtées un peu plus loin. Des adeptes du covoiturage ?

Non. Elles sont montées dans leurs voitures, toutes garées à quelques emplacements de distance.

Logique. Elles avaient dû arriver à peu près simultanément puisqu'elles embauchaient à la même heure.

Le calcul était simple : les gardiennes du premier service se garent le plus près possible de la porte, les suivantes un peu plus loin, les troisièmes occupent les places libérées par les premières, et ainsi de suite.

Les véhicules les plus proches de la porte étaient ceux des matonnes arrivées à 20 heures.

Lucie, qui avait enchaîné deux services, s'était garée en même temps que ses collègues de la relève de 14 heures. Vers l'arrière.

En tournant la tête, j'ai constaté qu'il restait une dizaine de voitures au fond du garage. Celles des surveillantes qui enchaînaient deux services, à l'image de Sabine et de Lucie. La voiture de cette dernière se trouvait donc là-bas.

Deux bruits me sont parvenus simultanément : le claquement de la porte du garage qui s'ouvrait devant les voitures des surveillantes en fin de service ; les pneus des voitures de la relève qui crissaient le long de la rampe d'accès, du côté opposé à la sortie.

J'étais cernée.

Les solutions qui se présentaient à moi étaient limitées. J'aurais pu me cacher sous une voiture, mais le remède risquait d'être pire que le mal, ce que m'a confirmé ma montre en m'indiquant qu'il était 1 h 54. Le gros des matonnes ne tarderaient pas à rejoindre le garage, et leurs remplaçantes commençaient à arriver, avec le risque qu'elles se garent là où il y avait le plus de places libres, c'est-à-dire près de la voiture de Lucie.

Je n'avais plus le temps.

98

J'ai sorti de ma poche le mobile de Lucie et gagné le fond du parking en feignant d'être pendue au téléphone. De nouvelles surveillantes en fin de service arrivaient à chaque instant, mais j'avais déjà plusieurs dizaines de mètres d'avance sur elles. Il me restait à espérer que me voir téléphoner les dissuaderait de m'adresser la parole.

J'ai ralenti en arrivant au niveau des voitures rangées dans le fond, les yeux rivés sur leurs plaques d'immatriculation.

Avec Amour, 243, Avec Amour.

Là. Une petite voiture bleue. Un modèle baptisé Clio. Je ne m'étais jamais intéressée aux voitures, encore moins aux voitures françaises, mais le doute n'était plus permis. Il s'agissait bien de celle de Lucie.

Immatriculation : AA-243-AA.

J'ai déverrouillé la portière, pris place derrière le volant et glissé la clé dans le démarreur. J'ai fait un bond sur mon siège en entendant un air de disco sortir des haut-parleurs à plein volume. L'horloge de la voiture indiquait 1 h 56.

La Clio était équipée d'une boîte manuelle. Je n'avais plus l'habitude des changements de vitesses depuis longtemps, mais je n'avais pas le choix.

Je me suis dirigée vers la sortie du parking, précédée par une surveillante au volant d'une Toyota beige. D'une certaine façon, c'était une chance car elle allait m'indiquer à son insu la procédure à suivre. D'une autre, nous n'étions pas sur le même tempo, car j'avais des raisons autrement plus urgentes qu'elle de vouloir quitter cet endroit.

J'ai emprunté la rampe de sortie à la suite de la Toyota, elle-même précédée de deux autres véhicules. Les démarrages en côte ne sont pas vraiment de la tarte pour quelqu'un qui n'a pas l'habitude des boîtes manuelles. La Clio s'est mise à tanguer tandis que je m'efforçais de trouver un juste équilibre entre l'accélérateur et l'embrayage, et puis le moteur a calé. J'ai redémarré en jurant entre mes dents, à moitié paniquée, préférant cette fois me servir du frein à main.

La surveillante de la voiture de tête a descendu sa vitre et passé sa carte magnétique dans le lecteur, actionnant la barrière et la porte du parking. Elle est passée et la barrière est redescendue devant le capot de l'auto suivante. En voulant avancer, j'ai dû appuyer trop fort sur la pédale d'accélérateur au moment de desserrer le frein à main. La Clio a fait un bond et j'ai bien failli emboutir la Toyota. Le moteur a calé une nouvelle fois.

— Saloperie…

J'ai démarré à nouveau en évitant de regarder devant moi ou dans le rétroviseur. Je n'avais aucune envie de savoir si les autres conductrices observaient la manœuvre avec des yeux ahuris. L'horloge du tableau de bord indiquait 1 h 58.

Le temps que la Toyota franchisse la barrière et que mon tour arrive, il était 1 h 59.

J'ai introduit la carte de Lucie dans la fente, le bras s'est levé, le volet métallique s'est soulevé, et je me suis retrouvée sur la route menant au portail principal.

Jusque-là, tout allait bien.

Sauf qu'il était 2 heures et que je n'avais pas encore quitté l'enceinte de la prison.

99

Luisa remonta tranquillement le couloir de l'aile G en direction de l'infirmerie. Elle passa devant la guérite contrôlant l'accès au parking souterrain, qu'elle s'étonna de trouver vide. Elle se rassura en se disant que ce n'était pas inhabituel à une heure aussi tardive. L'établissement manquait de personnel, et les surveillantes étaient moins nombreuses la nuit.

Elle se montra davantage intriguée en remarquant de loin que la guérite installée à l'entrée de l'infirmerie, le poste G-2, était également inoccupée. Elle ouvrit la petite porte et trouva à sa place la feuille de service, que la surveillante précédente était censée remplir avant de quitter son poste. Curieusement, le document était vierge.

Putain de Sabine, pensa Luisa.

Sabine aurait collé un rapport écrit à la première qui se serait rendue coupable d'une telle négligence, mais la règle ne valait pas pour elle, évidemment. Elle devait être en train de baguenauder dans un coin, sûre que Luisa n'oserait rien dire et remplirait la feuille à sa place.

Elle porta sa radio à sa bouche.

— Luisa au G-2 pour Sabine. Luisa au G-2 pour Sabine. Répondez.

Elle patienta une minute sans obtenir de réponse.

Elle fouilla du regard autour d'elle. La liste des détenues hospitalisées signalait la présence cette nuit-là d'Abbie Elliot, l'une des meurtrières du président. Elle en déduisit que la malade avait été enfermée dans la chambre blindée.

Luisa jeta un coup d'œil à l'écran de contrôle. Une silhouette immobile à longs cheveux, le dos tourné à la caméra, reposait sur le lit nº 1. L'image en noir et blanc n'était pas très nette et l'éclairage tamisé, comme le voulait le règlement qui insistait pour que les détenues ne dorment pas dans le noir complet de façon à faciliter leur surveillance. Tout paraissait normal.

Il ne restait plus à Luisa qu'à remplir la feuille oubliée par Sabine. Elle dressa l'inventaire du matériel : quatre fusils chargés, quatre matraques et autant de bombes lacrymogènes, un kit de premiers secours, quatre paires de menottes, trois Glock…

Trois Glock ?

L'un des pistolets avait disparu. Les surveillantes n'étaient jamais armées pendant le service, de peur qu'une détenue enragée maîtrise l'une d'elles et s'empare de son arme. Pour quelle raison Sabine avait-elle pris un Glock ?

— Luisa au G-2 pour Sabine. Luisa au G-2 pour Sabine, répondez.

Luisa trompa son attente en observant de plus près les images retransmises par les quatre caméras de l'infirmerie. La pharmacie était déserte, tout comme la grande salle. Seule la chambre blindée était occupée par l'Américaine endormie. Pas de Sabine.

Le règlement était clair. En cas d'anomalie grave, et la disparition d'une arme en était une, Luisa était censée prévenir sa hiérarchie en déclenchant une alerte de code 3. De cette façon, toutes les surveillantes en poste cette nuit-là seraient instantanément averties qu'un pistolet manquait à l'appel.

D'un autre côté, déclencher une alerte équivalait à dénoncer Sabine. La surveillante chef. Celle qui établissait les plannings, accordait ou non les périodes de vacances demandées. Au sein de l'établissement, nul n'avait intérêt à se la mettre à dos.

En outre, toutes les détenues se trouvaient en cellule, à l'exception d'Abbie Elliot qu'elle avait sous les yeux grâce à la caméra de surveillance de la chambre spéciale.

Luisa réfléchit quelques instants, puis elle porta la radio à ses lèvres.

100

J'ai suivi les voitures des surveillantes qui me précédaient jusqu'au portail principal, flanqué d'un mirador surélevé. Conformément à la manœuvre observée à de nombreuses reprises au cours des derniers mois depuis la fenêtre de l'infirmerie, la conductrice de la voiture de tête s'est servie de sa carte magnétique en adressant un signe à l'occupante du mirador. Le portail s'est écarté avant de se refermer devant la voiture suivante.

La surveillante a glissé sa carte magnétique dans le lecteur, agité la main, et le portail s'est à nouveau ouvert. Cette fois, la fille de garde devait avoir envie de discuter car les deux femmes ont échangé quelques phrases.

— Allez, bordel…

Sur le tableau de bord, l'horloge indiquait 2 h 03. D'un coup d'œil dans le rétroviseur, j'ai constaté que quatre voitures me suivaient, bientôt rejointes par une cinquième. Pourvu que la garde s'aperçoive qu'elle bloque tout le monde et se décide à ouvrir le portail.

Il était 2 h 04 lorsque la deuxième voiture est sortie et que la Toyota s'est arrêtée devant la borne électronique. J'ai baissé ma vitre. La conductrice de la Toyota a passé sa carte, fait un geste de la main, le portail s'est écarté et elle a disparu dans la nuit. Enfin.

Je me suis avancée, vitre baissée, et j'ai glissé ma carte dans le lecteur sans perdre un instant. J'ai agité la main gauche en direction du mirador en tournant la tête. J'ai brièvement croisé le regard de la garde. La sortie était brillamment éclairée, comme de juste dans l'enceinte d'une prison. Aurait-elle pu me reconnaître ? Personnellement, je ne pensais pas l'avoir déjà vue, ce qui était bon signe. Il était peu probable que mon visage lui soit familier.

En revanche, elle avait toutes les chances de connaître Lucie.

Elle m'a longuement observée, j'ai même cru la voir tendre le cou dans ma direction.

Un spectateur assistant à la scène aurait juré qu'elle m'avait regardée une ou deux secondes. Personnellement, j'opterais pour une ou deux heures.

À défaut de deviner ce qu'elle pouvait voir, je savais ce qu'elle *s'attendait* à voir : une femme en uniforme au volant de la voiture de Lucie, porteuse de la carte magnétique de Lucie, avec des cheveux de la même couleur que Lucie et le pansement de Lucie qui lui mangeait la moitié du visage, à l'heure où Lucie terminait son service. L'ensemble des éléments qui parvenaient jusqu'à son cerveau lui confirmaient que j'étais Lucie.

Les deux détails d'importance qui me distinguaient d'elle ne pouvaient que lui échapper : la différence de corpulence, masquée par la pénombre qui régnait à l'intérieur de la Clio, et le visage. J'avais une certaine ressemblance avec Lucie, à mon grand regret, mais nos traits étaient pourtant différents. La présence de cet énorme pansement au niveau de la joue gauche visait précisément à camoufler ce manque de similitude, sachant que l'angle de vue, la distance qui me séparait du mirador et le toit de la voiture qui bloquait la vue de la garde jouaient en ma faveur.

C'est vrai, j'accumulais les atouts. Néanmoins, la garde me prêtait une attention soutenue. Elle pouvait fort bien exiger que je descende de voiture.

Les doigts de ma main droite se sont refermés sur la crosse du Glock, coincé sous ma jambe.

Mon cœur tressautait dans ma poitrine. Une pensée effrayante m'a brusquement assaillie : et si la garde était une copine de Lucie ? Et si elle lui adressait un commentaire entendu dont le sens m'échapperait ? Et si elle me demandait…

J'ai sursauté en entendant grésiller le haut-parleur de la borne.

— On m'a raconté ce qui t'était arrivé aujourd'hui. Ça va mieux ?

La nouvelle de l'agression avait dû se répandre comme une traînée de poudre.

— Oui, oui. Tout va bien.

L'horloge de l'auto affichait 2 h 06.

*

Pauvre petite, pensa Françoise, l'occupante du mirador. *Quel courage ! Quand je pense qu'elle s'est fait agresser par cette Abbie Elliot en début d'après-midi et qu'elle a tenu à faire ses deux services jusqu'au bout ! Il paraît qu'on lui a fait au moins vingt points de suture…*

— Bonne nuit ! fit Françoise en appuyant sur le bouton qui commandait l'ouverture du portail.

La Clio disparut dans l'obscurité et la voiture suivante s'arrêta devant la borne. Françoise connaissait bien sa conductrice, l'une des directrices adjointes de…

— Luisa au G-2 pour Adeline, grésilla une voix en français dans la radio de Françoise. J'ai une alerte de code 3.

101

— Adeline pour Luisa. Je demande confirmation d'une alerte de code 3 suite à la disparition d'une arme de type Glock au niveau du G-2.

La voix d'Adeline, la cadre de permanence cette nuit-là, sortit du haut-parleur de la radio de Luisa.

— Affirmatif, Adeline, répondit Luisa.

— Il s'agit bien du poste de Sabine ?

— Affirmatif. Sabine ne répond pas.

— Le G-2 est-il actuellement sécurisé ?

Luisa regarda une nouvelle fois les images retransmises par les caméras. L'infirmerie était vide, à l'exception de la détenue enfermée dans la chambre blindée.

— Affirmatif.

— Adeline à tout le personnel de surveillance. Armez-vous d'urgence. Je transmets l'ordre de boucler le périmètre en attendant le comptage de toutes les détenues.

Luisa fronça les sourcils. Elle ne s'attendait pas à un tel remue-ménage. À tout coup, Sabine s'amusait quelque part avec le Glock après avoir éteint sa radio.

Ou alors elle harcelait une nouvelle arrivante. Luisa tendit le dos, persuadée que Sabine allait lui en vouloir.

Qu'elle aille au diable, après tout. C'était largement à cause d'elle que les matonnes avaient aussi mauvaise réputation.

Luisa préleva un Glock dans sa réserve, prête à réagir à la moindre alerte. Surveiller l'infirmerie n'était pas précisément le poste le plus exposé, d'autant qu'elle n'avait qu'une seule détenue à sa charge ce soir-là, sagement enfermée dans la chambre blindée. En attendant, on lui avait donné l'ordre de s'armer, et elle obéissait.

Sur la radio lui parvenaient les uns après les autres les rapports de comptage des différents blocs de l'établissement. Son tour vint de répondre.

— *Aile G, une détenue.*

Elle fut soudainement prise d'un doute. Sabine était connue pour son sadisme, et la rumeur courait qu'elle n'appréciait guère cette Abbie Elliot. Et si elle avait décidé de s'amuser avec Abbie ? En se servant de son arme, par exemple ?

L'explication était sans doute tirée par les cheveux, mais l'un des Glock avait disparu.

Le comptage achevé, Adeline annonça qu'aucune détenue ne manquait à l'appel. « Les détenues sont toutes sous clé à 2 h 12, poursuivit Adeline. En attendant, ordre à tous les personnels de retrouver l'arme manquante. »

Un pli barra le front de Luisa. Et si Sabine avait laissé traîner l'arme dans l'infirmerie, sachant que la salle était vide et que l'Américaine se trouvait enfermée dans la chambre blindée ?

Une négligence coupable. Et même criminelle, mais ce ne serait pas la première fois. Luisa actionna le mécanisme de la porte et pénétra dans l'infirmerie.

Elle fit le tour des lits, à la recherche de l'arme, retournant draps et oreillers, tâtant du pied les serviettes qui traînaient par terre. Elle soupira en comprenant l'inutilité de ses efforts. Les chances de retrouver le Glock dans cette pièce étaient quasiment nulles.

— Adeline pour Françoise du Mirador 1. Avez-vous des nouvelles de Sabine ?

— Françoise du Mirador 1 pour Adeline. Sabine n'a pas quitté l'enceinte.

Luisa s'immobilisa devant la porte de la chambre blindée. Quitte à tout vérifier, autant s'assurer qu'Abbie Elliot n'avait pas réussi à subtiliser le Glock dans l'espoir de s'en servir.

Elle décida d'en avoir le cœur net en appuyant sur le bouton de l'interphone.

— Elliot, debout tout de suite. Lève-toi et mets les bras en l'air.

La silhouette allongée sur le lit n° 1 ne cilla même pas. Luisa voyait pourtant la poitrine de la malade se soulever au rythme de sa respiration.

— Allez, Elliot ! s'écria-t-elle.

Rien.

Énervée, elle s'approcha de la porte avec l'intention de tambouriner contre le carreau. Elle levait le poing lorsqu'elle fit un bond sur place. Elle recula de saisissement, se reprit, et coula à nouveau un regard à l'intérieur de la pièce, dans le coin situé directement sous la caméra, invisible sur l'écran de contrôle.

Sabine, inconsciente, était menottée aux montants d'une chaise.

— Luisa du G-2 à tous les personnels, bredouilla-t-elle dans sa radio d'une voix étranglée par l'émotion. Alerte de code 1. Je répète, alerte de code 1. Fermeture immédiate de tout le périmètre !

102

Je n'avais jamais été aussi pressée de ma vie, comme si mon salut en dépendait. Ce qui était le cas.

La prison, située en périphérie de Limoges, n'était accessible que par une route étroite et mal entretenue. J'ai commencé par ronger mon frein en suivant à vitesse réduite les trois véhicules qui me précédaient, avant de les semer au premier carrefour.

Je ne roulais pas trop vite afin de ne pas risquer d'attirer l'attention sur moi. Il ne m'a pas fallu longtemps pour atteindre la gare de Limoges-Bénédictins, située près du centre-ville, en face du Champ-de-Juillet avec sa fontaine majestueuse.

Je me suis stationnée tout près de la gare, dans un petit parking déjà plein où j'ai déniché une place dans un coin en bloquant deux autres voitures. Désolée pour leurs propriétaires, mais j'avais d'autres chats à fouetter. En courant vers la gare, je suis passée devant une Audi blanche sur la plage arrière de laquelle était posé un nounours. Le cœur serré, j'ai repensé à celui avec lequel ma chère Linette dormait toujours.

Tu sais, ma chérie. Je fais ça autant pour toi que pour moi.

On m'avait expliqué que la gare de Limoges était une merveille. De nuit, on aurait dit un monstre avec son architecture gothique et son immense verrière. Les projecteurs qui surmontaient les piliers ressemblaient à deux yeux, séparés par une arche en forme de front soucieux au-dessus de l'entrée. Sur le côté se dressait un beffroi en forme de sceptre qui aurait aisément pu servir de phare au bord de la mer.

Je me suis débarrassée du pansement de Lucie et précipitée sous la voûte en cherchant des yeux les guichets. Je transpirais abondamment à l'intérieur de cet uniforme trop large pour moi. Je devais ressembler à une folle.

— Bonjour. Je voudrais savoir à quelle heure part le prochain train.

— Quelle destination ? m'a demandé l'employé de l'autre côté de l'hygiaphone.

Au-dessus de sa tête, l'horloge affichait 2 h 15.

— Peu importe.

103

À 2 h 20, Boulez se trouvait dans un état proche de l'apoplexie. Il avait clairement donné l'ordre à Sabine de l'appeler sur son portable personnel dès que sa mission serait accomplie. Encore une fois, cette imbécile n'avait rien compris.

Il porta un verre de scotch à ses lèvres, le portable serré dans son poing gauche, puis il s'assit sur le canapé en s'interrogeant sur son avenir. Un avenir brillant, à n'en pas douter, après un tel exploit. Il avait toujours rêvé d'une carrière prestigieuse dans les hautes sphères du ministère de la Justice, mais le destin l'avait décidément gâté en lui servant Abbie Elliot sur un plateau.

Cette connasse lui avait donné du fil à retordre. Elle aurait encore été en vie si elle avait accepté de passer aux aveux. Ce qui lui arrivait était uniquement de sa faute.

Il fit un bond en entendant la sonnerie du téléphone. Curieusement, il ne s'agissait pas de son portable, mais de sa ligne directe.

Il gagna sa chambre et décrocha.

— Allô ? demanda-t-il d'une voix prudente en se regardant dans le miroir de sa commode.

— Bonsoir, monsieur le directeur. Adeline, l'administratrice de permanence.

Ouf ! Sabine avait tout simplement oublié de le prévenir. Aucune importance, à présent que le corps sans vie d'Abbie avait été découvert. Quelqu'un avait rebranché les caméras de sécurité et vu son corps, pendu au plafond à l'aide d'une sangle de lit. Comme de juste, on s'empressait d'avertir le directeur.

— Oui, Adeline. Que se passe-t-il ?

— Une mauvaise nouvelle, monsieur le directeur.

Boulez attendait la suite pour se lancer dans son grand numéro. La surprise, l'indignation, tout le toutim.

— C'est au sujet d'Abbie Elliot, monsieur le directeur.

— Je vous écoute.

Il s'exprimait calmement, avec toute l'autorité requise d'un chef en temps de crise. La mort d'une détenue aussi célèbre ne manquerait pas d'attirer l'attention, et il comptait bien affronter les médias personnellement. Il avait déjà choisi son costume, accompagné de la nouvelle cravate Hermès orange qu'il…

Adeline se lança dans une longue explication et le sang de Boulez ne fit qu'un tour.

Il serra les paupières, la gorge brusquement nouée.

— Ce… c'est une plaisanterie, balbutia-t-il en regardant sa main vide.

Il lui fallut quelques secondes pour s'apercevoir qu'il avait laissé tomber son téléphone.

104

Le guichetier m'a tendu un billet tout en me rendant la carte de crédit de Lucie.

— C'est le seul train de nuit, m'a-t-il expliqué.

En d'autres termes, je n'avais pas intérêt à le manquer.

Je l'ai remercié en glissant le billet dans ma poche. L'horloge de la gare indiquait 2 h 16.

J'ai traversé le hall d'un pas vif. Une immense cathédrale ornée de moulures, surmontée d'un dôme percé de vitraux qui devaient offrir un spectacle splendide lorsque les rayons du soleil les traversaient. En attendant, il faisait nuit et je n'étais pas là en touriste. Ma priorité était de sauver ma peau.

J'ai accéléré le pas et un couple d'amoureux assis sur un banc m'a regardée passer d'un air surpris, intrigué de me voir courir à une heure pareille.

La raison de ma hâte était pourtant simple. Pas question de rater le Paris-Toulouse qui repartait de Limoges à 2 h 24.

J'ai failli m'écraser contre un pilier peint en jaune en déboulant sur le quai. Le temps de me reprendre, j'ai sauté dans le premier wagon. Une voiture de première, à en juger par le grand chiffre 1 peint sur la carrosserie.

À ceci près que j'avais acheté un billet de seconde. J'ai arrêté un contrôleur qui passait, un type rondouillard au visage de chérubin auquel j'ai tendu mon billet.

2 h 18. Il me restait six minutes avant le départ du train.

— Bonsoir mademoiselle. Vous êtes dans la mauvaise voiture. Votre couchette se trouve deux wagons plus loin.

Tout en me parlant, il m'observait de la tête aux pieds. Je devais ressembler à une folle, suante et soufflante, les cheveux hirsutes, dans cet uniforme de gardienne de prison trop grand pour moi.

— Très bien, je vous remercie.

— Je vous souhaite un bon voyage, madame.

— Merci.

Je me suis prise à espérer que ce voyage soit vraiment bon.

105

— Nous avons mis en place la procédure d'alerte, expliqua Lafave, le capitaine de l'Unité d'intervention tactique avec qui Boulez s'entretenait au téléphone en gagnant d'urgence la prison.

— Vous avez bouclé toutes les issues et sorti les chiens ?

— Oui, monsieur le directeur. Comme je vous le disais, je ne crois pas qu'elle se trouve encore dans l'enceinte, ni même qu'elle se soit enfuie à pied.

— Vous pensez qu'elle a pris la voiture de Lucie ?

— Affirmatif.

Les autorités de la prison avaient mis de longues minutes à comprendre le déroulement des faits. Lorsque Luisa avait découvert que le lit n° 1 de la chambre blindée était occupé par une surveillante plongée dans un sommeil artificiel, sa hiérarchie avait tout d'abord pensé qu'Abbie Elliot errait quelque part dans les couloirs de l'établissement, armée d'un Glock. Une fouille systématique des bâtiments avait été entamée, jusqu'à l'annonce que la Clio de Lucie avait franchi le portail principal à 2 h 06 alors que sa propriétaire dormait profondément à l'infirmerie.

Un temps précieux avait ainsi été perdu. Luisa avait donné l'alerte dès 2 h 12, mais il était 2 h 20 lorsque ses supérieurs avaient compris que la détenue s'était échappée.

Un sourire amer étira les lèvres de Lafave. Cette Abbie Elliot ne manquait pas de cran. Quitter cette foutue prison au volant d'une voiture appartenant à une surveillante !

Il consulta sa montre, synchronisée avec l'horloge de la prison. 2 h 21.

— En résumé, elle possède un quart d'heure d'avance sur nous, précisa-t-il à l'intention du directeur.

— Où peut-elle se rendre en l'espace d'un quart d'heure ?

Tout dépendait de la stratégie adoptée par la fugitive. Lafave avait assisté à suffisamment d'évasions pour savoir que les détenues s'en tiennent généralement au moyen de locomotion qui leur a permis de s'échapper. En l'occurrence, la Clio de Lucie. Simple réflexe humain. Mettre le plus de distance possible avec la prison, et le plus rapidement possible.

— Elle dispose de plusieurs solutions, répliqua Lafave. Elle peut se débarrasser de la voiture et se cacher en pleine nature. Ce ne sont pas les bois qui manquent dans la région. Ou alors elle peut prendre un car, un train, ou rouler le plus loin possible.

— Dans quelle direction ?

Lafave poussa un soupir.

— N'importe où, monsieur le directeur. Je la vois mal chercher à rejoindre un aéroport, puisqu'elle n'a pas de passeport, mais ce ne sont pas les destinations qui manquent, surtout si elle prend l'autoroute.

— Pourquoi ne pas bloquer les routes ?

Lafave secoua machinalement la tête en signe de dénégation, oubliant que son interlocuteur ne pouvait pas le voir.

— Impossible. Le temps qu'on mette en place des barrages, elle sera loin. On ne pourra jamais étendre suffisamment le périmètre.

Boulez laissa échapper un tel chapelet de jurons que Lafave éloigna le portable de son oreille.

— Monsieur le directeur, reprit ce dernier. Pendant que nous discutions, nos équipes ont diffusé sa photo partout. En particulier aux employés des péages. La police fouille actuellement la gare routière comme la gare SNCF, ce qui est un bon début. Elliot espérait sans doute que sa ruse ne serait pas éventée aussi vite. Elle ne devait pas s'attendre à ce que Luisa aille vérifier dans la chambre, au lieu de se contenter de jeter un coup d'œil sur son écran de contrôle.

— Où voulez-vous en venir, Lafave ?

— C'est simple, monsieur le directeur. À mon sens, Abbie Elliot est persuadée que nous n'avons pas encore découvert son évasion.

— Vous avez peut-être raison.

— Elle croit disposer d'un peu de répit, le temps de prendre les décisions qui s'imposent. En particulier, se débarrasser d'une voiture dont le signalement sera donné tôt ou tard. Cette femme n'a rien d'une imbécile.

Boulez accueillit la remarque par une nouvelle bordée d'injures. À l'heure qu'il était, Abbie Elliot ne figurait pas très haut dans son estime.

— Elle est même très maligne, reconnut-il avec un soupir. Et vous, Lafave ? Que feriez-vous à la place de cette petite maligne ?

Lafave hocha la tête.

— Moi, monsieur le directeur ? Je prendrais le premier train en partance de Limoges.

106

Trois voitures de police, convergeant de directions différentes, débouchèrent presque simultanément sur l'esplanade de la gare de Limoges-Bénédictins et s'immobilisèrent dans les crissements de leurs freins sur les emplacements réservés aux taxis. Six fonctionnaires en uniforme jaillirent des voitures. Quatre d'entre eux se précipitèrent à l'intérieur du bâtiment tandis que leurs collègues montaient la garde à l'extérieur.

Le plus haut gradé, un certain Daraud, courait presque en tenant d'une main son arme de service et de l'autre un téléphone portable sur l'écran duquel s'affichait la photo d'Abbie Elliot envoyée par la prison. Daraud vit venir à sa rencontre un groupe de passagers aux yeux rougis par la fatigue. Armés de sacs de voyage ou de valises, ils se dirigeaient vers la sortie.

Les passagers du train de nuit en provenance de Paris.

— Plus vite, intima Daraud à son coéquipier, et les deux hommes repartirent au pas de course en direction du quai.

Les voyageurs s'écartaient prestement en voyant les deux agents en uniforme courir dans les couloirs souterrains de la gare.

— Daraud, grésilla la radio attachée à sa ceinture.

Un appel de l'un des flics postés devant le bâtiment.

— On a retrouvé la voiture sur le parking. Immatriculation AA-243-AA.

— Elle a pris le train, grommela Daraud en dévalant les marches.

Un sifflet retentit au même instant, lui signalant le départ du convoi.

Lorsqu'il déboucha en trombe sur le quai une poignée de secondes plus tard, les feux rouges du dernier wagon s'effaçaient dans la nuit.

107

Le train, parti la veille en fin de soirée de la gare de Paris-Austerlitz, effectuait des arrêts à Limoges, Brive-la-Gaillarde et Cahors avant d'arriver à Toulouse à 6 h 44. Fidèle à son horaire, il était reparti de Limoges à 2 h 24.

Soixante-quatre minutes plus tard, à 3 h 28 précises, il entrait en gare de Brive-la-Gaillarde. Le quai était désert. Quelques minutes auparavant, les deux voyageurs qui s'y trouvaient avaient été priés poliment de rebrousser chemin.

Le convoi passa sous une passerelle avant de s'arrêter à hauteur des auvents protecteurs. Les portes s'ouvrirent avec un soupir. Trois passagers descendirent du train : un homme d'origine africaine, une femme aux cheveux gris, ainsi qu'un jeune homme d'une vingtaine d'années.

Ce calme n'avait rien d'exceptionnel, eu égard à l'heure tardive. En outre, la plupart des voyageurs se rendaient à Toulouse.

La police ne s'attendait d'ailleurs pas à voir Abbie débarquer ici. Tout indiquait qu'elle irait jusqu'au terminus avant de poursuivre en direction de Barcelone.

Elle avait tout intérêt à franchir la frontière au plus vite, d'autant qu'elle parlait couramment l'espagnol.

Le tout était de l'intercepter avant qu'elle mette son projet à exécution.

— On y va, murmura le responsable de l'unité du RAID, allongé sur la passerelle sous laquelle venait de glisser le train.

Ses hommes, invisibles dans la nuit du fait de leur tenue noire, quittèrent leur abri, Beretta au poing. Des guetteurs armés de jumelles à infrarouge fouillaient des yeux l'intérieur des wagons ordinaires. Abbie Elliot ne s'y trouvait pas, tout indiquait qu'elle était restée enfermée dans le compartiment de sa voiture-couchettes.

La réservation payée avec la carte Visa volée à Lucie correspondait à la quatrième voiture. Un employé de la gare de Limoges avait confirmé avoir vu une femme en uniforme de surveillante monter dans la rame.

Trois des hommes du RAID grimpèrent dans le wagon concerné, tandis que leurs collègues bloquaient la fuite de l'évadée en se hissant dans les voitures voisines, de part et d'autre.

Le responsable du commando attendait la suite des événements de son poste d'observation, tambourinant des doigts sur la passerelle. Les rideaux tirés l'empêchaient de voir ce qui se passait à l'intérieur des voitures-couchettes.

Le compte rendu de l'opération lui parvint plus tôt qu'il ne s'y attendait.

— Elle n'est pas là, nasilla une voix dans son oreillette.

Sans hésiter, le responsable du commando prit sa décision.

— Ordre à toutes les équipes d'investir le train.

En un éclair, de puissants projecteurs fusèrent sur le convoi, transformant la gare en un décor digne d'un film d'action hollywoodien, tandis qu'un hélicoptère traversait le ciel et se plaçait en vol stationnaire au-dessus du train. Les dix hommes du RAID, auxquels s'étaient joints pour l'occasion dix fonctionnaires de la police nationale, se hissèrent précipitamment à bord des wagons, armés de Beretta et de pistolets mitrailleurs HK MP5.

Chaque siège, chaque compartiment à bagages, chaque WC, chaque couchette furent l'objet d'une fouille en règle sans que le chef du commando, qui suivait l'opération grâce à son oreillette, perde un seul des échanges entre ses hommes.

En tout, l'intervention dura vingt-trois minutes, sans que les policiers parviennent à dénicher Abbie Elliot.

108

Boulez en était à son troisième scotch de la nuit. Ou, plutôt, de ce début de journée, puisqu'il était exactement 4 heures du matin.

Il contempla les photos à sa gloire accrochées aux murs de son bureau. Deux d'entre elles avaient disparu, réduites en miettes lorsqu'il avait passé sa rage sur elles un peu plus tôt. Il avait les phalanges en sang, coupées par des débris de verre, mais c'était le cadet de ses soucis.

— On a la certitude qu'elle est bien montée dans le train, résuma Lafave.

— Elle en est donc forcément redescendue, en conclut Boulez en secouant la tête.

L'alcool qu'il ingurgitait ne suffisait pas à l'anesthésier. Ses intestins dessinaient des nœuds dans son ventre.

— Tout espoir n'est pas perdu, monsieur le directeur. Elle ne peut pas prendre le train, les gares routières sont surveillées, elle est condamnée à marcher.

— Elle avait soigneusement préparé son coup, grinça Boulez en balayant l'argument d'un geste. Elle a eu tout le temps de prévoir jusqu'au plus petit détail. Elle connaissait l'existence de ce train de nuit, elle a fait exprès d'acheter ce billet au vu et au su de tout le monde, elle est allée jusqu'à s'adresser à un contrôleur pour nous convaincre qu'elle se trouvait à bord.

Il se leva de son siège.

— Veuillez me laisser seul, Lafave, ajouta-t-il. Ne ménagez pas vos efforts tant que vous ne l'aurez pas retrouvée.

À peine débarrassé du responsable de l'Unité d'intervention tactique, Boulez sortit son portable et chercha un numéro dans la liste de ses contacts. Il se serait volontiers passé d'une telle corvée.

— Antoine Boulez, unité pénitentiaire de Limoges, annonça-t-il. Je voudrais parler au colonel Durand… Oui, j'ai conscience de l'heure qu'il est… Comment ça, lui laisser un message ? Il n'est pas au courant ?!!

Durand, faute d'avoir été averti, dormait paisiblement, comme tout individu normalement constitué à une heure pareille. Boulez allait devoir lui annoncer lui-même la nouvelle. Un privilège redoutable dont il préférait se passer.

— Dites au colonel qu'Abbie Elliot s'est évadée, se contenta-t-il de déclarer à son interlocuteur.

109

Je roulais prudemment sur l'A85 en suivant les indications de l'itinéraire ViaMichelin posé à côté de moi, progressivement rassurée à mesure que je m'éloignais de Limoges.

La partie était loin d'être gagnée. J'avais pris place dans une voiture volée dont je ne possédais pas les papiers. Il suffisait qu'un gendarme ait la mauvaise idée de me contrôler pour que je sois fichue.

J'étais trop loin à présent pour craindre les barrages routiers. Personne ne pouvait se douter que j'avais choisi de me diriger vers le nord.

Cela dit, je ne savais rien des recherches dont je faisais l'objet. La surveillante qui avait pris son service après Sabine, à 2 heures du matin, pouvait fort bien somnoler tranquillement sur sa chaise sans se douter de rien.

Si mon évasion avait été découverte, la police aurait enquêté à la gare de Limoges où elle aurait découvert que j'étais montée dans le train de Toulouse. J'avais veillé à laisser derrière moi une piste transparente, allant jusqu'à m'adresser à un contrôleur. Sur ses indications, j'avais pris la direction de la voiture-couchettes dans laquelle j'avais une réservation avant de redescendre discrètement sans être vue.

Restait à savoir si ma ruse avait fonctionné, s'ils me cherchaient au sud pendant que je filais vers le nord. Apparemment, c'était bien le cas, puisque je courais toujours.

Sans excuser le passé criminel de Linette et de Giorgio, je pouvais me féliciter qu'ils aient jeté leur dévolu sur le vol de voitures.

L'Audi aperçue près de la gare, avec son ours en peluche sur la plage arrière, était très agréable à conduire. C'est Giorgio qui avait eu l'idée de ce signe de reconnaissance, en hommage à Linette.

Je me suis étirée, histoire d'évacuer la tension. Mon plan avait beau être soigneusement conçu, je n'étais pas tirée d'affaire. Les autorités ne lésineraient sur aucun moyen pour me retrouver.

Grâce à Giorgio, je disposais de deux tenues de rechange, d'une boîte de barres de céréales, de deux grandes bouteilles de Vittel, de l'itinéraire ViaMichelin récupéré sur Internet, d'un sac de couchage, et de deux cents euros. Le jeune guitariste s'était montré plus généreux que je ne l'espérais, je sais qu'une telle somme n'était pas anodine pour lui, mais elle n'en était pas moins limitée.

Mais assez de soucis, autant m'autoriser quelques instants d'euphorie. Électrisée par mon évasion, j'ai baissé ma vitre en laissant l'air du dehors me caresser la joue et les cheveux. J'étais libre. Restait à savoir pour combien de temps.

Une seule certitude s'imposait à moi : entre ma fortune limitée et les recherches de mes poursuivants, je disposais de très peu de temps pour découvrir la vérité.

À bien y réfléchir, j'avais une autre certitude, au terme de deux heures et demie de liberté : celle de ne jamais retourner en prison. J'aurais été incapable de passer une minute de plus dans cet enfer.

Je devais impérativement démasquer le vrai coupable, quitte à y laisser ma peau.

ACTE IV

Septembre 2011

110

Onzain est une bourgade mal connue, y compris des Français. Je me souviens du regard interrogateur de Linette lorsque je lui avais recommandé de passer sa lune de miel dans ce petit paradis. Onzain est situé au cœur de la vallée de la Loire, à deux heures au sud-ouest de Paris, entre Blois et Amboise. On y accède par l'autoroute A10 qui relie la capitale à Tours.

Nous y sommes venus avec Jeffrey en 1998, alors que Richie était tout juste âgé de deux ans. Nous l'avions confié aux parents de Jeffrey, dans le Connecticut, le temps d'un séjour d'une semaine en France. Après quelques jours passés à Paris, nous avons voulu visiter les châteaux de la Loire et les vignobles de la région. J'avais conservé le souvenir de paysages majestueux, de vins extraordinaires qui vous tournaient la tête, à commencer par un sancerre devenu par la suite mon cru de prédilection au prétexte qu'il me rappelait cette courte période au cours de laquelle Jeffrey et moi étions éperdument amoureux.

Les indications de ViaMichelin m'ont conduite sans erreur jusqu'à la sortie de Blois. La suite s'est révélée plus compliquée. Giorgio avait bien pensé à imprimer la fin de l'itinéraire, mais il y avait de quoi s'y perdre dans ce dédale de petites départementales. Il est vrai que mon dernier séjour datait de treize ans. J'écarquillais les yeux, à l'affût de pancartes annonçant LE DOMAINE d'une belle écriture, quand je me suis retrouvée sur une étroite route longeant la Loire.

Le jour venait de poindre, la campagne française s'éveillait à peine et l'air était d'une fraîcheur presque piquante, en dépit de cette fin d'été. Je n'ai pas croisé une seule voiture pendant près de vingt kilomètres, jusqu'à ce que j'aperçoive un grand portail ouvert sur ma droite.

Le Domaine est un ancien fief féodal d'une douzaine d'hectares au cœur duquel se dresse un vieux château. Les dépendances ont été reconverties en chambres d'hôtes. Les propriétaires du lieu, cédant aux sirènes de la modernité, ont fait installer des tennis et une piscine olympique dont je me passerais volontiers. L'endroit doit son charme à ses jardins à la française, son étang paisible, ses bois millénaires. Lors de notre séjour avec Jeffrey, j'avais trouvé l'endroit particulièrement romantique.

Les pneus de l'Audi ont fait crisser le gravier de l'allée menant à l'aire de parking. Je me suis garée le plus à l'écart possible, le long d'une haie, avant de descendre de voiture et d'étirer mes membres engourdis.

Une première étape de franchie, ai-je pensé en emplissant mes poumons d'air pur.

J'avais choisi la plus élégante de mes deux tenues : jupe grise, chemisier blanc, veste marine. L'un des ensembles préférés de Linette, laissé à mon intention par Giorgio pour que je passe inaperçue au volant de mon Audi. J'ai retiré l'élastique qui retenait mes cheveux.

Le château, entouré de massifs taillés au cordeau, abritait la réception et le restaurant. Sa façade recouverte de lierre commençait à se teinter de jaune et de rouille. Les femmes de ménage s'activaient déjà dans les dépendances de droite. Nous avions séjourné dans la cinquième à partir du fond, avec son plafond traversé de poutres, son papier à fleurs et son mobilier rustique. Nous ne l'avons quasiment pas quittée pendant trois jours. C'est entre ces murs qu'a été conçue Elena.

Cette pensée m'a fait frissonner. Je me suis glissée sur la banquette arrière de la voiture afin d'enfiler la tenue de jogging fournie par Giorgio, utile en cas de fuite.

J'ai traversé le parc d'un pas nonchalant, feignant l'essoufflement, souriant au passage aux femmes de ménage qui poussaient leur chariot sur les dalles de l'allée. J'avais tout de la touriste terminant son jogging matinal par une petite promenade.

Je répondais à leur bonjour par des *buenos días*. Mon teint mat et mes cheveux bruns, héritage d'un aïeul méditerranéen, me permettaient aisément de brouiller les pistes. Si jamais la police en arrivait à enquêter un jour auprès de ces femmes, elles se souviendraient d'une Espagnole, et non d'une Américaine.

J'ai bifurqué en direction des bois, dont les premiers rayons du soleil ne parvenaient pas à dissiper la pénombre. Un petit chemin s'enfonçait profondément entre les arbres.

Je me suis retournée afin de m'assurer que j'étais bien seule. Les premières feuilles mortes crissaient sous mes semelles. Cachée derrière un tronc, j'ai pris longuement ma respiration avant de fondre en larmes, submergée par l'émotion. L'instant d'après, je me roulais au milieu des feuilles en labourant la terre de mes doigts, avide de respirer, de vivre une liberté à laquelle je n'avais pas goûté depuis plus d'un an. Je pleurais, je riais et je gémissais tout à la fois, émerveillée par le ciel d'un bleu intense que j'apercevais au-dessus de ma tête. J'aurais pu passer des heures à contempler ce carré d'azur. J'étais libre.

Adossée contre un arbre, j'ai senti mes pupilles flotter derrière mes paupières. Je n'avais pas fermé l'œil de la nuit, dormir un peu ne pourrait que me remettre sur pied.

Un peu seulement, car une mission difficile m'attendait.

Les recherches avaient forcément commencé. Un homme, en particulier, n'aurait de cesse de m'avoir retrouvée.

111

L'avion atterrit à l'aéroport de Limoges-Bellegarde peu avant 7 heures du matin. Le colonel Bernard Durand, *alias* Mâchoire carrée, descendit d'un pas vif l'échelle de coupée et se précipita à l'arrière de la voiture noire qui l'attendait.

— Bonjour, mon colonel, l'accueillit le responsable de la DCRI dans la région Limousin, un certain Rouche.

— Je veux connaître les derniers développements, répondit Durand.

— Oui, mon colonel. L'armée est sur place, elle procède à une fouille systématique de toutes les habitations dans un rayon de dix kilomètres. Sa photo a été transmise à l'ensemble des entreprises de transport. Nous avons également alerté le CNI, récapitula Rouche en citant l'acronyme du Centro Nacional de Inteligencia, les services de renseignement espagnols. Ils passent au peigne fin les trains, les cars et les voitures qui traversent la frontière.

Les autres pays voisins avaient également été notifiés et s'apprêtaient à prendre des mesures comparables.

L'accent avait été mis sur l'Espagne du fait qu'Abbie parlait couramment l'espagnol, mais Durand refusait de tomber dans le piège qu'elle lui tendait. Elle avait feint de monter dans le train de Toulouse dans le seul but de persuader les autorités qu'elle se dirigeait vers le sud. Durand était prêt à parier qu'elle avait pris la direction opposée.

À moins qu'elle ne soit restée sur place. Essentiellement rural, le Limousin ne manquait pas de cachettes sûres.

— Elle attendra que l'affaire se tasse, estima Durand. Elle se planquera pendant quelques jours avant de réapparaître.

Il se tourna vers son subordonné.

— En attendant, expliquez-moi à nouveau comment elle s'y est prise.

C'était la troisième fois que Durand entendait les détails de l'évasion, mais il avait l'habitude en pareil cas de ressasser les informations disponibles, dans l'espoir que surgisse un fait nouveau.

— Elle a profité de l'effectif réduit du personnel de surveillance pendant la nuit, lorsque toutes les détenues sont enfermées dans leurs cellules.

— Cela ne l'a pas empêchée de s'enfuir.

— Elle est la première en vingt-deux ans, mon colonel.

Ouais. Durand avait pu juger des qualités d'Abbie dès leur première rencontre, lorsqu'il l'avait interrogée dans les locaux parisiens de la DCRI. À l'époque, alors que ses compagnes avaient toutes craqué, elle avait été la seule à refuser d'avouer.

— Je veux savoir tout ce qu'elle a fait au cours des huit derniers jours, ordonna-t-il. Le détail de ceux avec qui elle s'est entretenue, des visites qu'elle a reçues, des coups de fil qu'elle a passés, ses lectures. Tout, absolument tout.

— Bien, mon colonel. Boulez, le directeur de l'établissement, s'en occupe à l'heure où nous parlons.

Le *directeur !* Un incapable, infoutu de garder une condamnée au profil aussi sensible, alors que c'était précisément son boulot.

— Il est hors de question de confier quoi que ce soit à ce Boulez, décréta Durand. Vous vous chargerez personnellement de cette mission. C'est compris, Rouche ?

— Très bien, mon colonel.

Durand posa sa nuque sur le dossier de son fauteuil pour la première fois depuis son arrivée.

— Si elle est restée dans le coin, on lui mettra la main dessus. Si ce n'est pas le cas, vous comprenez ce que ça signifie ?

Rouche afficha un air perplexe, hésitant à reconnaître qu'il ne voyait pas du tout où son chef voulait en venir.

— Ça signifie qu'elle a bénéficié d'une aide extérieure, poursuivit Durand. C'est ce qui nous permettra de la retrouver.

112

J'ai relevé brusquement la tête en sortant d'un rêve dont les bribes s'effilochaient déjà. Mon cœur battait à tout rompre. J'ai tendu l'oreille, parfaitement immobile, rassurée de n'entendre que la rumeur ordinaire de la nature, et non celle d'une chasse à l'homme.

Faute de montre, je ne savais pas quelle heure il était. Le soleil qui filtrait à travers les branches à demi dénudées était haut dans le ciel, la matinée touchait à sa fin.

J'ai regagné le petit chemin dont j'apercevais l'extrémité un peu plus loin. Je n'étais plus seule. Plusieurs couples se promenaient main dans la main en admirant le décor somptueux des bois, loin des contraintes du monde. Quelques-uns m'ont lancé un coup d'œil en passant, mais ils étaient là pour se reposer, et non observer leurs semblables. À peine aurais-je disparu de leur champ de vision qu'ils m'oublieraient.

Je suis remontée dans l'Audi, décidée à passer l'après-midi à Blois. J'ai commencé par dénicher un café où j'ai commandé un grand crème et un croissant qui m'ont fait l'effet d'un festin. *Le Monde* ouvert devant moi, à côté d'un calepin, j'avais pris la précaution de me placer dos à la salle de sorte que les autres clients ne puissent pas distinguer mon visage. Personne ne devait s'attendre à côtoyer la meurtrière la plus célèbre de France dans ce modeste café, mais il était inutile de prendre des risques.

La télévision installée au-dessus du bar bruissait de mes exploits. Il est probable que j'aurais pu me reconnaître en photo si je m'étais retournée.

Le Monde du jour étant paru la veille, je ne m'étais pas encore évadée lorsqu'il était sorti en kiosque. J'en ai profité pour m'intéresser au cahier « Culture », dont une demi-page était consacrée à Damon Kodiak. J'avais suivi en prison la sortie de son long-métrage consacré à Hitler. Le film avait apparemment explosé les compteurs aux États-Unis le week-end de sa sortie. Damon devait être ravi que Hollywood ait refusé de l'aider financièrement, le retour sur son propre investissement n'en serait que meilleur. Il venait de s'embarquer pour une tournée des grandes villes européennes. La première, en Allemagne, ne manquerait pas de provoquer de sérieux débats, avec des millions d'euros à la clé sous forme de billets vendus. Damon s'en tirait décidément très bien.

Mais assez pensé à ce connard. J'ai quitté le café en direction de la gare afin de me familiariser avec les lieux. Je me suis demandé un instant si elle pouvait être surveillée. Ce n'était pas le cas, j'ai repéré un seul flic en uniforme et l'ai soigneusement évité.

Je suis ensuite entrée dans une pharmacie où je me suis procuré une teinture pour cheveux, du savon, un shampooing, un eye-liner et du rouge à lèvres. J'ai acheté un peu plus loin une montre Mickey bon marché, une paire de ciseaux, un miroir, une petite lampe-torche, des lunettes de soleil, ainsi que quelques bouteilles d'eau. Dans un autre magasin, j'ai fait l'emplette d'une perruque de la même couleur que mes cheveux et d'une casquette de base-ball aux armes d'une équipe de foot dont j'ai oublié le nom.

Je reprenais le chemin du Domaine au volant de l'Audi lorsque je me suis demandé, l'espace d'un instant, si l'atmosphère était à l'orage dans mon ancienne prison.

113

Le colonel Durand poussa la porte de la chambre et s'approcha de Lucie Denoyer. Assise sur une chaise d'hôpital, la surveillante se massait les tempes. Il s'accroupit devant elle de façon que leurs yeux se trouvent au même niveau. La méchante cicatrice qui lui traversait la joue ne faisait rien pour adoucir la raideur de ses traits.

— Je ne vous crois pas, dit-il sèchement en français.

— C'est pourtant la vérité.

La réponse était d'autant moins convaincante que Lucie évitait le regard de son interlocuteur. Peut-être sous l'effet du stress. Après ce qui s'était passé, la carrière de la jeune femme était fichue. Sa négligence – s'il s'agissait bien de négligence – confinait à l'incompétence criminelle.

— J'ai du mal à vous croire lorsque vous prétendez avoir simplement voulu vous assurer que tout était normal dans cette chambre. J'admire votre conscience professionnelle, surtout après avoir effectué deux services d'affilée, sans parler de la blessure infligée le même jour par la détenue concernée. Vous persistez à dire que vous souhaitiez uniquement vous assurer que tout allait bien pour elle avant de rentrer chez vous ?

Lucie croisa les bras d'un air buté. Elle n'avait pas l'intention de changer de version d'un iota.

Durand consulta le plan de la prison dont il s'était muni.

— Il vous suffisait de rejoindre directement le parking souterrain en sortant de l'aile E, où vous étiez censée travailler. Au lieu de quoi vous faites un détour par l'aile G pour vérifier qu'Abbie se repose calmement. Et vous voudriez qu'on vous croie ?

Lucie hocha la tête.

— Avec la bénédiction de Sabine ? La surveillante chef vous autorisait à rendre une petite visite amicale à la femme qui vous avait attaquée cet après-midi-là ?

— Elle était d'accord, répliqua Lucie avec un haussement d'épaules. C'est ma supérieure.

— En outre, vous violez gravement le règlement en vous présentant armée d'un Glock chargé lors de cette petite visite.

— Ce n'est pas moi qui ai apporté le Glock, se défendit Lucie. Abbie était armée quand je suis entrée dans la chambre.

— Abbie était armée ?

Durand essayait vainement de croiser le regard de la surveillante.

— À vous entendre, Abbie Elliot aurait donc réussi à sortir de cette chambre équipée d'une porte blindée, à rejoindre la guérite contrôlant l'accès à l'infirmerie, à voler un Glock chargé et à revenir dans la chambre blindée en s'y enfermant, le tout sans que votre surveillante chef remarque rien ?

Lucie raidit les épaules, adoptant une position défensive.

— Vous continuez d'affirmer que Sabine vous a donné son feu vert pour rendre visite à Abbie Elliot ?

— Je viens de vous le dire. Sabine était d'accord.

Durand se redressa. Lucie releva brièvement les yeux.

— Je me demande ce que Sabine dira de tout ça, laissa tomber Durand avant de quitter la pièce.

À peine mis au courant de l'évasion à 4 heures du matin, Durand avait ordonné à ses équipes de convoquer les surveillantes mêlées à l'affaire de près ou de loin. La plupart des détenus qui s'échappent bénéficient d'aide. Les surveillants sont les premiers suspects. Les hommes de la DCRI avaient veillé à isoler les surveillantes afin qu'elles ne puissent pas se mettre d'accord entre elles.

Sous l'effet du narcotique qu'Abbie leur avait injecté, Sabine et Lucie n'avaient pas repris connaissance avant 5 heures du matin. À cette heure, elles se trouvaient dans des chambres séparées depuis longtemps.

Durand pénétra dans la chambre voisine, la H-12.

— Racontez-moi à nouveau ce qui s'est passé, ordonna-t-il à Sabine, assise au milieu de la pièce.

À première vue, la surveillante chef était encore plus patibulaire que Lucie. Durand crut pourtant discerner de la peur derrière les deux yeux durs, injectés de sang, qui l'observaient.

— Je vous l'ai déjà expliqué, commença Sabine. J'avais quitté mon poste. Je sais que c'est contraire au règlement, mais en tant que surveillante chef, je fais régulièrement des petites inspections surprises.

Sabine regardait fixement le sol.

— Lucie sera entrée pendant que j'étais partie.

— Vous n'avez donc pas vu Lucie pénétrer dans l'infirmerie ?

Comme Sabine ne répondait pas, Durand la prit par l'épaule et la secoua.

— Vous n'avez pas vu Lucie pénétrer dans l'infirmerie ?

— Non ! Je me tue à vous répéter que non !

Durand acquiesça. L'une d'elles mentait, sinon les deux, de façon à se dédouaner.

— L'aile G dispose de trois guérites : l'une contrôle l'accès à l'infirmerie, la deuxième se trouve au niveau du parking souterrain, la troisième à l'entrée du mitard. Comment expliquez-vous que deux de ces guérites n'étaient pas gardées ?

— Il n'y avait personne au mitard, se justifia Sabine. Je n'avais aucune raison de placer quelqu'un là-bas quand…

— Il n'y avait personne au mitard de votre propre initiative, la coupa Durand en se saisissant d'un dossier. En début de soirée, vous avez transféré dans leurs cellules les trois détenues qui s'y trouvaient.

Sabine prit un air buté, le souffle rauque.

— Vous avez tout simplement vidé l'aile G, madame. Vous vous êtes arrangée pour être la seule surveillante de garde à l'intérieur de ce bâtiment. Ce faisant, vous facilitiez l'évasion d'Abbie Elliot.

Il reposa violemment le dossier.

— Que vous a promis Abbie ?

Sabine releva brusquement la tête.

— Vous m'accusez de l'avoir aidée à… *s'évader ?*

Durand la dévisagea longuement. La phrase était sortie d'instinct. Pour la première fois depuis le début de leur entretien, Sabine disait la vérité.

Il quitta la pièce et rejoignit Rouche dans le couloir.

— Les surveillantes étaient de mèche entre elles, c'est certain, expliqua Durand à son subordonné. Cela dit, je ne crois pas qu'elles comptaient aider Elliot à s'évader.

Rouche hocha la tête.

— Lucie aurait décidé de se venger d'Abbie après l'incident de l'après-midi, et Sabine aurait fermé les yeux ? C'est ça ?

Durand fit la grimace.

— Avec un Glock *chargé ?* C'est non seulement idiot, mais contraire aux règles les plus élémentaires. Elle disposait d'une bombe lacrymo et d'une matraque, elle n'avait pas besoin d'un Glock. Tous les surveillants savent à quel point l'usage d'une arme est dangereux, car elle peut se retourner contre eux.

Rouche haussa les épaules.

— Et alors ? S'il ne s'agit pas d'une manœuvre pour faciliter l'évasion d'Elliot, ni d'un règlement de compte, de quoi s'agit-il ?

Durand poussa un soupir en secouant machinalement la tête.

— Elles avaient décidé de la tuer, suggéra-t-il d'un air pensif. C'est ça ! Elles avaient décidé de la tuer et Elliot en a profité pour s'évader.

— Peut-être, acquiesça Rouche en se caressant le menton. Quand bien même vous auriez vu juste, ça ne nous aide pas à retrouver Elliot.

Un pli barra le front de Durand.

— Peut-être que si. Encore faudrait-il comprendre pourquoi elles voulaient sa mort.

114

Boulez pâlit en se regardant dans le miroir de sa chambre. Il était méconnaissable. À cause de la fatigue, bien sûr, puisqu'il n'avait pas fermé l'œil de la nuit. Plus encore parce qu'il était sous le choc, incapable de prendre la mesure de ce qui lui arrivait. Il se sentait comme un boxeur en équilibre instable, après une pluie de coups.

Le dernier en date l'avait laissé KO. Un appel du garde des Sceaux en personne, lui annonçant sa mise à pied. Pas muté, ni suspendu, ni même mis en congé administratif. Purement et simplement viré. *Bye bye.*

Il défit machinalement ses boutons de manchette et dénoua sa cravate. Sa carrière était foutue, et ce n'était sans doute pas le pire. La DCRI interrogeait séparément Sabine et Lucie, à la recherche d'une faille. Elles étaient parfaitement capables de tout mettre sur le dos de Boulez. Logique. Il aurait beau nier, c'était sa parole contre la leur. Si les deux surveillantes craquaient et avouaient avoir voulu « suicider » Elliot en affirmant, l'une comme l'autre, que l'ordre émanait de leur supérieur, les dénégations de Boulez seraient de peu de poids.

Boulez se pétrifia en sentant une présence dans la pièce…

Il se retourna d'un bloc et découvrit l'autre. Il ne l'avait pas entendu venir. Comment diable avait-il pu…

— Je ne dirai rien, se défendit Boulez. Je serai muet comme…

Il n'eut pas le temps d'achever sa phrase, ni même de reprendre sa respiration. La balle qui s'enfonça entre ses deux yeux l'en empêcha. Il s'écroula contre la commode sous la violence de l'impact. La dernière vision qu'il emporta de la vie fut celle d'une minuscule araignée qui traversait le plafond de la pièce. À l'instant où ses sphincters lâchaient, il fut saisi d'une ultime pensée :

Je n'en reviens pas qu'Abbie Elliot ait remporté la partie.

115

Le soir tombait sur Onzain quand j'ai regagné Le Domaine après mon équipée à Blois. J'ai garé l'Audi dans le même coin reculé avant de quitter ma tenue de ville au profit du jogging, sur la banquette arrière. Armée de mes emplettes et du sac de couchage, je me suis enfoncée dans la forêt, au-delà du petit chemin, dans l'espoir de dénicher une cachette où dormir.

J'ai installé le sac de couchage confortablement sur la terre après avoir trouvé ce que je cherchais, puis je me suis éloignée de quelques mètres afin de m'asseoir contre un arbre. La lampe de poche m'a permis de lire la notice du produit. Cela faisait plus de dix ans que je ne m'étais pas teint les cheveux. Dans un salon de coiffure, qui plus est. Aucune importance, ça ne devait pas être sorcier.

Je me sentais en sécurité dans mon refuge, au fond des bois. L'idée de passer là quelques jours était tentante, mais pas réalisable. Je n'avais que très peu de temps pour agir.

— Abbie, ma fille, j'espère vraiment que tu sais où tu vas…

116

— N'espérez pas que j'accepte de vous communiquer la teneur de mes conversations avec ma cliente, s'offusqua Jules Laurent, l'avocat d'Abbie Elliot, le menton en avant.

Durand avait conservé du procès le souvenir d'un homme habile et honnête. Il avait commencé par protester lorsque les hommes de la DCRI avaient déboulé dans son bureau ce matin-là, avant de comprendre l'inanité de ses récriminations. Il avait rejoint la prison en fin de journée, sous bonne escorte.

— Vous n'êtes pas sans savoir, maître, que le secret professionnel ne vous sera d'aucune utilité si vous avez aidé votre cliente à s'évader.

— Ce n'est pas le cas, se défendit Jules Laurent. Mme Elliot ne m'a jamais averti de son intention de s'échapper de cette prison.

— Elle ne vous a jamais parlé de la prison ?

— Elle ne m'a jamais dit vouloir *s'échapper* de la prison, le corrigea Laurent.

Durand battit des paupières. Il se trouvait en présence d'un adversaire coriace.

— Elle était persuadée qu'on voulait la tuer, reprit Durand en guettant la réaction de l'avocat.

Celui-ci laissa percer sa surprise en écartant légèrement les lèvres. Ce n'était pas de l'incrédulité, plutôt le réflexe de quelqu'un qui ne s'attendait pas à ce qu'un autre soit au courant.

Laurent hésita visiblement, sans savoir jusqu'à quel point il pouvait se confier au colonel. Il leva un doigt et fouilla dans son attaché-case.

— Je suis en mesure de vous montrer ceci, puisque ce n'est pas une information confidentielle. Il s'agit d'une requête, déposée hier auprès du tribunal.

L'avocat tendit un dossier à Durand qui s'empressa de le consulter. Sans être juriste, il n'eut aucun mal à en comprendre la teneur. Au nom de sa cliente, Jules Laurent demandait la saisie de différents documents, en France comme à l'étranger.

Durand parcourut le dossier une première fois, puis une deuxième et une troisième. L'avocat arguait du fait que ces documents pouvaient aider Abbie Elliot à prouver son innocence.

Durand quitta brusquement la pièce et rejoignit Rouche, en pleine discussion avec des collègues de la DCRI dans le couloir de l'aile H. Il l'entraîna à l'écart.

— Comment s'appelait le type envoyé par l'ambassade américaine pendant le procès ? s'enquit le colonel. Cet emmerdeur qui nous accusait constamment de violer les droits civils d'Abbie Elliot ?

— Ah, oui ! Je vois de qui vous voulez parler, répondit Rouche en se grattant la tête. Ingle… Inger…

— Ingersoll ! s'exclama Durand. Daniel Ingersoll.
— C'est ça, mon colonel.
— Trouvez-le-moi, ordonna Durand. Je veux l'avoir au téléphone le plus vite possible.

117

À l'approche de l'aube, rien ne distinguait Onzain des autres villages assoupis au bord de la Loire. La voiture remonta lentement la petite route qui longeait l'eau. Son conducteur aperçut trop tard l'entrée du Domaine et la rata. Il rebroussa chemin et s'engagea prudemment sur l'allée dont les graviers crissaient un peu trop à son goût.

Un rayon de soleil pointa à l'horizon. Le trajet avait duré plus longtemps que prévu. Le conducteur aurait préféré agir de nuit, mais il était trop tard pour reculer.

Il scruta les alentours. Il était douteux qu'Abbie ait trouvé refuge dans l'une des dépendances. Il lui aurait fallu disposer d'un passeport et d'une carte de crédit, ce qui était peu probable. D'un autre côté, il savait ce qu'il lui en coûtait d'avoir sous-estimé Abbie.

La logique lui soufflait pourtant qu'elle avait évité de louer une chambre. D'autant qu'elle avait d'une solution de repli en optant pour les bois où il lui était aisé de se cacher.

Il soupira. Il lui faudrait du temps pour fouiller une forêt de cette taille, et cette vacherie de soleil dont les premiers rayons s'échappaient de l'horizon lui rappelait à chaque instant que le temps, précisément, lui était compté. Il était préférable de surprendre Abbie pendant son sommeil, pour des raisons évidentes.

Il mit instinctivement la main à sa ceinture pour s'assurer de la présence de son pistolet, puis il se mit en route. Il découvrit rapidement le petit chemin dallé qui contournait l'étang avant de disparaître entre les arbres. Il avançait le plus silencieusement possible, une Maglite éteinte à la main. Pas question de signaler sa présence inutilement.

Il s'immobilisa, alluma la torche dont il fit courir le rayon sur un bosquet. Rien. Il éteignit la mini-torche et repartit.

Le chemin dessinait un coude en s'enfonçant au milieu des arbres. Il s'arrêta afin de se repérer. Le petit chemin s'arrêtait brusquement, sans s'enfoncer dans la partie la plus reculée des bois.

À sa place, pensa-t-il, *c'est là que je me cacherais.*

Il sortit son arme, s'accroupit, et tendit l'oreille, puis il quitta le sentier et se glissa au milieu des broussailles. Il avançait prudemment en évitant d'écraser les feuilles mortes sous ses semelles, se servant de sa torche chaque fois qu'il lui fallait explorer un coin sombre.

Sa main tressauta nerveusement lorsque le rayon de la lampe fit apparaître une forme allongée. Il retint son souffle en voyant, en partie dissimulés par un tronc, des cheveux dépassant d'un sac de couchage.

Abbie.

Il s'approcha lentement en dirigeant la lampe sur le sac de couchage, et non sur la tête de la dormeuse. Inutile de la réveiller, il était difficile de prévoir sa réaction.

Il s'approcha à moins de dix mètres sans que la forme bouge. Plus que huit mètres, plus que cinq… La partie était gagnée. Quand bien même elle se réveillerait, elle n'aurait jamais le temps de s'extraire de son cocon de duvet.

Il se déplaça sur la droite avant de mieux distinguer sa proie. Il ralluma la lampe. Abbie dormait profondément.

Il se baissa et esquissa un pas en avant.

Les cheveux… on aurait dit…

Une perruque ! Une perruque posée sur l'ouverture du sac de couchage auquel un sac de sport donnait la forme d'une silhouette couchée. Le temps de comprendre qu'il était victime d'une habile diversion, son instinct lui dicta la fuite, mais il était trop tard.

— Pas un geste, s'éleva une voix dans son dos. Je suis armée et je n'hésiterai pas à tirer.

Il se transforma en statue de sel, les jambes écartées, le bras droit en avant.

Bien joué, Abbie, pensa-t-il.

— Tourne lentement la tête vers moi. Seulement la tête. Il s'exécuta, aussitôt ébloui par le faisceau d'une torche.

— Je ne m'attendais pas à te retrouver dans ces circonstances, Christien, dit Abbie.

118

Si mon séjour en prison m'a apporté un enseignement, c'est de ne jamais dormir que d'un œil.

Malgré ça, Christien a bien failli me piéger. Il avait deviné que je lui tendais un piège avant même de poser la main sur le sac de couchage. Une seconde plus tard, il se retournait, et Dieu sait ce qui serait arrivé ?

Je me tenais suffisamment loin pour oser un pas dans sa direction.

— Jette ton arme.

— Tu m'as dit de ne pas bouger, a-t-il répondu avec son flegme typiquement britannique.

— Très drôle, Christien.

J'ai laissé tomber la lampe à mes pieds. Il faisait suffisamment jour et je préférais tenir le Glock à deux mains. Mes bras tremblaient, mon cœur battait à tout rompre.

— Jette ton arme.

Il a tourné la tête dans ma direction.

— Réfléchis une seconde, ma chérie. Si je jette mon pistolet à tes pieds, il y a de grandes chances que le coup parte. Tu as envie que tout le monde entende la détonation ?

J'ai essayé de me reprendre.

— OK, Christien. Bien vu. Maintenant, je veux que…

Il a pivoté sur la jambe droite à la vitesse de l'éclair tout en se baissant. L'instant suivant, il pointait le canon de son pistolet sur moi. En moins de temps qu'il ne faut pour le dire, il avait renversé la situation.

L'espace d'une fraction de seconde, j'ai cru que ma dernière heure était arrivée.

Il s'est lentement relevé sans cesser de me viser.

— Allez, ma chérie. Sois bonne perdante et pose sagement ton arme par terre.

Je tremblais de tous mes membres. Je me faisais l'effet d'une pauvre espionne amateur face à James Bond. C'est tout juste si j'ai réussi à desserrer les dents.

— Comment… as-tu réussi… à me retrouver ?

— Combien de fois nous as-tu parlé de cet endroit, à Winnie et à moi ? En dehors de Paris, c'était le seul coin de France que tu connaissais. Pari gagné.

Il m'a adressé un petit signe avec son arme.

— Allez, débarrasse-toi de ton Glock avant que je perde patience.

— Plutôt mourir.

Ce n'était nullement une figure de style.

Ma remarque l'a surpris. On aurait dit qu'il hésitait.

— Je n'ai aucune envie de te tuer.

— Ah bon ? J'imagine que tu avais seulement l'intention de me rendre une petite visite amicale.

Il a croisé mon regard au-dessus de la mire de son pistolet.

— D'une certaine façon.

— Avec une arme.

— Autant prendre mes précautions.

Entre le manque de sommeil et le soleil qui perçait à travers la frondaison, j'avais du mal à me concentrer. La bataille était trop inégale.

— Qui a tué Dévereux, Christien ? Lequel d'entre vous ? Ou alors vous avez agi de concert ?

Il a gardé le silence pendant une éternité. J'avais conscience de creuser ma propre tombe, mais la frustration et la colère commençaient à prendre le pas sur ma peur.

Christien a fait un pas vers moi.

— Tu ne sais pas dans quoi tu mets les pieds, Abbie.

— J'essaye de comprendre qui a tué le président. En nous faisant porter le chapeau.

Il a encore réduit la distance qui nous séparait. Encore trois enjambées et nos pistolets se touchaient.

— Tu ne me tireras jamais dessus, a-t-il décidé.

— Tu es bien sûr de toi.

Un pas de plus.

— Oui.

— Attention, Christien. Je n'ai plus rien à perdre.

Mon index s'est crispé sur la détente. Le Glock pesait une tonne dans ma main, et pas uniquement à cause de son poids. Jusqu'à la veille, je n'avais jamais touché à une arme de ma vie. Je n'avais jamais fait feu. Je suis incapable de tuer une araignée, alors imaginez un être humain…

Sauf qu'il y a un temps pour tout. Un pas de plus et je tirais. Il ne me laissait pas le choix. Sinon, je le laissais libre de me désarmer.

— Je ne suis pas venu ici avec l'intention de te tuer, a insisté Christien.

— Pour quelle raison, alors ?

Il m'a dévisagée.

— Si tu tiens à le savoir, pose ton arme.

119

— C'est hors de question, Christien. Un pas de plus, et je tire.

Christien a tiqué face à ma fermeté. Ses traits se sont adoucis.

— Très bien. Laisse-moi prendre une enveloppe dans la poche arrière de mon pantalon, a-t-il déclaré en levant la main gauche en signe d'apaisement.

Le bras droit tendu, il continuait de me menacer de son arme. Je n'étais pas à l'abri d'une nouvelle ruse. Je me suis rassurée en me disant que je serais déjà morte s'il avait voulu m'abattre. J'avais réussi l'exploit de le piéger avec le sac de couchage, ce qui ne l'avait pas empêché de reprendre la situation en main en un rien de temps. Il avait visiblement l'habitude des armes à feu. Sa main n'avait pas bougé d'un pouce depuis qu'il me tenait en joue.

Il a tiré de sa poche une enveloppe épaisse.

— Tiens, c'est pour toi.

J'ai reculé d'un pas, sans cesser de le menacer avec le Glock.

— Dépose-la par terre.

— D'accord.

Il s'est exécuté en laissant tomber l'enveloppe sur les feuilles mortes.

— De quoi s'agit-il ?

— Un billet d'avion à destination de Brasilia. Le vol part de Bordeaux-Mérignac cet après-midi. Tu trouveras également un passeport américain, une carte de crédit, ainsi que cinq cents euros en liquide. Tu t'appelles désormais Allison Larson. Je suis désolé, je ne me doutais pas que tu serais devenue blonde. Au passage, ça te va très bien.

— Pourquoi le Brésil ?

— Les accords d'extradition y sont très favorables. Il faudrait déjà que les autorités françaises te retrouvent. Au besoin, on t'aidera à émigrer en Argentine ou au Venezuela, mais le Brésil est un bon début. Tu es attendue là-bas, le temps de passer les contrôles de douane sans difficulté. J'ai gardé pas mal de contacts à travers le monde.

Le Brésil. Et la liberté, à entendre Christien. Je ne savais rien des accords entre la France et le Brésil. Pourquoi lui aurais-je accordé ma confiance ?

— Demain soir, tu boiras des caipirinhas à Praia de Pipa.

— Pourquoi ? Pourquoi m'aider ?

— Parce que…

Les mots se sont bloqués dans sa gorge. La question était pourtant simple. J'avais fini par m'accoutumer à la lumière et j'ai remarqué qu'il avait les yeux brillants.

— Il y a eu trop de morts comme ça, a-t-il fini par expliquer.

Le voir aussi ému a provoqué chez moi un phénomène inattendu. Une bouffée de rage m'a frappée au cœur.

— Qui a tout manigancé ? Et pourquoi ? Je veux savoir, Christien ! Je veux comprendre le pourquoi de toute cette histoire !

Il a battu en retraite, son arme toujours braquée sur moi.

— Je crois avoir deviné.

— Quand bien même, m'a-t-il rétorqué, jamais tu ne pourras rien prouver.

— Raconte-moi tout, Christien, ou je jure devant Dieu que je te tue.

Pris d'une hésitation, il a baissé son pistolet.

— Non, Abbie. Tout simplement parce que tu n'es pas une meurtrière.

— Va te faire foutre…

Les larmes se sont mises à couler. Des larmes de rage.

— Allez tous vous faire foutre !

— Tu as le choix : recommencer ta vie au Brésil, ou mourir ici.

— Christien ! *Christien !*

Mes cris ne servaient à rien. Il s'était évanoui au milieu des bois.

120

Je n'ai guère eu de mal à retrouver l'A10 que j'ai suivie en direction de Tours et Bordeaux. J'avais décidé d'assurer mes arrières. Je n'avais pris aucune décision définitive, mais il était clair que mon plan insubmersible de me réfugier à Onzain prenait l'eau de toutes parts. Si Christien avait réussi à découvrir ma cachette, mon vieux copain Mâchoire carrée, le colonel Durand, parviendrait un jour ou l'autre aux mêmes conclusions. Je ne pouvais pas rester là.

Les pensées se bousculaient dans ma tête, je m'efforçais de comprendre au mieux le déroulement des événements lors de ces deux journées à Monaco. Le plus urgent était de percer les motivations de Christien. Dans quelle mesure s'était-il montré sincère ? M'avait-il tendu un piège à l'aéroport de Bordeaux ? Tout était possible.

Je ne connaissais pas le Brésil, je savais seulement qu'il s'agissait d'un pays émergent. Là n'était pas la question : à condition d'y être libre, n'importe quel pays prendrait des airs de paradis. La destination était secondaire, je devais déterminer mes priorités.

Le mieux était-il de m'enfuir et de me reconstruire un semblant d'existence ?

Ou bien de rester ici au péril de ma vie, dans l'espoir improbable de démêler l'écheveau et de faire sortir de prison mes copines survivantes ?

J'ai enfoncé la pédale d'accélérateur de l'Audi. Il me restait près de quatre heures de route avant d'atteindre l'aéroport.

121

Jeffrey Elliot et Simon Schofield se présentèrent à l'ambassade des États-Unis de Paris peu avant 10 heures du matin. Les deux hommes étaient arrivés séparément. Jeffrey, de Washington, à bord d'un avion mis à sa disposition par le gouvernement français. Simon, arrivé une heure plus tôt, avait effectué le déplacement depuis la Suisse dans l'un de ses jets privés.

Ils montrèrent leurs passeports aux Marines qui montaient la garde sous le porche avant de se présenter au PC sécurité installé à l'entrée du bâtiment principal.

— Veuillez éteindre vos portables et me les confier, exigea l'un des gardes.

Les deux hommes déposèrent leurs téléphones dans un panier noir en échange d'un récépissé. Jeffrey et Simon connaissaient le rituel, pour s'être déjà rendus à l'ambassade.

Ils franchirent un portique de détection et suivirent un Marine jusqu'au bureau du conseiller juridique de l'ambassade, Daniel Ingersoll. Ils patientèrent devant la porte pendant dix minutes avec leur escorte avant d'être invités à entrer.

Ingersoll, vêtu d'une chemise blanche et d'une cravate violette, prenait des notes tout en discutant dans un casque avec un interlocuteur invisible. Il fit signe à ses visiteurs de s'asseoir.

Sa conversation achevée, il ôta son casque et releva la tête.

— Merci de vous être déplacés, messieurs.

— Nous avons cru comprendre que c'était important, répliqua Simon.

— Absolument.

Ingersoll prit le temps de croiser les mains avant de poursuivre :

— Je considère qu'il est de mon devoir de veiller sur les citoyens américains présents sur le sol français. Sans être leur avocat, du moins ai-je la possibilité de les aider à se défendre. C'est le rôle que je me suis efforcé de jouer auprès de vos épouses. Je ne sais pas si j'ai réussi dans mon entreprise, mais j'ai fait de mon mieux.

— Oui ? réagit Jeffrey avec un mouvement de main qui signifiait son impatience d'entendre la suite.

— J'ai jugé qu'il était de mon devoir de vous avertir. Je viens d'apprendre que, la veille de l'évasion de Mme Elliot, son avocat, maître Jules Laurent, a déposé un certain nombre de documents auprès du tribunal.

Ingersoll glissa deux copies des requêtes concernées en direction de ses visiteurs.

— J'ai tenu à vous mettre au courant immédiatement, insista-t-il.

Jeffrey et Simon se plongèrent dans la lecture des documents, s'attardant sur certains passages, se grattant la tête, se frottant les yeux. Ils échangèrent un regard stupéfait avant d'interroger des yeux Ingersoll, au cas où il aurait pu leur apporter ses lumières.

— Je ne manquerai pas de vous appeler dès que j'en saurai davantage, déclara le conseiller juridique.

Jeffrey et Simon hochèrent la tête, incapables de prononcer la moindre parole. Quelques minutes plus tard, ils ressortaient du bâtiment, présentaient leurs récépissés au poste de garde et récupéraient leurs téléphones.

Ils hélèrent un taxi et se firent conduire dans un bar du Trocadéro. Un soleil clair brillait haut dans le ciel, mais les deux Américains ne prêtaient guère attention au temps radieux, à l'air vif qui donnait l'impression que la tour Eiffel, de l'autre côté de la Seine, se trouvait à portée de bras.

Colton Gordon les attendait au bar, un verre de Belvedere devant lui.

— *Sawubona*, messieurs, les accueillit le mari de Bryah en usant d'une formule traditionnelle zouloue.

— La même chose, commanda Jeffrey à la barmaid en lui montrant le verre du Sud-Africain. Servez-m'en un double.

122

J'ai rejoint l'aéroport un peu plus de quatre heures après avoir quitté mon refuge d'Onzain. J'ai bien failli rater la sortie, ce qui m'aurait emmenée dans la banlieue de Mérignac, et non à l'aéroport du même nom, sur la rocade de contournement de Bordeaux. J'ai suivi les pancartes jusqu'au parking visiteurs dans lequel je me suis garée. Il ne me restait plus qu'à traverser la zone réservée aux véhicules de location pour rejoindre le terminal en longeant des rangées de vignes manucurées. A priori, aucun flic manucuré ne se dissimulait entre les grappes de raisin vert.

Chaque minute qui s'écoulait tenait de l'aventure.

Mon passeport établi au nom d'Allison Larson, quarante et un ans, originaire de la petite ville de Downers Grove dans l'Illinois, signalait que j'avais atterri en France six jours plus tôt. Christien avait résumé mon nouveau parcours de vie sur une note détaillée : mère de deux enfants, récemment divorcée (ce qui n'était pas très éloigné de la vérité), j'étais descendue à l'hôtel Burdigala, rue Georges-Bonnac à Bordeaux ; venue visiter le vignoble bordelais, j'en avais profité pour retrouver trois amies dont Christien m'avait soufflé les noms et le parcours. Je poursuivais mon voyage jusqu'à Brasilia où m'attendaient des copines du lycée Downers Grove North. Pour plus de vraisemblance, Christien leur avait également inventé une identité et un parcours de vie précis.

Si jamais on s'étonnait de me voir brune sur mon passeport, j'allais devoir expliquer quelle mouche m'avait piquée de me teindre en blond à Bordeaux.

Je me suis arrêtée à l'entrée du terminal. Un couple accompagné d'un jeune enfant est passé à côté de moi. Je les ai regardés marcher avec cette nonchalance caractéristique des gens en vacances, à la veille d'un périple lointain.

Christien s'était donné le plus grand mal pour que je puisse disposer d'une couverture crédible au moment de franchir les contrôles de police. Il m'avait fourni un passeport acceptable, une carte de crédit, de l'argent liquide. Pour quelle raison, sinon m'aider ?

Bon, Christien. Si je comprends bien, je vais devoir te faire confiance.

J'ai pris ma respiration et poussé la porte du terminal.

*

Cinq minutes plus tard, un homme en train d'embrasser sa compagne se détachait d'elle, sortait son portable et composait un numéro.

— Elle vient d'arriver, murmura-t-il dans le micro du téléphone.

123

J'attendais qu'on appelle mon vol dans la salle d'embarquement, après avoir franchi les contrôles de sécurité. Le départ était prévu à 13 h 50. À côté de moi, des étudiantes américaines discutaient du garçon que l'une d'elles avait rencontré à Bordeaux. L'espace d'un instant trop bref, j'ai connu la sérénité en me prenant à rêver d'un objectif que j'avais longtemps cru impossible : l'espoir d'entamer une nouvelle vie.

En tout, le voyage durait un peu plus de vingt-quatre heures. Une journée entière, au terme de laquelle je me glisserais dans la peau d'Allison Larson, l'expatriée américaine inventée par Christien. Encore fallait-il que j'accorde ma confiance à ce dernier.

J'ai fermé les yeux en entendant la voix d'une hôtesse s'échapper du haut-parleur. En français, puis en anglais. Elle invitait les passagers de première classe, ainsi que les détenteurs d'une carte de fidélité, à se présenter à l'embarquement.

Je m'envolais pour une nouvelle vie. Air pur et ciel bleu au doux parfum de liberté.

Je n'avais pas vraiment remporté mon combat, faute d'avoir résolu le mystère et réparé l'injustice dont nous avions été victimes. Je me savais pourtant tout près de la vérité, mais les paroles de Christien me sont revenues en mémoire : quand bien même j'aurais raison, je ne pourrais jamais rien prouver.

C'était probablement vrai. Comment en avoir la certitude ? Certainement pas en retournant en prison.

Prends cet avion, Abbie. Pars. Il sera toujours temps de t'occuper de la suite plus tard. Tu trouveras bien un moyen de découvrir la vérité. Commence par prendre la poudre d'escampette.

L'hôtesse a invité les passagers des dernières rangées, dont je faisais partie, à embarquer.

J'ai poussé un soupir, quitté mon siège, et rejoint les voyageurs installés dans la file.

124

Christien marchait à contre-jour le long de la rive gauche de la Seine, chemise ouverte, bercé par la brise. Dans un square, une mère de famille essayait de convaincre son petit garçon de se laisser glisser le long d'un toboggan. La scène lui rappela ses propres enfants, l'épreuve qu'ils avaient traversée. Il eut une pensée pour sa femme, pour le calvaire qu'elle avait enduré.

Il regarda sa montre : 13 h 20. À cette heure, Abbie devait monter dans l'avion.

Bon voyage…

Son portable vibra au fond de sa poche.

Il consulta l'écran de son téléphone. Un numéro masqué. Son correspondant à Bordeaux-Mérignac, censé l'appeler dès qu'Abbie aurait pris place à bord du vol à destination de Brasilia.

Il regarda furtivement autour de lui avant de répondre.

— Elle est partie, fit la voix de son contact à l'autre bout du fil.

Christien poussa un soupir de soulagement.

— Tant mieux.

— Non, vieux. Quand je dis qu'elle est partie, je veux dire qu'elle est repartie. Au moment d'embarquer, elle a fait demi-tour et quitté l'aéroport en coup de vent.

Il fallut à Christien quelques instants pour digérer l'information. Il serra et desserra la mâchoire.

Il lui avait pourtant laissé sa chance. Elle était prévenue. Elle avait donc pris sa décision en connaissance de cause.

— C'est ton choix, ma chérie, grommela-t-il.

Il observa longuement les enfants dans le square, puis il s'éloigna.

125

Il était un peu plus de 19 heures lorsque je suis arrivée à Paris. Le soleil n'était pas encore couché, mais la pénombre commençait à envahir les rues de la capitale.

J'avais peut-être commis la plus grosse bêtise de ma vie en ne montant pas dans cet avion. J'avais trois bonnes raisons de m'entêter : Serena, Bryah et Winnie. Faute de pouvoir ressusciter cette dernière, du moins pouvais-je lui rendre sa réputation et son honneur, en même temps que les nôtres. J'aurais pu me rassurer en me disant que je trouverais la clé du mystère depuis les plages brésiliennes, mais la France demeurait ma meilleure chance de succès. La France où j'étais activement recherchée par toutes les polices du pays.

Je ne savais même pas où aller. Lorsque nous avions visité Paris avec Jeffrey quelques années auparavant, nous avions séjourné dans un hôtel de la rue Dauphine, au cœur de la Rive gauche. Quand bien même l'établissement serait toujours là, j'avais retenu la leçon après le fiasco d'Onzain. Les autorités françaises avaient probablement les moyens de consulter les registres hôteliers sur plusieurs années en pensant que je trouverais refuge dans un lieu qui m'était familier.

À force de tourner en rond, j'ai déniché dans la rue de l'Ancienne-Comédie un hôtel portant le même nom qui m'a paru convenable. J'ai commencé par garer l'Audi dans un garage public à quelques rues de là avant de revenir sur mes pas à pied.

En chemin, je me suis reconnue sur une affichette accrochée à un réverbère, au-dessus d'affiches de films et de concerts de rock. Une autre était scotchée sur la porte vitrée d'un restaurant. En passant devant un kiosque, j'ai constaté que mon portrait figurait à la une du *Monde*.

J'avais l'impression que tous les passants me regardaient. J'ai baissé la tête et enfoncé mon chapeau sur mes yeux, mue par le réflexe de toute personne soucieuse de discrétion. J'aurais probablement mieux fait de feindre l'insouciance. Paris compte plusieurs millions d'habitants, mais j'avais l'impression de me promener avec une pancarte ÉVADÉE dans le dos.

La fraîcheur de ce début de soirée n'empêchait pas les Parisiens de dîner nombreux aux terrasses des brasseries. Rue de Buci, je suis entrée dans une boutique ouverte tard où j'ai choisi une robe de cocktail noire, des talons hauts, un sac à main, des collants, ainsi que quelques bijoux bon marché. Un peu plus loin, j'ai acheté une baguette de pain et de l'eau. Chaque fois, je me faisais passer pour une Espagnole pour les mêmes raisons qu'à Onzain. La vendeuse de la boutique, persuadée que je ne parlais pas un mot de français, encore moins d'anglais, s'est contentée des gestes que je lui adressais en lui montrant les articles qui m'intéressaient.

Mes emplettes rangées dans le sac de gym laissé par Giorgio, j'ai rejoint l'hôtel de l'Ancienne-Comédie en sueur. J'avais vu des affiches à mon effigie pas moins de huit fois au cours des quelques centaines de mètres parcourues depuis le parking.

Je me suis approchée de la réception en m'efforçant de ne pas donner l'impression d'être la femme la plus recherchée de France. Un jeune type boutonneux se tenait derrière le comptoir. Il m'avait à peine regardée qu'il me saluait d'un grand *Hello*, persuadé d'avoir affaire à une Américaine. Je me suis empressée de lui répondre en espagnol.

— *Buenas tardes. ¿Habla usted español ?*

— Euh… *sí.*

J'ai poursuivi dans un mauvais anglais teinté d'un fort accent afin d'achever de le convaincre de mes origines ibères.

— Souhaitez-vous une chambre ?

— *Sí.* Yes.

— Passeport ? a-t-il ajouté en connaissant la valeur internationale du mot.

— *¿Quieres mi pasaporte ?*

Contente de constater que ma ruse fonctionnait, j'ai tiré de mon sac le passeport donné par Christien, oubliant qu'il était américain.

Merde.

Entre la fatigue et le stress, je venais de commettre une sacrée bourde.

— Vous êtes américaine ? s'est-il étonné, en français cette fois.

Au point où j'en étais, j'aurais peut-être dû lui répondre en russe. J'ai préféré l'amadouer avec un petit rire.

— Oui. Comme j'essaye d'apprendre l'espagnol, je m'entraîne dès que je peux.

J'ai eu de la chance que le jeune boutonneux ne soit pas une lumière. Un instant perplexe, il a finalement décidé qu'il se fichait de ma nationalité pour retourner plus vite au film qu'il regardait sur son iPhone avant mon arrivée. Je lui ai signalé ma préférence pour une chambre en étage et il m'en a attribué une au sixième. Le temps de remplir ma fiche et de payer en liquide, il me tendait la clé de la 606.

J'ai attendu de me trouver dans l'ascenseur pour pousser un soupir de soulagement. J'étais passée tout près de la catastrophe. Une Espagnole dotée d'un passeport américain ? Bien joué, Abbie.

La chambre 606 était tout à fait correcte. Un papier peint rouge décoré de montgolfières, une fenêtre donnant sur la rue, une épaisse moquette bleue, un grand lit, une salle de bains petite mais propre, équipée d'une baignoire avec une pomme de douche.

Je suis ressortie afin d'explorer l'étage. À l'extrémité du couloir s'ouvrait une cage d'escalier reliant les étages au rez-de-chaussée.

J'ai regagné ma chambre où je me suis déshabillée avant de prendre la douche la plus chaude de toute mon existence. C'est en grognant de satisfaction que j'ai longuement récuré la crasse et la sueur dont j'étais couverte. Les yeux fermés, j'ai laissé l'eau brûlante ruisseler sur mon visage et le long de mon cou.

Je m'en voulais toujours de la gaffe commise un peu plus tôt. Si je m'en étais sortie par une pirouette, j'avais réussi à obtenir l'inverse de l'effet souhaité : attirer l'attention sur moi.

Sous l'effet de la fatigue, je commençais à perdre les pédales. J'avais besoin d'une bonne nuit de sommeil.

*

Installé derrière son bureau, le colonel Durand était plongé dans la lecture des documents déposés au tribunal par l'avocat d'Abbie Elliot, persuadé d'y trouver un indice susceptible de lui révéler la cachette de la fugitive.

Il releva les yeux en voyant le lieutenant Vérose, une femme attachée à son service, se ruer dans la pièce.

— L'hôtel de l'Ancienne-Comédie, s'écria-t-elle. Elle a pris une chambre il y a une heure.

Durand bondit de son siège, comme mû par un ressort.

— Faites bloquer toutes les issues du bâtiment, ordonna-t-il.

— C'est déjà fait, mon colonel.

Durand contourna précipitamment son bureau.

— Alors il n'y a pas une minute à perdre.

126

À 21 h 23, un individu en costume poussa la porte de l'hôtel et balaya des yeux la réception et le petit salon qui lui faisait face. Il adressa un signe de tête au couple assis sur un canapé, un policier et une policière en civil. Des regards furent échangés sans qu'une parole soit prononcée.

L'homme en costume s'approcha de la réception et glissa quelques mots en sourdine à l'employé boutonneux, préalablement alerté. Vingt minutes plus tôt, un fonctionnaire de police était venu lui demander s'il avait loué une chambre à une Américaine du nom d'Allison Larson. Depuis, l'entrée principale et l'issue de secours de l'établissement étaient étroitement surveillées par des agents, en attendant l'arrivée des hommes de la DCRI.

L'homme en costume enfonça le bouton d'appel de l'ascenseur dont la porte s'ouvrit sur une cabine vide. D'un geste, il désactiva l'appareil en appuyant sur le bouton d'arrêt d'urgence.

Il murmura quelques mots dans le micro accroché au col de sa chemise, puis il poussa la porte de l'escalier. Un flic en civil, posté au bas des marches, lui adressa un signe. L'homme descendit jusqu'au sous-sol et ouvrit l'issue de secours de l'immeuble à un commando de dix agents du RAID en tenue de combat, armés de Beretta. Le petit groupe se glissa à l'intérieur du bâtiment et monta silencieusement jusqu'au sixième étage en file indienne.

Les hommes prirent position de chaque côté de la porte de la chambre 606. L'un des policiers l'ouvrit à l'aide d'une clé électronique. Le mécanisme émit le ronronnement caractéristique et le commando se rua dans la pièce.

La chambre était vide, son plafonnier éteint.

De la lumière filtrait de la salle de bains où une serviette éponge mouillée, un parfum fruité de shampooing et une odeur de savon signalaient l'utilisation récente des lieux. Son occupante n'avait rien laissé derrière elle. Ni vêtements, ni sac. Moins de deux heures après son arrivée, elle avait disparu, et tout indiquait qu'elle ne reviendrait pas.

*

J'ai sursauté en voyant la chambre s'éclairer. J'ai recompté les fenêtres du sixième étage afin d'être certaine de ne pas me tromper. La lumière de la chambre 606 venait bien de s'allumer. La police, probablement. Ou bien les équipes de Durand.

J'avais fort bien pu être trahie par l'employé de la réception, à cause de ma gaffe, mais c'était peu vraisemblable. Le gamin boutonneux n'était pas du genre très malin.

Il ne pouvait s'agir que de Christien. C'est lui qui m'avait balancée.

D'une façon ou d'une autre, il avait appris que je n'étais pas montée dans l'avion. Désormais, c'était chacun pour soi. S'il avait réellement voulu m'aider, il n'en était plus question désormais. Ses derniers mots résonnaient dans ma tête. *Tu as le choix : recommencer ta vie au Brésil, ou mourir ici.*

J'ai rangé mes jumelles dans le sac de sport. Adieu, Allison Larson. Durand savait que je me trouvais à Paris. Le quartier grouillerait de flics d'ici à quelques minutes.

Il était temps de plier bagage.

127

Durand, le front collé à la fenêtre de la chambre 606, observait distraitement le mouvement de la rue en contrebas. Le lieutenant Vérose s'approcha de lui.

— Elle se sera échappée par l'escalier de service pendant qu'on parlait à l'employé de la réception, suggéra la jeune femme. En clair, elle a pris une douche avant de repartir au bout d'une petite heure. Elle a eu de la chance.

Durand suivit des yeux un groupe de jeunes gens qui se dirigeaient vers l'animation de la rue de Buci.

— Je ne suis pas certain qu'il s'agisse de chance, répondit-il. Je la soupçonne d'avoir compris que son pseudo ne tiendrait pas longtemps. Elle avait envie de se laver, et sans doute de se changer. Elle n'a jamais eu l'intention de traîner dans le coin.

Il se tourna vers son adjointe.

— Je voudrais entendre à nouveau les détails de ce tuyau anonyme.

Vérose sourit intérieurement. Durand tout craché. Il aimait qu'on lui répète à l'envi les détails d'une affaire, dans l'espoir d'y découvrir des éléments qu'il n'avait pas détectés au premier abord.

— Un inconnu a remis une enveloppe à un policier qui quittait le Quai des Orfèvres. Le gradé en question nous a expliqué que son interlocuteur s'était éclipsé avant même qu'il pense à le dévisager. L'enveloppe contenait une note précisant qu'Abbie Elliot se cachait sous le pseudonyme d'Allison Larson et qu'elle comptait rejoindre Paris.

Durand s'appuya des deux mains contre le carreau. Cette dénonciation sentait le soufre.

— Que fait actuellement le petit ami de son ancienne codétenue ? Ce petit voleur de voitures ?

— Giorgio Ambrezzi ? Nous n'avons toujours pas réussi à mettre la main dessus, mon colonel. Ses deux employeurs actuels ne l'ont pas revu, et il n'a pas reparu à son appartement. On n'en a pas la preuve, mais il est probable qu'il a volé une voiture pour Abbie Elliot. Même s'il l'a aidée à s'évader en lui laissant ce véhicule à la gare de Limoges, rien ne nous indique qu'il soit au courant de sa cachette actuelle.

— Ou de ses intentions, gronda Durand, à qui Abbie Elliot donnait des aigreurs d'estomac. Le billet d'avion ?

— Il a été acheté hier à Paris. La carte Visa au nom d'Allison Larson correspond à un compte actif. La vraie Allison Larson vivait effectivement près de Chicago jusqu'à sa mort, le mois dernier.

— Hmm… Le Giorgio en question, le voleur de voitures ? Vous le croyez capable d'un coup pareil ?

— C'est possible, mon colonel, mais ça colle mal avec son profil. Pourquoi ? Vous pensez à quelqu'un d'autre ?

Durand s'accorda quelques instants de réflexion avant de répondre.

— Peut-être. Si je comprends bien, Allison Larson avait sa carte d'embarquement en main sur un vol à destination du Brésil. Elle avait réussi à s'évader et quittait la France. Elle avait gagné sur tous les tableaux. À la dernière seconde, elle change d'avis et remonte en voiture à Paris avec toutes les chances de tomber entre nos griffes. Pour quelle raison, Vérose ?

La jeune femme haussa les épaules.

— Elle a pu avoir peur de se retrouver dans un pays inconnu. Ou alors elle craignait de ne pas franchir les contrôles de police à son arrivée. Paris, avec ses deux millions d'habitants, constitue une cachette idéale.

— Parce que vous trouvez qu'elle se cache ?

Durand secoua la tête. Il fronça les sourcils, emporté par ses pensées. Quelques instants plus tard, sa décision était prise.

— Vous avez toujours ce contact au *Parisien ?*

— Oui, mon colonel.

— Parfait.

Il acquiesça machinalement.

— Arrangez-vous pour que l'information fuite dès ce soir. Nous sommes convaincus qu'Abbie Elliot a réussi à franchir la frontière espagnole.

Ce n'était pas la première fois que la DCRI se servait de la presse à son insu.

— Vous voulez rassurer Elliot en la persuadant qu'elle est en sécurité à Paris.

— Je veux qu'elle baisse la garde, en effet, approuva Durand. Je veux qu'elle découvre dans les journaux de demain que nous la croyons à Barcelone.

128

J'avançais le long de la Seine en respirant l'air vif, portée par l'énergie sourde de la ville. Arrivée à l'Assemblée nationale, j'ai traversé le pont de la Concorde et rejoint le jardin des Tuileries, derrière lequel on devinait dans la nuit la pyramide du Louvre. J'avais adoré m'y promener en plein jour autrefois, à l'époque où je menais une vie normale. Aujourd'hui, la nuit était tombée, il n'était pas question de promenade, et mon existence n'avait plus rien d'ordinaire.

Je me suis engagée à gauche sur les Champs-Élysées que j'ai remontés en direction de l'Arc de Triomphe. J'étais recherchée par toutes les polices d'Europe à cette heure. N'importe quel passant croisé dans la rue pouvait me reconnaître et s'adresser au premier agent dont il croiserait la route, ou bien passer un appel sur son portable.

Le tout était de ne pas ressembler à une détenue en cavale. J'avais renoncé à ma casquette de base-ball et jeté mon vieux sac de sport afin de mieux correspondre à l'image de la touriste aisée que je cherchais à me donner, talons hauts et robe noire, un sac au sigle d'une boutique chic à la main. En revanche, il m'était impossible de changer de visage. Un visage qui s'était étalé à la une des médias pendant des mois. Un visage que l'on voyait depuis quelques jours placardé sur les vitrines des magasins et les panneaux d'affichage, au cas où les gens l'auraient oublié. Tôt ou tard, quelqu'un finirait immanquablement par me reconnaître si je m'attardais à Paris.

Au bout d'un quart d'heure de marche, je me suis arrêtée devant le Lamarck, un grand cinéma installé sur les Champs, au coin de la rue Marbeuf et de la rue de Marignan. Me réfugier dans une salle obscure n'était pas une mauvaise idée. Six films différents étaient à l'affiche, dont je n'avais jamais entendu parler faute d'avoir suivi l'actualité culturelle de ces derniers mois. Je me suis rabattue sur *La Trahison*, un long-métrage dont la prochaine séance débutait à 22 h 45.

Outre un cinéma, le Lamarck était un complexe commercial comprenant une brasserie, un magasin de prêt-à-porter féminin, une boutique de vêtements pour enfants, une agence de voyages et un petit café, fermé à cette heure. Un escalator permettait d'accéder aux six salles de projection, toutes situées au niveau inférieur.

J'ai tendu mon billet à l'ouvreuse qui m'a dirigée vers la gauche où était projetée *La Trahison*. Au lieu de suivre ses indications, j'ai passé la tête dans la grande salle Lamar, baptisée ainsi en hommage à un acteur célèbre. Sur l'écran, Cameron Diaz rouait de coups de pied un adversaire en poussant des hurlements sauvages. L'immense salle permettait aisément d'accueillir sept à huit cents spectateurs.

J'ai rebroussé chemin et pénétré dans la salle où était projeté mon film. Le balcon comme l'orchestre paraissaient minuscules à côté de ceux du Lamar.

J'ai fait une halte aux toilettes pour femmes, un espace moderne, marbre et acier brossé, équipé de cinq box. En regagnant la salle, je suis tombée nez à nez avec un agent de service qui poussait devant lui un chariot rempli de produits d'entretien.

— *Bonsoir*, m'a lancé joyeusement le vieil homme.

Le temps de lui répondre, il s'éloignait déjà. En me retournant, je l'ai vu ouvrir une porte au bout du couloir, allumer la lumière et ranger son chariot dans ce qui semblait être un vaste local de service. Une échelle reposait contre un mur, à côté d'une pelle à neige et d'une étagère débordant de flacons de détergent.

Je me suis assise sur un banc à l'entrée de la salle et j'ai posé ma nuque contre le mur recouvert de moquette. J'étais épuisée. Sous l'effet de la fatigue, j'avais commis une belle gaffe qui avait bien failli conduire à mon arrestation. Qui sait quelle autre erreur j'allais commettre, si ce n'était déjà fait ?

L'agent d'entretien est repassé à ma hauteur en sifflotant. Débarrassé de son chariot, sans doute célébrait-il la fin de sa journée de travail. Son existence simple m'a brusquement paru terriblement tentante.

Les spectateurs de la séance de 22 h 45 commençaient à arriver. Une cinquantaine de noctambules en tout, dont j'enviais également l'insouciance. Depuis plus d'un an, les distractions avaient été rares dans ma vie.

J'ai attendu sur mon banc jusqu'à ce que me parviennent les premières mesures d'une musique dramatique signalant le début du film.

Après m'être assurée d'un dernier coup d'œil que j'étais seule, j'ai remonté le couloir et poussé la porte du local technique.

129

Le local technique du cinéma était moins grand et confortable que je ne l'avais cru, mais il m'offrait provisoirement une cachette appréciable. De peur d'être découverte par un employé, je me suis allongée derrière une poubelle en me couvrant de vieilles bâches en toile. Cette protection était sommaire, du moins me permettrait-elle de rester invisible si quelqu'un avait la mauvaise idée de pousser la porte.

De toute façon, je n'avais pas de meilleure solution. Le vieux bonhomme de tout à l'heure donnait l'impression d'en avoir terminé pour la journée, le risque de le voir revenir était limité.

J'avais dormi dans des conditions bien pires. Notamment dans la cellule 413, au milieu des rongeurs, dans une puanteur de moisi et de crasse. L'odeur des produits d'entretien était un parfum de rêve en comparaison.

J'ai rapidement cligné des yeux avant de m'endormir d'un sommeil troublé. Je n'ai même pas entendu la fin du film, brisée de fatigue.

Ma montre indiquait 3 h 30 lorsque je me suis réveillée. Le complexe cinématographique était fermé depuis longtemps.

J'ai entrouvert la porte, l'oreille tendue. Pas un bruit. Le Lamarck avait fermé ses portes pour la nuit.

J'ai emprunté le couloir jusqu'à la petite salle dont la porte était restée ouverte. Je ne sais pas comment j'aurais réagi si je l'avais trouvée verrouillée.

Je suis montée au balcon, à la recherche d'un coin tranquille où je me suis installée confortablement en me servant de mon sac comme oreiller, toujours vêtue de ma robe noire et de mes talons hauts.

À cette heure-ci, Durand devait être en train de fouiller tous les hôtels parisiens à la recherche d'Allison Larson ou de toute autre Américaine répondant à ma description. Il avait dû penser aux garages, avec l'idée que je puisse dormir dans ma voiture volée. La police surveillait sans doute les lieux publics, les boîtes de nuit et les gares, mais jamais Durand ne penserait au Lamarck.

Je ne devais pas me réjouir trop tôt. Mâchoire carrée marchait sur mes talons. Il me savait à Paris et m'avait ratée de peu à l'hôtel. Si j'avais eu la mauvaise idée de m'accorder une petite sieste après m'être douchée et changée, une tentation à laquelle j'avais bien failli succomber, j'aurais été derrière les barreaux à l'heure qu'il était.

Rien que d'y penser, j'en avais des frissons. Plutôt mourir que de retourner en prison.

Je me suis étirée, les épaules raides de courbatures. Comment savoir où en était Durand de ses supputations ? De ses recherches ?

J'ai caressé d'une main inquiète mon sac à main, soucieuse de vérifier que je n'avais pas perdu le peu d'argent qui me restait.

Ou encore le Glock volé à Lucie. Je n'avais aucune intention de tuer l'un de mes semblables. Quelles que soient les circonstances, jamais je ne m'abaisserais à devenir une meurtrière.

La balle qui se trouvait dans le canon constituait mon ultime porte de sortie. Une issue à laquelle j'avais toutes les chances de recourir, si je voulais me montrer honnête avec moi-même et regarder la situation en face.

Cette balle m'était destinée si jamais Durand me capturait avant que j'aie pu prouver mon innocence.

130

Les cloches de la Sainte-Chapelle venaient de sonner 7 heures lorsque la berline noire du colonel Durand franchit les grilles du palais de justice. Accompagné de son assistante, le lieutenant Vérose, Durand refusait de quitter Paris tant qu'il n'aurait pas capturé Abbie Elliot.

— On a retrouvé le corps du directeur cette nuit. Nos équipes ont enfoncé sa porte en constatant qu'il ne répondait ni aux coups de sonnette, ni au téléphone, expliqua la jeune femme. Il était dans sa chambre. Il avait reçu une balle entre les deux yeux, et pas à bout portant.

La possibilité du suicide se trouvait donc écartée. Boulez avait bel et bien été assassiné.

Qui pouvait en vouloir à ce point au directeur de la prison ? Abbie Elliot ? Chaque nouvel élément venait compliquer plus encore la donne.

— Dites-moi où nous en sommes des recherches, s'enquit Durand.

— Plus de deux cents agents en civil écument les rues de la capitale, répondit Vérose. Nous avons transmis son signalement à tous les hôtels en leur demandant de nous prévenir s'ils voyaient passer un passeport au nom d'Allison Larson. L'ensemble des transports publics sont placés sous surveillance. Il lui est impossible de quitter Paris, mon colonel.

Durand adressa un signe de tête au policier qui montait la garde à l'entrée du palais de justice.

— Encore faudrait-il qu'elle ait *envie* de quitter Paris, laissa-t-il tomber.

*

Installé au volant d'une voiture garée un peu plus loin, Christien Brookes vit Durand et son assistante pénétrer dans le bâtiment. Un gros titre barrait la une du *Parisien* posé sur le siège passager :

ABBIE ELLIOT EN ESPAGNE ?

L'auteur de l'article s'attardait sur les raisons qui poussaient les autorités à croire qu'Abbie Elliot tentait de rallier l'Espagne, si elle ne se trouvait pas déjà à Barcelone.

Il laissa échapper un ricanement. Encore un coup de Durand. Le colonel était un petit malin. Incapable d'arrêter Abbie la veille, il la poussait à la faute.

À ce propos, comment Abbie avait-elle pu lui échapper ? Cet échec laissait Christien perplexe. Il avait pourtant commis un sans-faute en faisant parvenir à la police cette note dénonçant Allison Larson. Mais Abbie avait trouvé le moyen de passer entre les mailles du filet. À moins qu'elle ne soit pas descendue à l'hôtel, contrairement à ce que Christien avait espéré.

D'ailleurs, rien ne lui prouvait qu'elle se trouvait à Paris. Christien n'avait pas les moyens de la suivre à la trace. Il avait eu la chance qu'un ancien collègue de Lyon accepte de lui rendre service en se déplaçant jusqu'à l'aéroport de Bordeaux. Sans savoir où Abbie avait trouvé refuge, Christien avait l'intuition qu'elle avait rejoint la capitale. Il croyait même savoir pourquoi.

Il récupéra sous son siège un calibre 45 au canon duquel il vissa un silencieux. Il était encore trop tôt pour s'en servir, mais autant être prêt.

— Abbie, Abbie…, murmura-t-il entre ses dents. Pourquoi n'as-tu pas pris cet avion ?

131

La limousine s'arrêta au pied du tapis rouge à 18 heures précises, et deux hommes en smoking en descendirent. Des flashes crépitèrent, peu nourris. S'ils étaient riches, Simon Schofield et Colton Gordon étaient inconnus de l'immense majorité des badauds qui attendaient là, massés des deux côtés de l'entrée.

Ils s'avancèrent, et l'employé chargé de filtrer les invités vérifia leur identité. Autorisés à poursuivre leur chemin, ils traversèrent sans s'arrêter l'espace rouge et noir où les célébrités sacrifiaient au rituel des photographes. Simon et Colton devaient à leur fortune, et non à leur notoriété, leur présence ce soir-là.

Ils empruntèrent l'escalator jusqu'au niveau supérieur où se trouvait rassemblée la foule des grands jours. Des serveurs en livrée blanche circulaient entre les convives avec des plateaux chargés de hors-d'œuvre compliqués : canapés au *matjeshering* et à la pomme, *kartoffel kloesse* ou *brunede kartofler*, le tout arrosé de champagne et d'alcools divers.

Colton et Simon, plus habitués à fréquenter les traders et les investisseurs, observaient la scène d'un air amusé. Quitte à se trouver là, autant en profiter.

Colton grignota une part de tarte à l'oignon et l'arrosa d'une gorgée de champagne.

— Alors elle est à Barcelone ?

— À en croire *Le Parisien* et la police, répliqua Simon avec un haussement d'épaules. Va savoir, avec Abbie. J'avoue que j'avais tort de la sous-estimer.

Colton scruta longuement les traits de son ami. Simon s'était toujours montré avare de compliments.

— Tu crois qu'on devrait se méfier ?

Simon lança un coup d'œil circulaire avant de répondre, afin de vérifier que personne n'écoutait leur conversation. La plupart des invités étaient déjà gais, sinon ivres, sans un souci en tête.

— Inutile de t'énerver, Colton. Nous avons assuré nos arrières.

Le Sud-Africain se renfrogna, vexé d'être rappelé à l'ordre par son compagnon. Il tapota d'une main la poche intérieure de sa veste, où était dissimulée son arme.

— Je ne m'énerve jamais quand celle-ci veille sur moi.

— Décidément, Colt, tu ne changeras jamais, réagit Simon en levant les yeux au ciel. Si on t'avait laissé agir, tu aurais abattu nos chères femmes dans cette piscine de Monaco. Tu as bien failli tout gâcher.

— Ah oui ? Ça ne serait pas arrivé si tu m'avais prévenu que tu avais mis au point ton putain de plan. Comme d'habitude, tu ne nous avais rien dit.

Colton brandit sa flûte de champagne après l'avoir vidée.

— Sans compter que tu n'aurais pas été loin tout seul. De quoi disposais-tu ? D'une clé électronique de la suite ? Des cheveux et du sang de Serena ? dit-il en secouant la tête. En fin de compte, tu étais jaloux et tu cherchais à te venger. Sans nous, tu n'aurais jamais réussi.

Colt n'avait pas tort. Depuis qu'il s'était su trompé par Serena, Simon avait ruminé sa vengeance, incapable de savoir comment s'y prendre, ni même s'il serait capable de passer à l'acte. Lorsque Serena lui avait annoncé son intention de passer un week-end entre filles à Monaco, Simon avait compris qu'il tenait sa chance, persuadé que Serena cherchait un alibi pour passer quelques jours dans les bras de son amant. Il avait joué les maris parfaits, pris la peine de se rendre en repérage à Monaco afin de trouver le meilleur hôtel. Reçu personnellement par le directeur du Métropole, il avait profité d'une brève absence de son interlocuteur pour lui subtiliser son passe électronique. Réunir des éléments portant l'ADN de Serena au cours des semaines suivantes s'était révélé un jeu d'enfant : un sourcil récupéré dans le lavabo après une séance d'épilation, une empreinte digitale prélevée sur un verre à vin, une goutte de sang tombée sur la planche à découper un jour où Serena s'était blessée en tranchant une tomate.

Simon avait prévu jusqu'au moindre détail, mais il ne s'attendait pas à ce que Colton, jaloux, décide de se rendre à Monaco pour surveiller Bryah. Le Sud-Africain avait proposé aux trois autres maris de l'accompagner, sans se douter que Simon se trouvait déjà sur place.

La suite non plus n'était pas prévue.

Un bruit de micro le tira de ses pensées. Et une voix s'éleva des haut-parleurs, teintée d'accent français.

— *Lédies and gentlemène. Your attention pliiize.* S'il vous plaît.

L'assemblée finit par se taire.

— Merci à tous d'être là, poursuivit le maître de cérémonie en anglais. C'est un honneur pour moi de vous accueillir ce soir au Lamarck.

132

— Rien de neuf, mon colonel, déclara Vérose.

Son supérieur s'aperçut qu'elle avait les traits tirés. Ils étaient tous fatigués.

Durand avait passé la journée au palais de justice, un écouteur à l'oreille, pour suivre les progrès de l'enquête. La surveillance des aéroports et des gares n'avait rien donné, pas plus que celle des lignes de cars. Aucune information n'était remontée des stations de péage d'autoroute.

— Elle a décidé de faire profil bas, suggéra Vérose.

— Allez savoir, répondit Durand d'un air dubitatif. Ce serait bien la première fois qu'Abbie Elliot ferait profil bas.

*

Une nouvelle limousine s'immobilisa devant l'entrée du Lamarck. Les photographes alignés des deux côtés du tapis rouge se ruèrent sur elle. Les premiers flashes crépitèrent avant même que l'occupant du véhicule n'ait ouvert sa portière. Les reporters des chaînes françaises et les correspondants des télévisions américaines rectifièrent une dernière fois leur coiffure en se raclant la gorge, prêts à interviewer la star.

Une journaliste anorexique aux cheveux abondamment laqués afficha son plus beau sourire en prenant place devant la caméra.

— Ici Tabby Hudson. Nous sommes en direct du cinéma Lamarck, au cœur des Champs-Élysées, où se déroule ce soir la première parisienne du film *Der Führer*. La star que nous attendions tous, Damon Kodiak, vient de nous rejoindre.

133

Damon Kodiak rejoignit l'estrade installée au pied de l'écran de la salle Lamar et s'empara du micro. Il commença par présenter les autres acteurs de *Der Führer*, debout derrière lui, puis il se lança dans un discours vibrant. La gorge nouée par l'émotion, il adressa quelques mots aux huit cents personnalités venues assister à la première, puis il marqua une pause dramatique, balayant du regard son auditoire.

— Nous ne pouvons prétendre à la qualité d'artiste si nous ne cherchons pas à nous dépasser, reprit-il d'une voix feutrée. Mais, le plus important, mes chers amis, et j'insiste sur ce fait, nous ne pouvons prétendre à la qualité d'artiste si nous ne cherchons pas à dépasser notre *public*. Mesdames et messieurs, *Der Führer !*

Des applaudissements retentirent dans l'immense salle. Les acteurs descendirent de l'estrade afin de rejoindre les fauteuils qui les attendaient. Damon savoura quelques instants de plus les acclamations avant de quitter la scène à son tour, après un dernier salut.

Les lumières s'éteignirent et les murmures se turent.

Au lieu de prendre place au premier rang parmi les siens, Damon Kodiak se dirigea discrètement dans l'obscurité vers un coin de la salle où l'attendait l'un des employés du Lamarck. L'homme poussa une porte latérale, jusque-là invisible, et Damon s'y engouffra.

Au même moment apparaissaient sur l'écran géant les premières images du film, un extrait d'un reportage d'époque en noir et blanc dans lequel Adolf Hitler s'adressait à la foule depuis un balcon. Le long-métrage avait beau être le chef-d'œuvre de Kodiak, il avait choisi ce soir-là de ne pas assister à sa projection.

Les spectateurs n'avaient prêté aucune attention au départ de leur idole, hypnotisés par une production qui faisait couler beaucoup d'encre depuis sa sortie.

Tous les spectateurs, à l'exception de deux hommes installés au quatrième rang, qui s'intéressaient davantage à Damon qu'à son film.

— Je rêve, ou bien il a quitté la salle ? murmura Colton à l'oreille de Simon.

134

Damon Kodiak referma la porte derrière lui et leva la tête en direction de la cabine de projection de la petite salle jouxtant l'amphithéâtre Lamar. Il adressa un signe amical à Sam, l'un des responsables du complexe Lamarck avec lequel il avait noué des liens d'amitié onze ans plus tôt, à l'occasion d'une autre première. C'était la septième fois que Damon choisissait le Lamarck pour y lancer un film en France, et Sam connaissait le rituel auquel sacrifiait immanquablement l'acteur.

Damon se laissa tomber dans un siège, au centre de la dixième rangée. L'obscurité se fit, le rideau s'écarta et les premières images apparurent sur l'écran. Le cœur de l'acteur se mit à battre plus vite lorsqu'il vit en gros plan les deux gants de boxe, l'un aux armes des États-Unis, l'autre porteur de la faucille et du marteau caractéristiques de l'Union soviétique. Les deux gants explosèrent l'un contre l'autre et le visage de Rocky Balboa s'afficha, bien décidé à mettre KO son adversaire Clubber Lang dans l'une des scènes finales du film *Rocky III*.

La séquence s'enchaîna directement avec le début de *Rocky IV*, le film dans lequel Damon avait débuté, vingt-six ans plus tôt, à une époque où étaient encore intacts ses grands idéaux sur l'art et ses rêves de grandeur. Damon, un gamin efflanqué, venait tout juste de renoncer à poursuivre des études pour écrire de la poésie. Il allait au cinéma quasiment tous les soirs, lorsqu'il n'était pas pris par l'un des deux petits boulots qu'il avait trouvés : livreur pour un fleuriste, peintre en bâtiment dans une entreprise chargée de rénover des salles de classe d'écoles primaires.

Il s'était contenté d'un rôle de figurant dans *Rocky IV* : un agent de sécurité lors de la conférence de presse annonçant la rencontre entre le boxeur russe Drago et l'ancien champion américain Apollo Creed. Il n'avait jamais oublié cette journée sur le plateau, au terme de laquelle il avait serré la main de Stallone. Les genoux tremblants, il avait prié le ciel de ne pas rester sans voix au moment de saluer l'acteur.

Il se cala confortablement dans son fauteuil. Ce rituel secret remontait à son premier rôle d'importance, quatre ans après *Rocky IV*, lorsqu'il avait compris qu'un échec pouvait définitivement ruiner sa carrière. Incapable d'assister à la première, il s'était éclipsé discrètement. L'habitude s'était formée depuis, jusqu'à devenir quasiment superstitieuse. Au lieu de regarder le film, il se faisait projeter les images de ses débuts. Avec le temps, il ne s'agissait plus tant d'apprivoiser sa peur que d'entretenir le souvenir de cette fragilité, de lui rappeler que…

Un petit bruit interrompit sa rêverie. Au même moment, un objet froid et dur se posa sur son cou, à droite de la nuque. Une main lui agrippa l'épaule gauche et il sentit une présence derrière lui tandis que résonnait une voix qu'il n'avait pas encore eu le temps d'oublier.

— Je n'ai pas beaucoup de temps, Damon, murmura Abbie. Alors je te conseille de parler vite.

135

Le choc initial passé, après que je lui ai confirmé qu'il s'agissait bien de moi, que j'étais armée et déterminée à tirer en cas de besoin, Damon s'est tétanisé sur son siège, les mains serrées sur les accoudoirs de son fauteuil, le regard fixe.

— Comment savais-tu ?

— Comment je savais que tu viendrais ici ? C'est toi-même qui me l'as dit, espèce d'imbécile. Tu m'as révélé ton petit rituel cette nuit-là. Tu ne te souviens pas ?

Damon a laissé échapper un gémissement. Il avait clairement oublié m'avoir fait une telle confidence.

— Je te donne cinq minutes pour tout me raconter, sinon je tire. Je te rappelle, mon cher Damon, que j'ai été condamnée à perpétuité pour meurtre. Que je te tue ne changera rien à mon sort.

Damon avait du mal à respirer. Sans doute à cause du Glock que j'enfonçais dans sa nuque pour mieux le convaincre de ma sincérité.

— Raconte-moi comment tout a commencé. Et vite.

— Comment tout a commencé ? Mais je n'en sais rien…

Je l'ai interrompu en sifflant entre mes dents, emportée par un mélange de rage et de peur.

— Écoute-moi bien. Nous savons l'un comme l'autre que tu as menti lors du procès. Je te rappelle que tu as foutu ma vie en l'air, alors ne va pas croire que j'hésiterai une seconde à mettre un terme à la tienne…

Je lui agrippais les cheveux d'une main en lui enfonçant de l'autre le canon du Glock dans l'oreille.

— C'est bon, c'est bon. Ne tire pas, je t'en supplie. Je vais tout t'expliquer.

*

Le colonel Durand regarda une nouvelle fois sa montre tout en continuant de tourner comme un lion en cage dans son bureau. Il était tenu au courant des recherches minute par minute, par le biais d'une douzaine d'agents eux-mêmes reliés en permanence à leurs hommes aux quatre coins de la ville. Il avait passé la journée, muni d'une oreillette, à donner des instructions à ses équipes. Il n'avait pas fait le calcul, mais il est probable qu'il avait parcouru une dizaine de kilomètres entre les quatre murs de ce bureau.

La nuit était tombée, l'obligeant à changer de tactique. Abbie allait devoir trouver un lieu où dormir. Si jamais elle s'aventurait dans un hôtel, il était à peu près certain qu'elle se ferait prendre. Il était plus probable qu'elle cherche un jardin public isolé, ou bien un hall de gare chauffé.

À condition qu'Abbie soit restée cachée à Paris. Il suffisait qu'elle ait un but insoupçonné pour que tous les calculs de Durand tombent à l'eau.

Il sursauta en voyant son adjointe, le lieutenant Vérose, faire irruption dans la pièce.

— Mon colonel, il faut absolument que vous regardiez la télévision. Je travaillais dans la salle de réunion, le poste allumé, quand j'ai vu un reportage qui devrait vous intéresser.

Sans attendre l'autorisation de son supérieur, Vérose s'empara de la télécommande et la pointa en direction de l'écran plat qui occupait l'un des murs de la pièce, à la recherche de France 24.

Le correspondant de la chaîne achevait son direct du cinéma Lamarck, sur les Champs-Élysées.

Durand battit des paupières, les yeux écarquillés. C'était donc ça…

L'instant suivant, il quittait la pièce en trombe.

136

— Écoute, Abbie. Ce qui nous est arrivé sur ce bateau, tu sais bien que c'était vrai, non ?

Damon s'exprimait d'une voix tendue, ce qui n'était pas surprenant avec le canon d'un pistolet enfoncé dans l'oreille.

— Rien de ce qui nous est arrivé n'était planifié. Seulement, au moment de repartir en te laissant dormir, j'ai été témoin du meurtre en parvenant sur le quai. J'ai tout vu.

L'acteur a soupiré nerveusement. Il donnait l'impression de revivre un épisode douloureux.

— Je les ai vus… tuer Devo et Luc dans cette décapotable.

Les nerfs tendus à bloc, je devais impérativement trouver le moyen d'empêcher mes mains de trembler. Mon cœur battait si fort que j'entendais à peine la confession de Damon. J'espérais cet instant depuis si longtemps, je ne parvenais pas à croire qu'il soit enfin arrivé, tout en n'ayant encore aucune certitude quant à la suite à donner à ce que je venais d'apprendre.

— Je… je me suis jeté à plat ventre sur le quai, par réaction instinctive, poursuivait Damon. J'ai probablement fait du bruit parce qu'ils m'ont entendu. Je… j'étais complètement perdu, sous le choc de la scène à laquelle je venais d'assister. Ils ont brusquement surgi au-dessus de moi, l'arme au poing. Je les ai suppliés de m'épargner, à genoux. Je n'ai jamais eu aussi peur de toute ma vie.

J'étais bien placée pour comprendre ce qu'était la peur. À cet instant précis, j'avais peur, alors que c'est moi qui étais armée. Des gouttes de transpiration me brouillaient la vue, mon cœur battait si fort que j'en arrivais à me demander si je n'étais pas victime d'une crise cardiaque.

— Je te jure que c'est la vérité, Abbie. Je voulais uniquement sauver ma peau. Je leur ai dit qui j'étais, je leur ai promis tout ce qu'ils voulaient s'ils me laissaient la vie sauve. De l'argent, un rôle dans un film, n'importe quoi.

— Tu étais même prêt à foutre en l'air l'existence de quatre femmes.

Je m'étais exprimée d'une voix amère que je ne reconnaissais pas moi-même.

— Je ne voulais rien foutre en l'air du tout, s'est justifié Damon. J'essayais juste de survivre. J'avais compris qu'ils me tueraient si je n'acceptais pas d'entrer dans leur combine.

— Qui sont les *ils* dont tu parles, Damon ? Qui est derrière tout ça ?

*

Laissant les autres spectateurs fascinés par la vision du jeune Adolf Hitler proposant péniblement ses peintures aux passants dans les rues de Vienne, Simon Schofield et

Colton Gordon échangeaient à voix basse, à la recherche d'une solution.

— C'est le moment ou jamais, murmura le Sud-Africain. Une telle chance pourrait bien ne jamais se représenter.

Les deux hommes s'étaient rendus à cette première à seule fin de croiser Damon Kodiak. De s'assurer, au besoin en le menaçant, qu'il resterait fidèle à son engagement. Constatant que la vedette de la soirée était happée par la foule dès sa descente de limousine, ils avaient compris qu'échanger quelques mots avec l'acteur serait plus compliqué qu'obtenir une audience avec le pape.

En s'éclipsant discrètement de la salle, Damon leur offrait enfin l'occasion qu'ils espéraient. Sans doute s'était-il rendu aux toilettes, à moins qu'il ne soit sorti fumer une cigarette, ou répondre aux questions de la presse. Le mieux était encore de quitter la projection par la même porte et d'attendre son retour.

Simon observa du coin de l'œil le visage de Colton, mis en relief par la lumière qui s'échappait de l'écran. Le rapport de force entre eux ne changeait pas : le Sud-Africain privilégiait l'action au détriment de la réflexion ; de son côté, Simon figurait la voix de la raison en examinant la situation de façon plus posée, en analysant les conséquences possibles. Colton, avec son caractère emporté, avait bien failli tout faire capoter à Monaco en ameutant les autres maris. Simon avait heureusement rattrapé le coup en les faisant voyager dans un de ses jets privés, dont il pouvait aisément manipuler le carnet de bord pour ne laisser aucune trace de ce déplacement.

D'un autre côté, leur tandem fonctionnait bien. Simon ne serait probablement jamais passé à l'acte si Colton, enragé à la vue de ce qui s'était passé dans cette boîte de nuit, puis de l'orgie à bord du yacht, n'avait repris l'initiative.

— C'est maintenant ou jamais, vieux. Qu'en penses-tu ?

Simon sentit son pouls accélérer, comme lors de cette nuit fatidique.

— D'accord, Colt. Allons-y.

137

— Qui a commis ces deux meurtres ?

J'ai souligné ma question en enfonçant plus profondément encore le canon du Glock dans l'oreille de Damon.

Je me suis rendu compte qu'il pleurait, avant de m'apercevoir que mon visage, trempé de sueur, ruisselait également de larmes.

Damon a baissé la tête.

— Non. Je ne peux pas.

— Je suis déjà au courant. Je sais que Simon est impliqué.

Il m'avait fallu une éternité avant de comprendre. Tout s'était subitement éclairé dans ma tête lorsque j'avais pris conscience de l'implication de nos maris. Je revoyais notre réaction quand nous étions arrivées à l'hôtel Métropole et que l'employé de la réception nous avait annoncé que la suite était au nom de Simon Schofield. Puisque c'était Simon, et non Serena, qui avait réservé la suite, il lui avait été facile de se procurer une clé électronique.

Simon, dont la fortune pesait près d'un milliard de dollars, avait assez d'argent pour graisser la patte de Boulez, le directeur de la prison, et pour l'obliger à m'extirper des aveux de façon à refermer définitivement le dossier. Le même argent qui lui avait permis d'acheter à Serena une cellule relativement confortable dans le bloc A, histoire de se déculpabiliser un peu d'avoir fait enfermer sa propre femme pour un crime dont elle était innocente.

— C'est Simon qui a financé ton film, c'est ça ? Un film dont personne ne voulait à Hollywood. L'argent du silence. Réponds-moi, Damon. C'était ça, le deal ? Tu nous crucifiais lors du procès en gardant le silence, et Simon te donnait le fric pour réaliser *Der Führer ?*

Damon restait muet. Quelle que soit la façon dont Simon s'y était pris, il avait veillé à ne laisser aucune trace dans son sillage. Joe Morro, du *New York Times*, n'avait rien trouvé malgré des recherches poussées.

— Assez joué, Damon.

Je me suis relevée en appuyant de toutes mes forces sur la crosse du Glock. Ma rage l'emportait sur le reste. Je n'étais pas venue là avec l'intention de tuer Damon Kodiak, mais pour obtenir des réponses. Sa mort ne me servirait à rien, bien au contraire. Il était l'unique témoin de mon innocence. *Sa mort ne me servirait à rien.* Et pourtant… Il les avait largement aidés à m'abattre lors du procès, pourquoi devrait-il s'en tirer ce soir si je ne sortais pas vivante de ce cinéma ?

Damon, recroquevillé sur lui-même, m'a répondu par un cri :

— C'était l'Anglais et le Sud-Africain ! Colt. Ou Colton, je ne sais plus. Il voulait me tuer, mais l'Anglais l'a arrêté. Il lui a expliqué que j'étais trop connu, que ma mort provoquerait un scandale international. Deux play-boys retrouvés morts dans une décapotable sur le port de Monaco, passait encore, mais pas une star du cinéma.

— Deux « play-boys » ? Mais enfin, l'un des deux était le prési…

— Ils n'en avaient aucune idée au moment des faits, Abbie ! s'est écrié Damon. Comme toi et moi. Tu crois peut-être qu'ils se seraient lancés dans une aventure pareille s'ils avaient su qu'il s'agissait du président Dévereux ?

J'ai froncé les sourcils. Je ne me sentais pas dans mon assiette brusquement, sous l'effet de l'adrénaline, de l'épuisement, et plus encore de l'amertume. L'explication était pourtant logique. Ils nous avaient suivies à Monaco et nous avaient vues coucher avec des inconnus, mais comment auraient-ils pu deviner la véritable identité de « Devo » ?

Ils avaient cru assassiner deux types ordinaires, sans comprendre dans quel engrenage ils mettaient le doigt.

— L'Anglais… ce type-là agissait avec un calme ahurissant. Je l'ai vu monter à bord du yacht. Quand il est revenu, l'arme du crime avait disparu…

— Et pour cause, il l'avait cachée dans mon sac.

— Il a rapporté le caméscope, celui sur lequel avait été enregistrée la partie fine.

Damon déballait à présent tout ce qu'il savait à un rythme haletant.

— L'Anglais m'a obligé à toucher la caméra, à la prendre en main. Pour que j'y laisse mes empreintes. Il m'a bien averti : « Si jamais on tombe, tu tombes avec nous », ou un truc dans ce style. Si je les dénonçais, je me dénonçais par la même occasion, alors que j'étais innocent. Et même si je réussissais à échapper à la prison, ma carrière était fichue avec une histoire pareille. Fichue !

Il a vomi la suite des événements avec le même ton suppliant auquel il avait dû sa survie ce matin-là, sur le quai.

— Le lendemain, quand ils ont su que l'une des deux victimes était le président Dévereux, ils ont eu peur que je change d'avis. Ils étaient paniqués, comme moi. Ils avaient tué le président français ! Le scandale était gigantesque ! C'est à ce moment-là qu'ils m'ont proposé de financer mon film. Du coup, je devenais dépendant d'eux. Nous étions complices. Et tu as vu juste, c'était l'argent de Simon. De Simon et de Colton.

— Et…

La gorge nouée, j'ai dû m'y prendre à deux fois pour que les mots parviennent à sortir.

— Et mon mari, Jeffrey ?

Damon a secoué la tête avec virulence.

— Je n'en sais rien. Je l'ai jamais vu. Je te jure, Abbie.

J'avais du mal à engranger autant d'informations d'un coup, même si j'avais eu tout le temps de réfléchir à l'enchaînement des événements dans la solitude de ma prison. Mon cœur battait si vite que j'avais du mal à rester en place. L'index crispé sur la détente, j'étais à un doigt d'assassiner l'acteur le plus célèbre du moment. Littéralement.

En attendant, je n'avais aucun moyen de prouver mon innocence.

À moins que…

138

— Je t'en prie, ne me tue pas, m'a suppliée Damon. Essaye de comprendre mon point de v…

— Ta gueule !

Tout en continuant à le menacer, je suis passée au-dessus de la rangée de sièges de façon à me retrouver à côté de lui. Replié sur lui-même comme un gamin apeuré, il n'a pas esquissé un geste. Il a posé sur moi deux yeux immenses en me voyant l'agripper par la chemise.

— J'attends un dernier truc de toi. Si tu t'exécutes sans rechigner, je te promets de ne pas te tuer.

— Qu'est-ce… qu'est-ce que…

— Tu vas sagement répéter tout ce que tu viens de me raconter aux centaines d'admirateurs qui t'attendent dans la salle voisine. Allez, la star. Lève-toi !

*

L'employé du cinéma posté devant la porte empruntée par Damon Kodiak croisa les bras et secoua la tête.

— Désolé, messieurs, déclara-t-il dans un mauvais anglais. Personne ne passe.

— Nous l'avons vu sortir par ici, répliqua Colton. On a juste besoin de lui glisser un mot.

L'homme, plus jeune et plus musclé que ses interlocuteurs, secoua la tête de plus belle.

Colton adressa un regard assassin à Simon. Celui-ci connaissait suffisamment son acolyte pour savoir qu'il ne tarderait pas à dégainer son arme.

Il l'en dissuada d'un mouvement du menton en sortant de sa poche une liasse de billets.

L'employé, hypnotisé par les mille euros que lui tendait discrètement Simon, commençait à fléchir.

— Deux mille, laissa-t-il tomber.

*

Tout en poussant Damon devant moi, je sentais mes jambes reprendre de l'aplomb. Il restait à savoir si la manœuvre fonctionnerait. Pour la première fois, je commençais à croire de nouveau en ma bonne étoile. J'avais brusquement les idées claires, mon cœur battait enfin normalement.

Damon ne passait pas la meilleure des soirées. Le menton baissé, les épaules voûtées, il pleurnichait comme un bébé. Je le faisais avancer en le tenant par les pans de sa veste de smoking, le Glock enfoncé dans le dos.

Nous allions atteindre le bas de la salle quand une porte s'est ouverte.

J'ai cru halluciner en voyant s'avancer Simon et Colton, tous deux en smoking. Ils ont sursauté violemment en me reconnaissant. D'un geste souple, Colton a glissé la main à l'intérieur de sa veste. Pas besoin d'avoir le don de double vue pour deviner ses intentions.

Je me suis raidie.

— Pas un geste ou je l'abats.

Tout en prononçant cette phrase, j'ai compris l'inanité d'une telle menace. Simon et Colton seraient trop heureux que j'abatte la seule personne capable de prouver mon innocence et d'établir leur propre culpabilité. Damon représentait davantage un danger qu'un atout à leurs yeux, et je leur aurais rendu un fieffé service en le tuant.

Colton a levé son pistolet dans notre direction.

*

Tandis que se jouaient les dernières chances d'Abbie face à Colton, avec les images de *Rocky IV* en guise de décor, personne ne prêta attention à la silhouette qui descendait silencieusement du balcon et traversait la salle sur toute sa longueur. Depuis l'époque où il appartenait aux services secrets britanniques, Christien était passé maître dans l'art de se mouvoir sans bruit. Il se mit en position accroupie, les jambes écartées, et leva son arme munie d'un silencieux.

139

L'écran est passé au blanc et le projectionniste a rallumé les lumières de la salle, constatant que personne ne s'intéressait plus à *Rocky IV*. Il était probablement en train d'appeler la police.

— N'approche pas ! ai-je averti Colton.

— Tu es une sacrée pouliche, ma jolie, a répliqué le mari de Bryah en faisant un pas en avant, l'arme au poing.

Continuer à menacer Damon ne m'était plus d'aucune utilité. Il suffisait à Colton de nous abattre tous les deux et d'affirmer que Damon s'était trouvé pris entre deux feux. Il ne lui serait pas difficile de reporter la faute sur moi, une prisonnière en cavale qui détenait un otage.

Je tremblais de tous mes membres, victime de mon impuissance. J'avais beau être armée, serais-je seulement capable de tirer ? J'avais déjà prouvé que j'étais prête à bien des extrémités pour me défendre, mais de là à tuer quelqu'un ?

Une lueur assassine dansait dans le regard de Colton. Il avançait en oblique de façon à disposer d'un meilleur angle de tir.

Vite, Abbie. Réagis !

— Je n'hésiterai pas à tirer !

Je cherchais désespérément à gagner du temps, mais Colton ne souhaitait rien d'autre. Il voulait que j'abatte Damon avant de régler définitivement mon compte et de donner ensuite sa propre version des événements.

— Arrête, Colton, ou je le tue.

J'ai posé le canon du Glock sur la tempe d'un Damon au bord de l'évanouissement.

Colton m'a répondu par un sourire menaçant. Il se trouvait désormais à moins de trois mètres. Il a marqué un temps d'arrêt, histoire de me laisser arranger ses petites affaires en tuant moi-même Damon.

Je l'ai vu plisser les yeux, prêt à tirer.

À l'ultime seconde, il s'est figé. Son arme lui a échappé des mains et il s'est écroulé sur la moquette du cinéma. Une mare de sang s'est rapidement formée autour de sa tête.

J'ai tourné la tête. Christien.

Christien, debout au milieu de l'allée que je venais d'emprunter avec Damon. Il brandissait un pistolet au canon interminable. Sans doute un silcncicux, car je n'avais pas entendu de détonation.

Simon s'est adossé au mur, juste en dessous de l'écran. Il a dévisagé Christien avec des yeux éberlués avant de reporter son attention sur moi.

— Christien…

Il a été contraint de se racler la gorge, incapable d'achever sa phrase.

— Dieu du ciel, Christien…

Le mari de Winnie l'a mis en joue.

— Dis-moi un truc, Simon. Qui est allé dire au directeur de la prison que la vie de ma femme n'avait aucune importance ?

— Je te jure, ce n'est pas de ma faute, s'est justifié Simon en levant les bras en signe de reddition. C'est Boulez qui a tout manigancé.

— Ça tombe bien, je me suis déjà occupé de lui.

— Christien, je te jure…

Simon Schofield n'a pas eu le temps d'en dire davantage. Un trou noir s'est imprimé entre ses deux yeux et son corps sans vie est tombé mollement par terre.

Christien a baissé son pistolet en me regardant. Il avait sur le visage la même expression de désespoir et de regret que je lui avais vue à Onzain. Il s'est avancé dans la lumière, et j'ai remarqué le sillon d'une larme solitaire sur sa joue.

Damon en a profité pour m'échapper en direction de la porte de communication avec la grande salle. Il m'aurait été facile de l'arrêter. À quoi bon ?

J'ai pointé le canon du Glock sur Christien sans qu'il fasse un geste pour se défendre. On aurait cru qu'il espérait que je l'abatte.

— Christien, Jeffrey était-il dans la combine ?

Ses épaules se sont détendues. Il venait de franchir un cap. Tout était fini, et il le savait.

— Je te répondrai ce qui t'arrange.

La perche était trop facile à saisir.

— Je veux la vérité. Rien que la vérité, Christien. Une bonne fois pour toutes.

140

Le temps nous était compté. La police et les services de sécurité du cinéma seraient là dans un instant.

— Je me trompe, ou c'est toi qui t'es glissé dans notre suite à l'hôtel et qui as récupéré les pièces à conviction avec notre ADN ? Rien de plus facile, pour un ancien agent britannique…

Christien a fait la grimace.

— Pas aussi facile que tu l'imagines, à la vérité. Je venais de pénétrer dans la première chambre, celle que tu occupais avec Win, quand j'ai entendu du bruit dans le couloir. J'ai pris ce que j'ai pu avant de m'en aller. Comme Simon nous avait complaisamment fourni des éléments appartenant à Serena, nous avions le nécessaire pour trois d'entre vous.

Voilà qui expliquait pourquoi Bryah était passée entre les gouttes.

— Qui a tué Devo et Luc ?

Christien a marqué une légère hésitation avant de laisser échapper un soupir. À ce stade, il n'avait plus aucune raison de me cacher la vérité. C'était même le contraire, il éprouvait le besoin de libérer sa conscience.

— Colt a abattu le garde du corps, mais je voulais m'occuper moi-même de l'amant de Winnie.

— Vite, la suite…

— Simon faisait le guet sur le port, au cas où une voiture serait arrivée.

J'ai fermé les yeux en baissant mon arme.

— Et j'imagine que Jeffrey montait la garde sur le ponton.

Simple supposition. J'espérais encore me tromper.

— C'est Jeff qui a vu l'acteur de cinéma quitter le yacht.

J'ai cru qu'on me perçait le cœur à l'aide d'une aiguille. Il existe un abîme entre le soupçon et la certitude. Mon mari, le père de mes enfants, s'était rendu complice d'un double meurtre dont il m'avait ensuite fait accuser. Il avait assisté à mon calvaire tout au long d'un procès au terme duquel j'avais été condamnée à la prison à vie.

Un bruit de course a résonné au fond de la salle. La cavalerie.

Christien a détourné la tête un instant avant de se tourner à nouveau vers moi.

— Je sais bien que tu ne me dois rien, *darling*. Fais-le uniquement pour Winnie.

Mon cœur s'est serré à l'évocation du nom de ma meilleure amie.

— Ma sœur s'occupera de Nat et Dory, a ajouté Christien, la gorge nouée.

Nat et Dory, leurs deux enfants.

— Promets-moi de veiller sur eux. Dis-leur…

Il n'a pas pu achever sa phrase. Les yeux brillants de larmes, il a pris une longue respiration.

— Dis-leur que papa a tenté de se racheter à la fin…

La porte de la salle s'est ouverte à la volée, laissant passer le colonel Durand entouré d'une escouade d'agents armés de la DCRI. Durand nous a crié l'ordre de nous débarrasser de nos pistolets.

— Je te donne ma parole, Christien, lui ai-je promis d'une voix rauque.

J'ai laissé tomber le Glock et levé les bras en l'air, soucieuse d'éviter tout risque de bavure. Durand aurait sûrement été ravi de m'abattre.

J'ai croisé le regard du colonel qui s'avançait vers moi en descendant l'allée opposée. Plusieurs de ses agents sont passés en trombe à côté de moi sans s'arrêter. Distraite par l'irruption des équipes de Durand, je n'avais pas remarqué que Christien s'était éclipsé par l'issue de secours. Les hommes de la DCRI se lançaient à sa poursuite.

J'ai levé les mains afin que Mâchoire carrée ne se méprenne pas sur mes intentions. Ce salopard ne serait tout de même pas allé jusqu'à tirer sur quelqu'un qui se rendait.

J'ai été la première surprise de voir son expression s'adoucir. Tandis que ses équipes se penchaient sur Colton et Simon, il s'est avancé vers moi, l'arme baissée.

Je lui ai tendu mes poignets, persuadée qu'il allait me menotter. Mon geste a paru l'amuser.

Sans pouvoir en jurer, j'ai cru voir se dessiner sur ses lèvres l'ombre d'un sourire.

141

La plus grande confusion régnait aux portes de la petite salle où nous nous trouvions. Les spectateurs qui assistaient à la première de *Der Führer* n'avaient d'abord rien su du drame qui se jouait à quelques mètres d'eux. L'arme de Christien, munie d'un silencieux, n'avait aucune raison de les alerter.

L'arrivée des équipes de la DCRI s'était chargée de bouleverser la donne. La projection interrompue, les forces de l'ordre contrôlaient l'identité des invités et des paparazzi. La plupart de ces derniers, habitués à couvrir les divorces de stars et les événements mondains, n'ont même pas pensé à me questionner en me voyant passer au milieu d'eux, cornaquée par le colonel Durand qui me tenait gentiment par le bras.

Nous avons retrouvé l'air libre sur les Champs-Élysées, aveuglés par les flashes des photographes, dans une cohue indescriptible. Quelqu'un a ouvert la portière d'une grosse voiture noire dans laquelle Durand m'a aidée à prendre place.

Il s'est installé à côté de moi sur la banquette en poussant un grand soupir.

— Vous connaissez la vérité, colonel ?

J'ai relevé la tête en le voyant acquiescer.

— Comment ?

Il s'est penché en avant, les coudes plantés sur les genoux.

— J'aimerais vous dire que j'ai trouvé la solution tout seul. Mais ce n'est malheureusement pas le cas, madame Elliot. Je n'ai pu en croire mes yeux quand j'ai découvert les documents déposés par votre avocat auprès du tribunal à la veille de votre évasion.

Sur ma requête, Jules Laurent avait demandé à ce que soient annexés au dossier un certain nombre d'éléments. Notamment les fadettes des téléphones portables de nos maris au moment de l'assassinat du président Dévereux. Il avait également exigé que soient versés au dossier les carnets de bord des jets privés de Simon Schofield, dans l'espoir d'apporter la preuve que les quatre hommes se trouvaient à Monaco le jour du drame. En outre, Me Laurent s'était intéressé au financement du nouveau film de Damon Kodiak, *Der Führer*, ainsi qu'aux images des caméras de surveillance de l'hôtel Métropole lorsque Simon avait réservé la suite.

Enfin, nous avions demandé à la compagnie de téléphone concernée de produire le détail des appels passés sur la ligne privée d'Antoine Boulez, mon directeur de prison préféré, tout au long de ma période d'incarcération dans son établissement.

Nous avions justifié l'ensemble de ces requêtes sur la foi de notre théorie. Une hypothèse selon laquelle nos maris s'étaient rendus complices des meurtres tout en cherchant à nous en faire accuser. Il s'agissait de prouver que Simon possédait une clé électronique de la suite, qu'il avait acheté le silence de Damon en échange de la promesse de financer un film que personne ne voulait produire, et que les quatre hommes avaient graissé la patte de Boulez pour qu'il me pousse à avouer, à l'image de mes trois amies.

— Ces demandes m'ont mis la puce à l'oreille, m'a avoué Durand. J'ai donc décidé d'explorer cette piste de façon plus… plus poussée.

Il a tiré de sa poche un petit enregistreur.

— Vous reconnaîtrez les voix de Colton, de Simon et de votre mari, m'a-t-il expliqué en enfonçant la touche de lecture.

Le son était loin d'être excellent et j'ai dû tendre l'oreille, dans un double réflexe de peur et de curiosité morbide.

— Calme-toi, Jeffrey, déclarait Simon. C'est vrai que ses demandes sont gênantes, mais elle ne pourra jamais rien prouver.

— C'est mal connaître Abbie.

La voix de Jeffrey. J'en avais froid dans le dos.

— Peut-être, mais je connais bien le dossier. Il n'existe aucune preuve. Souviens-toi, je me suis chargé des livres de bord de l'avion il y a longtemps. Il n'y a aucune trace de notre passage à Monaco. Rien. Zéro. Quant aux fadettes…

— Bah, elles montrent juste qu'on s'est parlé, l'interrompait Colton. Sans compter qu'on a arrêté de s'en servir à partir du moment où nous nous sommes retrouvés.

— Absolument, approuvait Simon. Christien nous avait expliqué qu'il était possible de localiser les portables par triangulation, si bien qu'on ne les a pas utilisés. Tu paniques pour rien, Jeff.

— Très bien, réagissait Jeffrey d'une voix qui trahissait effectivement sa peur. Mais tes coups de fil à Boulez, Simon ? Tu es certain qu'on ne peut pas remonter jusqu'à toi ?

— Tu me prends vraiment pour un abruti, rétorquait Simon. Tu imagines bien que j'ai veillé soigneusement à éviter ce genre de piège. Idem pour l'argent que je lui ai versé, si jamais il réapparaît, ce qui ne risque pas d'arriver. J'ai bien précisé à Boulez de ne pas le déposer sur un compte bancaire. Je lui ai promis un million supplémentaire, une fois sa mission accomplie, pour compenser les intérêts.

J'ai senti la colère monter en moi. « Une fois sa mission accomplie. » En clair, une fois que je serais passée aux aveux, ou bien morte.

— Pour ce qui est du Métropole, enchaînait Simon, elle part à la pêche. Jamais elle n'aura le moyen de démontrer que j'avais une clé de la suite. Notre cher ami Christien, où qu'il soit à l'heure qu'il est, nous a prouvé son talent en allant chercher les preuves dont nous avions besoin. Croyez-moi, s'il existait une trace de son passage, la police l'aurait déjà retrouvée.

— Il reste l'acteur, reprenait Jeffrey. Comment comptez-vous l'obliger à se taire ?

— Jeffrey, Jeffrey ! réagissait Simon sur un ton amusé. Kodiak ne pourra jamais changer d'avis, à moins de devoir admettre qu'il a menti à la barre. Si la peur ne t'obscurcissait pas l'esprit, tu te souviendrais qu'on a gardé le caméscope avec ses empreintes.

— Je sais, mais n'empêche. Vous avez bel et bien financé son film.

— C'est absolument vrai, et Kodiak sera peut-être contraint de le reconnaître. Et alors, qu'est-ce que ça prouve ? En échange de l'argent versé, nous avons exigé une part des bénéfices, pour couper court à toute interrogation de ce genre. Si jamais l'information est rendue publique, nous aurons investi de l'argent dans un film, rien de plus.

— Au cas où ça t'aurait échappé, renchérissait Colton, ce film est en train de casser la baraque. Cet investissement va même nous rapporter des dizaines de millions de dollars.

— Exactement, approuvait Simon. Ce financement prouve simplement que Colton et moi, on est des hommes d'affaires avertis. Tu peux compter sur moi pour le jurer sous serment, Jeff.

Simon et Colton partaient alors d'un grand éclat de rire, et Durand arrêta l'appareil.

— Dès que j'ai eu accès aux demandes de votre avocat, je me suis entretenu avec M. Ingersoll, à l'ambassade des États-Unis. Nous avons… comment dirais-je ?… mis au point un plan d'attaque.

Encore secouée par ce que je venais d'entendre, je me suis contentée de hocher la tête.

— Sur ma recommandation, M. Ingersoll a convoqué Simon et votre mari à l'ambassade et leur a montré ces documents, dans l'espoir de provoquer chez eux une réaction. Lors de ce rendez-vous, ils ont dû laisser leurs portables aux Marines chargés de la sécurité, et nous en avons profité pour les piéger.

La voiture a péniblement traversé la masse des badauds, des voitures de police, des ambulances et des camionnettes de télévision agglutinés devant le Lamarck. J'ai posé ma nuque sur l'appuie-tête.

— Vous savez le plus triste ? ai-je demandé à Durand en fermant les yeux. Tout au long de l'enquête et du procès, en essayant de comprendre qui avait pu nous piéger, j'ai soupçonné la Terre entière. Même vous, colonel. Mais pas une minute je n'ai pensé à nos maris.

Il a ponctué mon commentaire d'un claquement de langue.

— C'est loin d'être triste, m'a-t-il contredite. Cela prouve seulement que vous êtes une femme bien.

J'ai poussé un soupir. Je n'aurais jamais imaginé entendre un jour le colonel Durand affirmer que j'étais une femme bien.

— Si vous saviez à quel point je suis désolé, madame Elliot, s'est excusé Durand.

142

Le président, plus digne que jamais dans sa robe rouge, paraissait mal à l'aise. Tous les magistrats venaient d'écouter avec la plus grande attention les recommandations de l'avocate générale, Maryse Ballamont.

— Je demanderai aux accusées de bien vouloir se lever, a déclaré le président en français, ses propos aussitôt traduits en anglais par l'interprète.

Serena, Bryah et moi étions assises cette fois à la même table que nos défenseurs, et non dans la cage de verre. Théoriquement, ils auraient pu nous obliger à y retourner, mais le geste aurait manqué d'élégance étant donné les circonstances.

Le président a adressé un signe de tête respectueux à chacune de nous.

— Conformément à l'une des valeurs les plus chères à notre République, nous estimons qu'il est préférable de libérer un coupable que d'incarcérer un innocent. Il n'est pas de pire crime pour un État que d'emprisonner à tort un citoyen. Madame Gordon, madame Schofield, madame Elliot, la République française vous doit des excuses.

J'ai serré les paupières et rempli lentement mes poumons en savourant des paroles que je n'aurais jamais cru entendre un jour.

— Sur la requête de Madame l'avocate générale et avec le plein accord de la défense, la cour décide à l'unanimité de ses membres que les éléments découverts récemment démontrent l'innocence des accusées sans l'ombre d'un doute, au titre du crime qui leur était reproché. En conséquence, nous demandons l'élargissement immédiat des accusées. L'audience est levée.

Des applaudissements ont éclaté dans la salle. Avec Serena et Bryah, nous nous sommes embrassées avant de fondre en larmes, ainsi qu'on pouvait s'y attendre. Le moment, bouleversant, était à la mesure de l'horreur que nous avions connue en voyant s'écrouler nos vies respectives, sans espoir d'en ressortir vivantes un jour.

Vivantes, mais pas indemnes. Nos enfants avaient tous commencé par perdre leur mère avant de la retrouver au prix de la trahison de leur père. Katie Mei n'avait connu que Simon pendant plus d'un an, et voilà que Serena réapparaissait dans son quotidien au moment où disparaissait son père. Le fils de Bryah connaissait un sort analogue.

Ou encore Richie, et Elena, qui avait fêté son anniversaire un mois plus tôt. J'essayais de me convaincre qu'ils étaient moins jeunes, que la situation était moins dramatique pour eux puisqu'ils vivaient en pension. Je me mentais à moi-même, bien sûr. Ils étaient en âge de comprendre que leur père s'était rendu complice d'un crime monstrueux et qu'il avait commis l'irréparable en me tendant un piège aussi abominable. Ils avaient toujours été convaincus de mon innocence, et même si cela n'avait pas été le cas, ils m'auraient soutenue. La situation avait changé du tout au tout car ils savaient leur père coupable, non seulement vis-à-vis de moi, mais aussi vis-à-vis d'eux.

En dépit de tous mes efforts, je pouvais difficilement me rayer de la liste des victimes. J'étais vivante, libre, et j'avais retrouvé mes enfants, c'est vrai. Néanmoins, un traumatisme aussi grave laisse des traces. On a beau recoller les morceaux, on court le risque d'oublier à jamais la personne que l'on était avant d'être brisée. Un peu comme une voiture à la suite d'un grave accident : une fois réparée, elle marche encore, mais plus comme avant.

Je savais déjà qu'il me faudrait longtemps pour échapper à l'amertume qui me rongeait. Et encore plus longtemps pour me montrer capable d'accorder à nouveau ma confiance à quiconque. J'avais refusé les fortunes qu'on me proposait pour écrire un livre, comme les demandes d'interview de *60 Minutes* ou de *People*. Je voulais retrouver ma vie, tout en sachant que c'était impossible.

Richie et Elena ont franchi la barrière derrière laquelle se tiennent les accusés et se sont collés à moi. J'ai serré leurs têtes contre ma poitrine en refoulant mes larmes. Cela faisait trois jours qu'on ne se quittait plus, depuis que l'État français les avait fait venir à Paris où ils m'avaient rejointe dans un hôtel du Quartier latin. J'en étais reconnaissante à Durand. Dans la mesure où je restais officiellement condamnée jusqu'à la tenue du procès, je restais sous surveillance policière dans ma chambre payée par la DCRI, avec service d'étage et vidéos à la demande en prime.

En relevant la tête par-dessus celles de mes enfants, j'ai aperçu Giorgio Ambrezzi et Dan Ingersoll dans la salle. J'ai eu un pincement au cœur en repensant à Linette, l'amour de Giorgio, morte à cause de moi. Jamais je n'aurais réussi à m'en tirer sans l'aide de Giorgio. C'est grâce à lui que j'avais pu m'évader. J'avais cru comprendre que le colonel Durand en avait conscience, d'après certaines confidences qu'il m'avait glissées. De toute façon, il n'existait aucune preuve formelle de la complicité de Giorgio, et Durand ne se donnerait clairement aucun mal pour en trouver. Tout est bien qui finit bien, comme on dit.

Dan Ingersoll avait été bien au-delà de la mission diplomatique qu'on lui avait confiée. Il m'avait apporté la preuve de son amitié en m'aidant par tous les moyens dont il disposait. À en croire Durand, c'était lui qui avait eu l'idée de convoquer Jeff et Simon à l'ambassade afin que la DCRI puisse piéger leurs téléphones.

Je l'avais trouvé très mignon avec moi. Au cours des trois derniers jours, il m'avait expliqué à plusieurs reprises qu'il devait prochainement quitter Paris pour regagner Washington, où l'attendait son poste au ministère de la Justice.

Je lui ai adressé un sourire qu'il m'a rendu. À cet instant précis, j'ai compris combien les mille et un petits détails du quotidien tels que celui-ci m'avaient manqué.

Des flashes crépitaient de partout. La sensation restait désagréable, mais au moins s'agissait-il cette fois de donner de moi une image positive. Après les épreuves que je venais de traverser, ces séances de photo obligatoires étaient de la petite bière.

J'ai dit aux enfants de me suivre et nous nous sommes enfoncés au milieu des hordes de journalistes et de photographes.

— Je vous préviens, les enfants, ça risque de durer un moment.

— C'est un juste retour des choses, maman, a répondu Elena. Ils ont passé leur temps à te démolir pendant plus d'un an. Autant en profiter un peu maintenant que te voilà élevée au rang d'héroïne.

J'ai scruté son visage. Jamais ma petite fille ne se serait exprimée de la sorte avant mon arrestation. En quinze mois, elle était entrée dans l'âge adulte. J'avais été absente tout au long de cette période où Elena avait dû affronter sans sa mère les épreuves de l'existence. J'entendais bien me rattraper du mieux que je le pourrais. S'ils décidaient de rester dans le Connecticut, je m'installerais là-bas ; et s'ils préféraient rentrer à Georgetown, ainsi soit-il.

— Une héroïne, moi ?

L'idée me faisait sourire.

— Je n'ai rien d'une héroïne, ma fille. Je suis une survivante.

Richie m'a plaqué un baiser sur la joue.

— Pour nous, tu es une héroïne, maman.

Ce n'était pas la dernière fois, ce jour-là, que j'allais sourire à travers mes larmes.

143

Traverser à nouveau le sous-sol du palais de justice a fait resurgir des émotions et des souvenirs si forts, si bouleversants, que j'avais du mal à respirer. Je devais constamment me rappeler à moi-même que je ne rêvais pas : j'étais libre. La France resterait à jamais dans mon esprit synonyme de prison, de honte et d'humiliation. Elle avait contribué à écrire l'épisode le plus tragique de mon existence.

Je sais déjà que je rêverai toute ma vie de ces cellules en sous-sol, de la prison de Limoges, de mon interrogatoire dans les locaux de la DCRI. J'aurai beau me rincer la bouche, le goût amer de ces heures terribles ne me quittera plus. J'aurai beau serrer les paupières, ces images me hanteront jusqu'à ma mort. Quelle que soit la température ambiante, je ne pourrai jamais oublier la touffeur malsaine de la cellule 413.

— Vous souhaitez entrer ? m'a proposé le gardien qui m'accompagnait.

J'ai répondu non de la tête. Pas question de retourner à l'intérieur de cette cage.

Jeffrey était assis sur un banc fixé au mur, tête baissée, les coudes plantés sur les genoux. Mal rasé, il avait les cheveux sales et une chemise blanche auréolée de sueur sous les bras.

La toute dernière décision du colonel Bernard Durand, avant de donner sa démission, avait été d'ordonner l'arrestation de Jeffrey dans son hôtel, à deux pas de l'ambassade des États-Unis. On m'avait rapporté que Jeffrey s'était comporté avec dignité en cette occasion.

— Nous reprenons l'avion tout à l'heure.

Il a acquiescé.

— Les enfants ne sont pas venus ?

— C'était beaucoup leur demander, tu ne trouves pas ?

Jeffrey s'est frotté nerveusement les mains. Il n'avait pas encore pris l'entière mesure de la trahison dont il s'était rendu coupable envers les siens.

— Tu trouveras peut-être ça pathétique, Abbie, mais je tiens à ce que tu saches que ce n'était pas mon idée. C'est vrai, j'ai suivi les autres, mais je n'ai rien imaginé, rien planifié. Je me suis contenté de suivre le mouvement. Ça fait une différence, non ?

— Tu as raison, Jeff. C'est pathétique.

Il n'a rien répondu, anéanti.

— Tu as trouvé un avocat ?

Il a hoché la tête.

— Il pense que c'est jouable. Il y a très peu de… de preuves directes et concluantes.

Il avait sans doute raison. Simon et Colton étaient morts, Christien en cavale. Quant à l'enregistrement réalisé par les équipes de Durand, Jeffrey n'y reconnaissait rien, même implicitement. S'il était au courant des agissements des autres, rien ne prouvait qu'il avait été complice de leur crime.

Damon Kodiak avait été arrêté pour faux témoignage. Il refusait de parler. Pour l'heure, tout du moins. Et même si les enquêteurs finissaient par obtenir sa confession, il n'avait pas vu Jeffrey le jour du meurtre.

Quelle ironie ! La médiocrité et la lâcheté de Jeffrey allaient finir par le sauver.

Je voulais en avoir le cœur net.

— Tu comptes nier avoir fait le guet sur le ponton ?

Il a haussé les épaules.

— Que me conseilles-tu ?

— Je te rappelle que je m'appelle Abbie, pas Débile.

Un sourire fugitif a illuminé son visage. C'était une vieille expression datant de l'époque où nous sortions ensemble, quand j'étais follement amoureuse de lui et que la vie était une page blanche pleine de promesses.

— Je t'aime toujours, tu sais, m'a-t-il dit en croisant mon regard pour la première fois. Je n'ai jamais cessé de t'aimer. Je sais que je t'ai fait du mal. Avec cette femme. Mais je n'ai pas agi parce que j'avais cessé de t'aimer. J'avais même peur de te perdre.

J'ai détourné la tête.

— Ne compte pas sur moi pour m'aventurer sur ce terrain, Jeffrey. Tu m'as trahie en toute connaissance de cause une première fois, avant de recommencer en trahissant tes enfants par-dessus le marché. Tu leur as volé leur *mère !* N'espère pas que je te le pardonne un jour.

Un long silence s'est installé entre nous. Peut-être était-ce la raison de ma venue. Peut-être avais-je besoin de lui dire ses quatre vérités avant de rentrer en

Amérique et de reconstruire ma vie. Ou bien peut-être, au fond de moi, avais-je besoin de le voir derrière ces barreaux.

— Je suis au courant, a-t-il repris. Ton coup de téléphone au nouveau président français. Mon avocat m'en a parlé. C'était… Merci, Abbie.

— Il m'a demandé en quoi il pouvait m'aider.

— Et tu lui as demandé d'intercéder en ma faveur. Je ne le méritais pas.

— Je ne te le fais pas dire.

C'était toujours le père de mes enfants, envers et contre tout. S'il existait une possibilité que se cicatrise un jour la profonde blessure qui séparait Jeffrey des enfants, je me devais de l'aider à germer. Je n'en pouvais plus des ruines et des déchirements. Je voulais renverser la vapeur.

J'ai remonté le couloir d'un pas vif et pris l'escalier au lieu d'attendre l'ascenseur. Je suis sortie en trombe du palais de justice et j'ai couru jusqu'au pont qui enjambe la Seine.

Je souhaitais tellement que tout aille mieux. Je devais déjà commencer par rentrer chez moi.

Du même auteur :

aux éditions de l'Archipel

Menace sur Rio, 2016.
Invisible, 2016.
Un si beau soleil pour mourir, 2015.
Lune pourpre, 2015.
Le Sang de mon ennemi, 2015.
Moi, Michael Bennett, 2014.
Tapis rouge, 2014.
Zoo, 2013, 2015.
Dans le pire des cas, 2013.
Les Griffes du mensonge, 2013.
Copycat, 2012.
Private Londres, 2012.
Œil pour œil, 2012.
Private Los Angeles, 2011.
Bons baisers du tueur, 2011.
Une ombre sur la ville, 2010.
Dernière escale, 2010.
Rendez-vous chez Tiffany, 2010.

On t'aura prévenue, 2009.
Une nuit de trop, 2009.
Crise d'otages, 2008.
Promesse de sang, 2008.
Garde rapprochée, 2007.
Lune de miel, 2006.
L'amour ne meurt jamais, 2006.
La Maison au bord du lac, 2005.
Pour toi, Nicolas, 2004.
La Dernière Prophétie, 2001.

aux éditions JC Lattès

14e péché mortel, 2016.
Cours, Alex Cross, 2016.
13e malédiction, 2015.
Tuer Alex Cross, 2015.
12 coups pour rien, 2014.
Tirs croisés, 2014.
La 11e et Dernière Heure, 2013.
Moi, Alex Cross, 2013.
Le 10e Anniversaire, 2012.
La Piste du tigre, 2012.
Le 9e Jugement, 2011.
En votre honneur, 2011.
La 8e Confession, 2010.
La Lame du boucher, 2010.
Le 7e Ciel, 2009.
Bikini, 2009.
La 6e Cible, 2008.
Des nouvelles de Mary, 2008.

Le 5e Ange de la mort, 2007.
Sur le pont du loup, 2007.
Quatre fers au feu, 2006.
Grand méchant loup, 2006.
Quatre souris vertes, 2005.
Terreur au troisième degré, 2005.
2e chance, 2004.
Noires sont les violettes, 2004.
Beach House, 2003.
Premier à mourir, 2003.
Rouges sont les roses, 2002.
Le Jeu du furet, 2001.
Souffle le vent, 2000.
Au chat et à la souris, 1999.
La Diabolique, 1998.
Jack et Jill, 1997.

au Fleuve noir

L'Été des machettes, 2004.
Vendredi noir, 2003.
Celui qui dansait sur les tombes, 2002.
Et tombent les filles, 1996.
Le Masque de l'araignée, 1993.

Le Livre de Poche s'engage pour l'environnement en réduisant l'empreinte carbone de ses livres. Celle de cet exemplaire est de :
500 g éq. CO_2
Rendez-vous sur www.livredepoche-durable.fr

Composition réalisée par PCA

Achevé d'imprimer en octobre 2016 en Allemagne par
GGP Media GmbH, Pößneck
Dépôt légal 1re publication : novembre 2016
LIBRAIRIE GÉNÉRALE FRANÇAISE
21, rue du Montparnasse – 75298 Paris Cedex 06

72/4886/5